éternels

tome 3 : le pays des ombres

éternels

tome 3 : le pays des ombres

alyson noel

Traduit de l'anglais (États-Unis)
par Laurence Boischot et Sylvie Cohen

Michel
LAFON

Déjà parus :
Éternels, tome 1 : *Evermore*
Éternels, tome 2 : *Lune bleue*

À paraître
Éternels, tome 4 : *Dark Flame*

Titre original : The Immortals – Shadowland
Première publication par St. Martin's Griffin
© Alyson Noël, 2009.

© Éditions Michel Lafon, 2010, pour la traduction française
7-13, boulevard Paul-Émile-Victor – Île de la Jatte
92521 Neuilly-sur-Seine Cedex
www.michel-lafon.com

« *Le destin n'est rien d'autre
que la somme des actes commis
dans un état antérieur de l'existence.* »

RALPH WALDO EMERSON

un

Damen me fixe de son regard sombre semblant m'implorer de l'écouter. D'un geste du bras, il embrasse l'horizon sur le point de se fondre dans l'obscurité.

– Tout est énergie, déclare-t-il. Ce qui nous entoure, l'Univers qui nous paraît si solide, n'est qu'illusion, le résultat des vibrations incessantes de l'énergie pure. Notre perception des choses nous fait croire qu'elles sont solides, liquides ou gazeuses, mais d'un point de vue quantique, seules existent des particules au sein d'autres particules. Seule existe l'énergie pure.

Je fais mine d'acquiescer, tandis qu'une petite voix dans ma tête me répète : *Allez, dis-lui ! C'est le moment ou jamais ! Arrête de tourner autour du pot, prends ton courage à deux mains et vas-y !*

Je n'en fais rien. Je garde le silence. Je le laisse poursuivre, soulagée de ce répit.

– Lève ta main, m'enjoint-il.

Il s'approche, la paume dressée vers moi. J'obéis en veillant à éviter tout contact physique.

– Bon. Maintenant, dis-moi ce que tu remarques.

Où veut-il en venir ?

– Euh… je vois cinq doigts un peu pâlots, un ou deux

grains de beauté, et des ongles qui auraient bien besoin d'une manucure...

Damen me décoche un sourire ravi, comme si je venais de réussir le test le plus ardu du monde.

– Exactement. Mais si tu percevais les choses telles qu'elles sont en réalité, ton jugement serait complètement différent. Tu distinguerais un grouillement de molécules, formées de protons, neutrons, électrons et quarks. Et à l'intérieur de ces particules élémentaires, dans l'infiniment petit, tu observerais l'énergie pure qui vibre et se déplace assez lentement pour donner l'illusion de densité et de solidité, et assez vite pour que sa vraie nature soit invisible à l'œil nu.

Je fronce un sourcil dubitatif. Je ne suis pas entièrement convaincue, même s'il a consacré des siècles à potasser la question.

Il se penche vers moi, passionné par son sujet.

– C'est vrai, Ever. Rien n'est dissocié dans la nature, il n'y a qu'un immense tout. Les choses qui semblent posséder une densité, toi, moi, le sable sous nos pieds, sont une même masse d'énergie qui vibre avec lenteur pour nous paraître solide, alors que, par exemple, les fantômes et les esprits tournoient à une vitesse telle qu'il est pratiquement impossible aux humains de les détecter.

Cette remarque me rappelle ma petite sœur fantôme.

– Mais je peux voir Riley. Enfin, c'était le cas, avant qu'elle ne décide de traverser le pont et de passer de l'autre côté.

– C'est pour cette raison que tu n'y parviens plus. Ses vibrations sont beaucoup trop rapides. Certains arrivent quand même à les déceler.

Je laisse mon regard errer sur l'océan qui s'étale devant nous, avec ses vagues perpétuelles, immuables, immortelles, à notre image.

– Maintenant, lève encore une fois la main et approche-la de la mienne.

J'hésite et joue avec une poignée de sable pour gagner du temps. Contrairement à lui, je connais le prix à payer, les conséquences désastreuses que pourrait entraîner un simple contact entre nous. C'est la raison pour laquelle j'évite de le toucher depuis vendredi dernier. Pourtant, en voyant sa main ouverte, la paume vers moi, je fais ce qu'il me dit. J'étouffe un cri lorsque la distance entre nous se réduit à l'épaisseur d'une lame de rasoir.

– Tu sens cette chaleur, cette espèce de fourmillement ? Ce sont nos énergies respectives qui se rencontrent.

Il recule puis rapproche la main, jouant avec la tension du champ magnétique qui nous lie, lequel insuffle une délicieuse chaleur dans mes veines.

– Si tout est connecté, comme tu l'affirmes, comment se fait-il qu'on éprouve des différences ?

– Parce que, même si tout est effectivement connecté et procède de la même vibration, nous réagissons différemment aux diverses sources d'énergie. Elles ne nous font en général pas ou peu d'effet. Seule nous affecte celle qui nous est destinée.

Je ferme les yeux et détourne la tête pour cacher mes larmes. Le contact de sa peau, la douceur de ses lèvres, la chaleur de son corps contre le mien me sont désormais interdits. En raison de ma conduite insensée de vendredi dernier, ce champ magnétique qui palpite entre nos deux épidermes est le seul contact dont je devrai dorénavant me contenter.

– La science commence à peine à déchiffrer ce que les métaphysiciens et les maîtres spirituels ont compris depuis des siècles. Tout est énergie. Tout ne fait qu'un.

Je perçois un sourire dans sa voix, tandis qu'il s'approche pour mêler ses doigts aux miens. Je m'écarte d'un bond, et j'ai le temps de noter son regard désolé. Il affiche la même expression douloureuse depuis que je lui ai administré l'antidote qui l'a ramené à la vie. Il ne comprend pas pourquoi je suis devenue taciturne, distante, littéralement intouchable, alors qu'il y a quelques semaines encore, je ne pouvais me rassasier de sa présence. Il croit, à tort, que la cause en est son comportement cruel à mon égard, son flirt avec Stacia. Mais c'est Roman qui contrôlait tout, Damen n'y était pour rien.

Il ignore que, si l'antidote l'a effectivement guéri, j'y ai ajouté quelques gouttes de mon sang, nous séparant à jamais.

Pour l'éternité.

Sauf si l'on trouve l'antidote de l'antidote…

Il murmure mon nom, mais je ne peux me résoudre à le regarder, ni à le toucher. Impossible de prononcer les mots qu'il mériterait d'entendre : *J'ai tout gâché, je suis désolée. Roman m'a tendu un piège, et j'étais tellement inquiète que je suis tombée dedans à pieds joints. C'était stupide, et maintenant il est trop tard. Il suffirait que tu m'embrasses, que nos ADN se mêlent pour que tu meures.*

Je ne peux pas. Je suis la pire des lâches, d'une faiblesse pathétique. Je ne vois pas comment puiser en moi le courage de le lui révéler.

– Ever, que t'arrive-t-il ? demande Damen en voyant couler mes larmes. Voilà des jours que tu es triste. Est-ce à cause de moi ? Je t'ai fait de la peine ? Tu sais que je suis incapable de te faire du mal, de quelque manière que ce soit.

Recroquevillée sur moi-même, je serre mes genoux dans mes bras. Je voudrais me faire toute petite, disparaître de sa vue. Je sais qu'il dit la vérité, qu'il est incapable de me causer la moindre souffrance. Contrairement à moi, qui ai cédé à mes impulsions irréfléchies. Dire que j'ai été assez stupide pour gober les mensonges de Roman ! Je voulais prouver que j'étais le grand amour de Damen, la seule à pouvoir le sauver... et voilà le résultat !

Il s'approche, passe un bras autour de ma taille et me serre contre lui. Je ne peux pas prendre ce risque. Si elles le touchent, mes larmes lui seront fatales.

Je me relève en hâte, me précipite vers l'océan, plante mes pieds dans le sable humide et laisse l'écume glacée me fouetter la peau. Si seulement je pouvais plonger dans cette immensité et me laisser entraîner au loin ! N'importe quoi pour éviter de confesser l'atroce vérité, confesser à l'amour de ma vie, mon compagnon, mon âme sœur, que s'il m'a offert l'immortalité, moi, je n'ai réussi qu'à provoquer notre perte.

Je reste là un long moment, immobile, attendant que le soleil plonge à l'horizon pour me retourner vers Damen, dont la haute silhouette se profile dans l'obscurité.

Les mots finissent par franchir ma gorge nouée.

– Damen, mon amour... je dois t'avouer quelque chose...

deux

À genoux, les mains sur les cuisses, les pieds ancrés dans le sable, j'espère que Damen va me regarder, me parler enfin. Même pour me dire ce que je sais déjà. Que j'ai commis une erreur stupide, peut-être irréparable. Je serais presque heureuse qu'il m'adresse des reproches – je ne mérite pas mieux. Je ne supporte pas son mutisme, son regard perdu dans le vague.

N'y tenant plus, je m'apprête à lancer la première idée qui me vient à l'esprit pour rompre ce silence insupportable, quand Damen se tourne vers moi. Une lassitude extrême se lit dans ses yeux, le poids de ses six cents années d'existence.

– Roman, je ne l'avais pas reconnu, soupire-t-il. Je n'aurais jamais imaginé que…

Sa voix s'éteint et son regard s'évade.

– Évidemment que tu ne pouvais pas imaginer une chose pareille ! Tu étais sous son emprise, dès le premier jour ! Tout était prévu, crois-moi. Il avait effacé ta mémoire.

Damen me dévisage longuement, comme s'il cherchait un indice sur mon visage. Puis il se remet debout, les yeux fixés sur l'océan, les poings serrés.

– A-t-il essayé de s'en prendre à toi, de te faire du mal ?

– Non, il n'en avait pas besoin. Je te voyais souffrir, c'était amplement suffisant.

Il se tourne vers moi, les yeux assombris, les traits déformés par la colère.

– Tout ça, c'est ma faute.

Je n'en reviens pas. Comment peut-il penser une chose pareille après ce que je viens de lui apprendre ? Je bondis sur mes pieds et le rejoins en deux enjambées.

– Non, mais tu délires ou quoi ? Tu n'y es pour rien ! As-tu seulement entendu ce que je viens de te dire ? Roman a empoisonné ton élixir et t'a ensorcelé, tu n'y pouvais rien ! Tu étais à sa merci !

Damen balaie mon argument d'un revers de main.

– Tu ne saisis pas, Ever ? Le problème, ce n'est pas Roman, ni toi, mais mon karma. Je dois payer pour mes six siècles d'égoïsme forcené. Ces années passées à t'aimer et à te perdre sans savoir que Drina était la responsable, je croyais que c'était cela, ma punition. J'ai enfin compris ce qui m'avait échappé jusqu'à présent. Au moment où je croyais avoir réussi à déjouer le sort en te donnant l'immortalité, mon karma a eu le dernier mot : tu resteras toujours à mes côtés, mais nous ne pourrons nous toucher que du regard.

J'ai envie de le serrer contre moi pour le consoler, le convaincre qu'il se trompe, mais je me domine. Cela nous est interdit, et c'est bien le problème.

Je le regarde intensément.

– C'est faux. Pourquoi subirais-tu les conséquences d'une erreur que j'ai commise ? Roman n'a rien laissé au hasard. Il est l'un des orphelins que tu as sauvés de la peste, à Florence. Tu ne le savais peut-être pas, mais il a toujours été amoureux de Drina. Il aurait fait n'importe quoi pour elle. Or, Drina était folle de toi, et tu l'avais délaissée pour moi. Alors quand je l'ai tuée, Roman a décidé de se venger, et il s'est servi de toi pour m'atteindre. Il voulait me voir endurer le supplice de ne plus jamais pouvoir te toucher – comme lui-même et Drina ! Tout s'est passé si vite que je…

Inutile de continuer, je gaspille ma salive. Damen ne m'écoute pas, tant il est certain de sa culpabilité.

Je refuse de me laisser entraîner sur cette pente et de le laisser ruminer davantage. Je puise dans mes réserves d'enthousiasme effréné et d'espoirs fous.

– Damen, écoute-moi ! Tu ne peux pas baisser les bras comme ça ! Ton karma n'a rien à voir ici, c'est moi la coupable. J'ai commis une erreur monumentale, mais rien n'est perdu. Il y a forcément une solution.

La mince silhouette de Damen se découpe dans la nuit. Il m'enveloppe de son regard triste, à défaut de ses bras.

– Je n'aurais jamais dû fabriquer l'élixir. J'aurais mieux fait de laisser la nature suivre son cours. Ever, regarde le résultat : souffrance et malheur, c'est tout ce que l'on y a gagné ! Toutefois, il n'est pas encore trop tard en ce qui te concerne : tu as l'éternité pour faire ce que tu veux, te réaliser pleinement. Pour moi, en revanche, les dés sont jetés. Je suis condamné à cause de mes six siècles de vie dissolue.

J'ai le cœur déchiré.

– Non ! Tu ne vas pas t'en tirer si facilement… je bredouille, les lèvres tremblantes. Tu n'as pas le droit de m'abandonner ! J'ai vécu l'enfer pendant un mois en essayant de te sauver, et je n'ai pas l'intention de baisser les bras maintenant que tu es guéri ! N'est-ce pas toi qui as affirmé que nous étions destinés à vivre ensemble ? Nous traversons une mauvaise passe, je sais, mais il suffit de réfléchir posément pour en sortir, j'en suis sûre…

Je m'interromps. Il est rentré dans sa coquille, sa petite bulle où rien ne peut plus l'atteindre. Il est temps de lui raconter la suite de l'histoire, les détails hideux que je regrette tant et préférerais oublier. Peut-être y verra-t-il plus clair, et alors… Ne sachant par où commencer, j'improvise, on verra bien…

– Ce n'est pas tout. Même si tu es persuadé que ton karma veut se venger, écoute ce que j'ai à te dire. Je n'en suis pas fière, mais tant pis.

Je lui raconte mes fréquentes virées dans l'Été perpétuel – la dimension entre les dimensions, le lieu magique où j'ai appris à remonter le temps – et je lui avoue que, contrainte de choisir entre ma famille et lui, j'ai choisi mes parents et ma sœur. J'étais persuadée de pouvoir leur restituer l'avenir qui leur avait été dérobé, mais j'ai appris une bonne leçon : parfois, le destin reste hors de portée.

J'ai fini mon discours et n'ose relever la tête, de peur de la réaction de Damen maintenant qu'il est au courant de ma trahison.

Or, au lieu de la légitime colère à laquelle je m'attendais, il m'entoure d'une lumière éblouissante, absolument magnifique, pure et bienfaisante, semblable au portail menant à l'Été perpétuel, l'amour en sus. Je ferme les yeux et l'enveloppe de clarté à mon tour. Quand je rouvre les yeux, nous nous trouvons au centre d'un cocon de douceur lumineuse. Alors, d'une voix empreinte de toute la tendresse du monde, le regard caressant, Damen s'efforce de me consoler.

– C'est normal que tu aies choisi ta famille. Tu as bien fait, et j'aurais pris la même décision à ta place…

J'esquisse un sourire et lui envoie un baiser télépathique, tandis que la lumière environnante devient plus intense encore. C'est frustrant, bien sûr, mais c'est toujours mieux que rien.

– Je sais ce qui est arrivé à tes parents, Damen. J'ai tout vu… Tu es si discret sur ton passé, l'endroit d'où tu viens, où tu as vécu, qu'un jour j'ai profité d'une de mes incursions dans l'Été perpétuel pour me renseigner à ton sujet. Ta vie entière a défilé devant mes yeux…

Je me mords les lèvres et louche vers la silhouette silencieuse, pétrifiée, qui me fait face. Mentalement, il m'effleure la joue du bout des doigts, m'arrachant un soupir, tant l'illusion est parfaite, si réelle…

– Je suis désolé, Ever. Je m'en veux de ne pas m'être confié à toi, de ne pas avoir anticipé tes questions. Mais c'est si loin que je préférais ne pas en parler.

Je hoche la tête. L'assassinat de ses parents, suivi des années de mauvais traitements que lui avait fait subir l'Église… le sujet est trop pénible pour que je m'y attarde.

Il me reste une dernière nouvelle susceptible de lui redonner espoir.

– Ce n'est pas tout. Le film de ta vie que j'ai visionné s'achevait par ta mort, du fait de Roman. Je craignais que l'issue ne soit inéluctable, cependant, tu vois, j'ai réussi à te sauver.

Damen n'a pas vraiment l'air convaincu, aussi je me dépêche de lui révéler le fond de ma pensée avant de le perdre totalement.

– Écoute, il est possible que notre sort soit en partie inexorable, mais je crois que nos actions peuvent avoir une influence. Si je n'ai pas réussi à sauver ma famille en remontant le passé, par exemple, c'est parce qu'un pan de mon destin est immuable. Ma sœur Riley me l'a expliqué une seconde avant l'accident : « Tu ne peux pas retourner en arrière, ni changer le passé, a-t-elle dit. Ce qui est fait est fait. C'est fini. » Et pourtant, je suis revenue ici, à Laguna, et je suis parvenue à te guérir. C'est bien la preuve que le futur n'est pas toujours scellé d'avance. On peut échapper à son destin.

– Au destin peut-être, Ever, mais pas à son karma. Contrairement à l'opinion commune, le karma ne juge pas, il n'est ni bon ni mauvais. C'est le résultat direct de nos actions, positives ou négatives, en équilibre constant. Les mêmes causes produisent les mêmes effets. Œil pour œil. On récolte ce que l'on a semé. On n'a que ce que l'on mérite. Tu peux l'exprimer de toutes les façons possibles, cela revient au même. Je sais que cette idée te déplaît, mais c'est exactement ce qui est en train de se produire. Toute action entraîne une réaction, et tu vois où mes actions à moi m'ont mené ? J'étais certain de t'avoir rendue immortelle par amour, mais je m'aperçois que c'était pur égoïsme de ma part – pour ne plus jamais te perdre. C'est le juste châtiment de mes fautes. L'inévitable retour des choses.

Incroyable ! Comment peut-il s'avouer vaincu aussi vite ?

– Et c'est fini ? Tel est le dénouement de l'histoire ? Terminus, tout le monde descend ? Tu es si sûr d'avoir ton karma aux trousses que tu refuses de te battre ? Tu as accompli ce long chemin pour que l'on se retrouve, et tu te dégonfles au premier obstacle ?

— Ever, je suis désolé, mais je le sais.

Il a beau me regarder avec un amour infini, je n'entends que la défaite dans sa voix.

— Ah bon ?... Eh bien, ce n'est pas parce que tu as quelques siècles d'avance sur moi que tu auras le dernier mot. Parce que si nos destinées sont vraiment liées, cette situation nous concerne tous les deux. Et tu ne peux pas renoncer aussi facilement, ni me laisser tomber comme une vieille chaussette ! Nous nous en sortirons ensemble, il y a forcément une solution...

Je ne peux en dire plus. Je tremble des pieds à la tête, la gorge trop nouée pour poursuivre. Je reste plantée là, devant lui, à le supplier en silence de se battre à mes côtés, alors même que j'ignore si la victoire est à notre portée.

Damen me lance un regard rempli de quatre siècles d'amour fou.

— Ever, je n'ai pas l'intention de te quitter. J'en suis incapable. J'ai déjà essayé, si tu veux le savoir, mais je finis toujours par te revenir. Je n'ai jamais désiré ni aimé quelqu'un d'autre que toi, mais...

— Il n'y a pas de « mais » qui tienne. Il existe probablement une échappatoire. Je suis sûre qu'à nous deux, on finira par la trouver. Mais j'ai besoin de ton aide, je n'y arriverai pas seule. Promets-moi au moins d'essayer, Damen. Promets-moi que nous n'avons pas fait tout ce chemin pour laisser Roman nous pourrir la vie.

Il ferme les yeux, et des tulipes rouges envahissent la plage. La crique entière n'est plus que pétales soyeux et tiges ondulantes. Le sable disparaît sous le symbole de notre amour éternel.

Alors il passe un bras autour de ma taille et m'entraîne vers sa voiture. Entre sa peau et la mienne, le cuir souple de son blouson et le léger coton de mon tee-shirt nous protègent d'un accidentel échange d'ADN, sans pour autant éteindre les étincelles qui jaillissent au contact entre nos deux corps.

trois

– **Devine** !

Miles monte dans ma voiture, sa bonne bouille de bébé fendue d'un sourire malicieux, ses grands yeux noisette écarquillés.

– Oh ! et puis non. Laisse tomber, tu n'y arriveras jamais, de toute façon. Et tu ne me croiras même pas, quand je te le dirai !

Je souris en lisant dans ses pensées, et me retiens de lui annoncer : « Tu vas faire un stage de théâtre en Italie », à temps pour l'entendre s'exclamer :

– Je vais faire un stage de théâtre en Italie ! À Florence. La ville natale de Léonard de Vinci, de Michel-Ange, de Raphaël…

Et de notre ami commun Damen Auguste qui, d'ailleurs, côtoyait tous ces messieurs !, je songe à part moi.

– C'était en projet depuis quelques semaines, mais je n'ai reçu la confirmation qu'hier soir, reprend-il. Je n'arrive toujours pas à y croire ! Huit semaines à Florence, à étudier, goûter la cuisine locale et mater de superbes Italiens…

Je lève un sourcil.

– Et Holt, qu'en dit-il ?

– Oh, tu sais, ce qui se passera en Italie restera en Italie.

Pas forcément. Je songe à Roman et Drina, et me demande combien d'autres immortels se promènent dans la nature, à attendre leur heure pour débouler à Laguna Beach et me rendre l'existence impossible.

– Bref, je pars très bientôt, au début des vacances. D'ici là, j'ai une foule de choses à régler. Oh, j'ai failli oublier le plus beau – enfin presque. Les dates coïncident parfaitement avec la fin de *Hairspray*. Je m'en vais le lendemain de la dernière représentation. C'est génial, non ?

– Je dirais même plus : c'est super génial ! Félicitations ! Tu le mérites. J'aimerais pouvoir t'accompagner.

Je le pense sincèrement. Quel bonheur ce serait de prendre l'avion et reléguer mes problèmes aux oubliettes. Miles me manque déjà. Je me suis rarement sentie aussi seule que durant ces dernières semaines, quand Haven et lui (sans parler du reste du lycée) me battaient froid parce qu'ils étaient complètement hypnotisés par Roman. J'ai failli devenir folle sans le soutien de mes deux meilleurs amis. Miles, Haven et les autres ne se souviennent plus de rien. Seul Damen se rappelle quelques bribes, qui lui laissent un goût amer de culpabilité.

Miles triture mon autoradio pour trouver la fréquence adaptée à son humeur exubérante.

– Moi aussi, j'aimerais beaucoup que tu viennes. On pourrait faire un tour d'Europe, quand on aura fini le lycée ! Un sac à dos, un passe Eurail, une liste des auberges de jeunesse, et vive l'aventure ! Ce serait grandiose, non ? Tous les six, Damen et toi, Haven et Josh, moi et va savoir qui...

– « Va savoir qui » ? Que veux-tu dire ?

– Bof, je suis réaliste, c'est tout.

– Réaliste, toi ? Depuis quand ?

Miles tripote sa tignasse dans un grand éclat de rire.

– Depuis que je sais que je pars en Italie ! Écoute, Ever, j'adore Holt, tu le sais, mais je ne me fais aucune illusion. Notre relation s'achèvera à plus ou moins longue échéance. C'est une histoire classique en trois actes, avec un début, un milieu et une fin. Pas comme pour toi et Damen. Vous, vous êtes partis pour perpète.

Je m'arrête à un feu rouge et lui jette un regard sceptique.

– Perpète ? Excuse-moi, mais on dirait plutôt une prison qu'un conte de fées.

Miles s'absorbe dans ses ongles couleur fuchsia, comme l'exige le rôle qu'il joue dans *Hairspray*.

– Tu vois très bien ce que je veux dire. Vous paraissez toujours sur la même longueur d'onde, comme si vous aviez un lien particulier. Et ce n'est pas que métaphorique, d'ailleurs, vu que vous êtes tout le temps scotchés ensemble

Pas depuis quelques jours. J'avale ma salive et écrase l'accélérateur dès que le feu passe au vert. On traverse le carrefour dans un hurlement de pneus qui laissent de grosses traces de caoutchouc sur le bitume. Je ralentis sur le parking et cherche des yeux Damen, qui d'habitude se débrouille toujours pour se garer à la meilleure place, à côté de la mienne.

J'enclenche le frein, mais toujours pas de Damen en vue. Je m'apprête à descendre quand il surgit, une main gantée sur ma portière. Miles claque la sienne, son sac à l'épaule.

– Où est ta voiture, Damen ? Et qu'est-il arrivé à ta main ?

– Je m'en suis débarrassé. De la voiture, bien sûr, pas de la main.

– Tu l'as revendue ?

Je pose la question à cause de Miles. Damen n'a nul besoin d'acheter, de vendre ou de revendre quoi que ce soit, comme le commun des mortels. Il peut matérialiser ce qui lui chante.

Il m'entraîne vers la grille en précisant :

– Non, je l'ai laissée sur le bord de la route, moteur en marche, les clés sur le contact.

Miles glapit :

– Pardon ? Tu veux dire que tu as abandonné ta belle BMW noire et brillante sur le bas-côté ?

– Oui.

– Une bagnole à cent mille dollars !

Miles est rouge comme un camion de pompiers. Damen en rajoute.

– Cent dix mille, pour être exact. Il y avait toutes les options possibles.

Miles a les yeux qui lui sortent de la tête. Que l'on puisse commettre une folie pareille – volontairement de surcroît – dépasse son entendement !

– Voyons voir. Si j'ai bien compris, tu t'es réveillé ce matin et tu t'es dit : « Oh, et puis zut, j'ai bien envie de larguer la magnifique décapotable qui m'a coûté une petite fortune sur le bord de la route. Là où n'importe qui peut la prendre ! »

– Il y a de ça, oui.

Miles frôle l'hystérie.

– Parce que, au cas où tu ne l'aurais pas remarqué, certains d'entre nous, pauvres péquenauds, ne peuvent même pas se payer le luxe d'être motorisés, eux ! Il y en a qui ont des parents si pervers qu'ils sont contraints de vivre aux crochets de leurs amis *ad vitam aeternam* !

– Désolé, marmonne Damen. Je n'avais pas vu le problème sous cet angle. En tout cas, si ça peut te consoler, c'était pour la bonne cause.

Damen me lance un regard débordant d'affection. J'ai l'étrange pressentiment que l'abandon de sa voiture n'est que la première étape de son plan.

– Comment as-tu fait pour venir au lycée, alors ?

Sa frange bleu vif dans les yeux, Haven nous attend devant le portail.

– Il a pris le bus, intervient-elle. Je ne plaisante pas. Je n'y aurais pas cru si je ne l'avais vu de mes yeux : Damen montant dans un gros bus jaune parmi les binoclards, les boutonneux, bref tous les débiles qui, contrairement à lui, n'ont pas d'autre possibilité pour se déplacer. J'étais tellement ahurie que je me suis pincée trois fois afin de m'assurer que je ne rêvais pas, et comme ça ne suffisait pas, j'ai pris une photo avec mon portable et je l'ai envoyée à Josh pour qu'il me le confirme. Ce qu'il a fait.

Elle sort son téléphone et brandit la pièce à conviction. Je me demande ce que Damen mijote. Soudain, je remarque sa transformation. Il a remisé les pulls en cachemire, les jeans griffés, les bottes de moto noires pour lesquelles il a une prédilection marquée, et les a remplacés par un simple tee-shirt en coton, un jean de supermarché et des tongs en plastique marron. Il est si beau qu'il n'a pas besoin d'une panoplie de millionnaire, seulement ce look de banlieusard fauché ne lui ressemble pas du tout. Du moins, ce n'est pas le Damen que je connais. Il a de nombreuses qualités : brillant, serviable, tendre, généreux... mais il a aussi un goût prononcé pour le luxe et une vanité surdimensionnée. Il apporte à ses tenues, sa voiture, son image en général un soin qui frise l'obsession. Quant à sa date de naissance, inutile de se perdre en supputations : pour quelqu'un qui a choisi d'être immortel, il souffre d'un énorme complexe concernant son âge.

Je me moque de son apparence, comme de son moyen de locomotion d'ailleurs, mais en l'observant de plus près, j'ai l'estomac retourné, je ressens comme un coup de semonce qui m'avertit que je n'ai encore rien vu. Il ne s'agit pas d'une tentative altruiste pour réduire ses dépenses ou faire un petit geste pour l'environnement. Sa métamorphose a commencé hier soir, depuis qu'il croit avoir des comptes à rendre à son karma. Il s'est mis en tête que la seule façon de se racheter consiste à abandonner les biens matériels auxquels il est le plus attaché.

Une seconde avant la sonnerie, il me prend par la main et me décoche un sourire malicieux.

– On y va ?

Nous plantons là Miles et Haven, qui vont sûrement passer les trois prochaines heures de cours à s'envoyer des textos pour essayer de deviner ce qui peut bien clocher chez Damen.

Je le suis dans le couloir en chuchotant :

– Que se passe-t-il ? Tu vas m'expliquer ce qui est réellement arrivé à ta voiture ?

– Je te l'ai dit. Je n'en avais pas vraiment besoin. C'était un caprice de luxe, et j'en ai assez des caprices… et du luxe.

Il éclate de rire et s'interrompt en remarquant mon air perplexe.

– Ne fais pas cette tête ! Cela n'a aucune importance. J'ai fini par comprendre que cette voiture n'était pas une nécessité absolue, et je suis allé la garer dans une banlieue défavorisée, là où quelqu'un sera bien content de la trouver.

Je ne réponds pas, j'évite même de le regarder. Que ne donnerais-je pour me glisser dans sa tête et découvrir ce qu'il trame sans oser me le dire ! Parce qu'il a beau se vouloir rassurant, ses explications ne me convainquent pas. Mais alors, pas du tout.

Je me garde bien de lui révéler le fond de ma pensée, et me force au contraire à adopter un ton léger.

– D'accord, super. Après tout, si ça te fait plaisir, je n'y vois pas d'inconvénient. Sauf que tu comptes te débrouiller comment pour te déplacer, sans ta Batmobile ? On est en Californie, je te rappelle : l'enfer des piétons.

Il s'amuse franchement. Ce n'était pourtant pas l'effet escompté.

– Qu'est-ce que tu as contre le bus ? En plus, c'est gratuit pour les étudiants.

J'en reste comme deux ronds de flan, ce qui ne m'empêche pas de songer : *Et depuis quand te préoccupes-tu de tes économies, monsieur Je-gagne-des-millions-au-champ-de-courses-et-génère-tout-ce-que-je-veux-rien-que-par-mon-énergie-mentale ?*

Damen s'immobilise devant la porte de la salle, visiblement choqué. Quelle idiote ! J'ai oublié de masquer mes pensées.

– C'est l'image que tu as de moi ? Un ringard superficiel, un matérialiste narcissique qui ne vit que pour consommer ?

– Bien sûr que non !

Je lui serre la main de toutes mes forces pour le convaincre que c'est faux – même si ça ne l'est qu'à moitié. Je n'avais pas l'intention de le blesser. Pour moi, Damen représente plutôt « mon petit ami qui sait apprécier les belles choses » que « la version masculine de Stacia ». J'aimerais avoir son talent pour trouver les mots justes. Peine perdue.

– En fait, je ne vois pas où tu veux en venir ! Et pourquoi portes-tu un gant, d'ailleurs ?

Il m'attire à lui.

– Tu ne devines pas ?

Eh bien non. Je suis dans le noir le plus complet.

Il pose une main sur la poignée de la porte, l'air franchement contrarié.

– Je pensais que c'était une bonne idée, en attendant de trouver *la* solution. Tu préfères peut-être qu'on ne se touche plus jamais ?

D'autres élèves arrivent et je passe en mode télépathie.

– *Non ! Bien sûr que non ! Tu sais très bien que ces trois derniers jours ont été un calvaire, à inventer des prétextes, tous plus fumeux les uns que les autres, pour éviter le moindre contact, faire semblant d'être enrhumée alors que nous ne sommes jamais malades, entre autres ! Tu ne peux pas savoir comme j'avais honte ! C'est insupportable d'être avec quelqu'un d'aussi extraordinairement beau que toi sans pouvoir le toucher.*

Le couloir se vide et je reprends mes esprits avant d'ajouter :

– Bon, d'accord, je sais qu'on doit éviter les paumes moites, etc. Mais tu ne trouves pas que tu as une drôle d'allure avec ce truc, quand même ?

Il me couve d'un regard désarmant de sincérité.

– Je m'en moque. Tout ce qui compte, c'est toi.

Il me caresse les doigts, ouvre la porte d'une pensée, et

je lui emboîte le pas jusqu'au fond de la classe pour gagner nos tables respectives, derrière Stacia.

Je ne l'ai pas revue depuis vendredi, le jour où j'ai réussi à confondre Roman, et je ne doute pas que sa haine pour moi est toujours aussi vivace. Je reste sur mes gardes, prête à esquiver ses sempiternels croche-pieds, mais aujourd'hui, elle n'a d'yeux que pour le nouveau Damen et en oublie son rôle de petite peste. Elle le toise d'un regard dédaigneux, de la tête aux pieds et vice versa.

Ce serait une erreur de croire qu'elle en a fini avec moi. Stacia n'en aura jamais fini, elle me l'a bien fait comprendre. Cette trêve temporaire ressemble à un feu qui couve sous la cendre, le calme avant la tempête, en somme...

Damen rapproche nos bureaux.

– Ne fais pas attention à elle, recommande-t-il.

Je hoche la tête, mais je suis incapable de suivre son conseil. J'aimerais me convaincre qu'elle est invisible, mais c'est irréalisable. Elle est là, juste devant moi, et je ne peux penser à rien d'autre. Je décide de m'immiscer dans sa mémoire pour voir ce qui a pu se passer entre Damen et elle. Je sais que Roman est le seul responsable de leurs messes basses, petits bisous et autres mamours, il n'empêche que j'en ai été le témoin ! Damen n'était plus lui-même, bien sûr, mais cela ne change rien à ce que j'ai vu de mes yeux : ses lèvres sur celles de Stacia, ses mains partout sur elle. Bien que je sois à peu près sûre que les choses en sont restées là, je me sentirais infiniment soulagée si j'en avais la preuve.

C'est de la folie, du masochisme pur, mais je refuse d'abandonner avant d'avoir sondé la mémoire de Stacia et d'en avoir extirpé les moindres détails, aussi sordides et pervers soient-ils.

Je me concentre pour m'infiltrer au plus profond de la conscience de cette vipère, quand Damen me prend la main.

– Ever, arrête de te torturer. Je te l'ai déjà dit, il n'y a rien à voir. Je sais ce que tu penses, mais tu te trompes, ce n'est pas ce que tu crois.

Je l'écoute à peine, les yeux fixés sur la nuque de Stacia qui bavarde avec Craig et Honor.

– Je croyais que tu n'avais aucun souvenir ?

Je lis une telle souffrance dans son regard que j'ai honte de ma remarque.

– Fais-moi confiance ! insiste-t-il. Tu veux bien essayer ? S'il te plaît ?

Il a raison, je devrais lui faire confiance. Si seulement…

Damen se penche vers moi, les sourcils froncés :

– Je t'en prie, Ever. Il t'a fallu des mois pour admettre que j'ai six siècles d'expérience. Ne pense plus à la semaine dernière, d'accord ? Je ne nie pas que tu aies été profondément blessée, mais il faut oublier le passé. On ne peut pas le changer ni revenir en arrière. Roman savait très bien ce qu'il tramait, alors ne joue pas son jeu, cela lui ferait trop plaisir.

Je déglutis avec peine. Damen a raison, comme toujours. C'est à la fois irrationnel et ridicule de me laisser désarçonner par de pareilles broutilles.

À l'arrivée de notre professeur, M. Robins, Damen passe en mode télépathique.

– *Et puis tu sais bien que cela n'avait aucune importance. Tu es la seule que j'aie jamais aimée. Cela devrait te rassurer, non ?*

Il passe un pouce ganté sur mon front et plonge son regard dans le mien pour me montrer notre histoire

commune et mes nombreuses incarnations : une jeune servante française, la fille d'un puritain de Nouvelle-Angleterre, une mondaine britannique, la muse d'un artiste à la
chevelure incendiaire…

Je retiens un cri d'étonnement. J'ignorais ce pan de mon
existence passée.

Souriant, Damen me révèle les épisodes de cette époque : notre rencontre lors d'un vernissage à Amsterdam,
notre premier baiser derrière la galerie, le soir même, et
les instants les plus romantiques… en évitant soigneusement de me montrer ma propre mort, inéluctable obstacle
à la concrétisation de notre amour.

Ces moments précieux, ces multiples preuves de l'amour
inconditionnel qu'il me porte m'emplissent de bonheur.

– *Je suis amplement rassurée. Ta simple présence me comble. Et moi, est-ce que je te suffis ?*

Voilà, c'est dit, le doute horrible qui me taraude.
Damen risque de se lasser des câlins à distance et d'aller
chercher des sensations authentiques auprès d'une fille
normale, dont l'ADN ne représenterait aucun danger.

Il me saisit le menton de sa main gantée dans une
étreinte mentale si réconfortante, douce et tendre que mes
craintes s'évanouissent comme par magie.

– Bon, maintenant, il faut qu'on parle de Roman… me
glisse-t-il à l'oreille avec un petit clin d'œil complice,
comme s'il acceptait mes excuses muettes.

quatre

À l'interclasse, avant le cours d'histoire, je me demande quelle serait la pire éventualité : revoir Roman ou M. Munoz ? Vendredi, je les ai l'un et l'autre quittés dans des circonstances pour le moins singulières. Concernant M. Munoz, je lui ai parlé de mes pouvoirs psychiques dans un moment d'égarement sentimental – chose que j'avais toujours soigneusement évitée – et en plus, je l'ai encouragé à inviter ma tante Sabine un de ces soirs… Un comble ! Je commence à le regretter. Et c'est encore pire avec Roman : je voulais lui envoyer une droite en plein chakra central dans l'espoir de le tuer, le démolir complètement. Au dernier moment, j'ai hésité comme une mauviette et il a réussi à se sauver. Et même si, à la réflexion, je pense que c'était la meilleure chose à faire, il est très probable que je récidive à la première occasion, tellement je suis en colère.

Au fond de moi, je sais que je ne suis pas prête à retenter l'expérience. Pas seulement parce que Damen vient de passer une heure à me faire la morale sur le thème : « La vengeance n'est pas la solution, le karma est le système de justice ultime, et blablabla… » Non, c'est surtout parce que ce serait mal. Peu importe que Roman m'ait piégée de la manière la plus tordue qui soit. S'il s'imagine pouvoir regagner ma confiance, il se fait des illusions ! Je ne peux pas le tuer. Cela n'arrangerait rien, au contraire. Il a beau être odieux, malfaisant, tous les synonymes de « mauvais », ça ne me donne pas le droit de...

— Oh, ma petite poulette adorée !

Le voilà qui se plante devant moi, avec ses cheveux blonds artistiquement décoiffés et son sourire de pub pour dentifrice, et me barre le chemin en jouant ostensiblement des biceps.

Mon sang ne fait qu'un tour. Son accent britannique en toc, son regard de pervers lubrique – bref, mes envies de meurtre se réveillent...

Non !

J'ai promis à Damen de ne rien tenter que je pourrais regretter.

— Alors, Ever, raconte ! Comment s'est passé ton week-end ? Damen et toi avez bien célébré vos retrouvailles ? A-t-il survécu à toutes ces émotions ?

Malgré mes principes de non-violence, je serre les poings en imaginant de quoi il aurait l'air, réduit à un petit tas de vêtements griffés et de poussière.

— En revanche, si tu as méprisé mes conseils et que tu en pinces toujours pour cette espèce de vieux dinosaure, j'imagine que je dois te présenter mes plus sincères condoléances, car il ne va pas faire long feu, à mon avis, poursuit-il sans me lâcher du regard. Ne t'inquiète pas, tu ne resteras pas seule très longtemps. Je serais ravi de combler le vide, une fois ton deuil surmonté.

Je prends une grande goulée d'air pour ne pas penser au bras bronzé et musclé qui me bloque le passage – et au coup de karaté bien placé qui suffirait à le briser net.

Roman me coule un regard de biais.

– Et même si tu as réussi à le maintenir en vie, tu n'auras qu'un mot à dire pour que j'accoure. Tu le sais, n'est-ce pas ? Je ne suis pas pressé, poulette. Tu vois, contrairement à Damen, je sais attendre, moi. De toute façon, tôt ou tard, tu viendras me supplier à genoux, c'est sûr.

Je le fusille du regard. Le sang me monte à la tête.

– Tu sais ce que j'aimerais ? Le mode d'emploi pour que tu me fiches la paix !

En guise de réponse, son sourire malsain s'élargit.

– Désolée de te contredire, ma douce. Tu veux exactement le contraire, je le sais. Comme je te l'ai dit, j'ai tout mon temps. C'est plutôt Damen qui me tracasse. Et tu ferais bien de t'inquiéter aussi. D'après ce que j'ai pu observer ces six cents dernières années, la patience n'est pas son fort. Trop hédoniste, le coquin. Il est du genre pressé, ce type.

Je lutte de toutes mes forces pour ne pas mordre à l'hameçon. Roman a décidément le chic pour trouver mon point faible, ma Kryptonite psychologique, si l'on peut dire. Jouer avec mes nerfs semble être devenu son passe-temps favori.

– Remarque, il faut lui rendre justice. Il a toujours su sauver les apparences – brassard noir et mine inconsolable à l'enterrement, poursuit-il. L'herbe n'avait pas encore repoussé sur ton cercueil qu'il était déjà en chasse. Disons qu'il noyait son chagrin comme il le pouvait, et avec qui il le pouvait. Crois-moi sur parole, Ever, j'étais là. Damen n'a jamais attendu personne, pas même toi.

J'inspire à fond et pense à toutes sortes de mots, de mélodies, d'équations mathématiques plus complexes les unes que les autres – n'importe quoi pour masquer les paroles de Roman, ces flèches empoisonnées destinées à me déchirer l'âme.

— Ouais, ma petite dame, raille-t-il avec un fort accent cockney. J'y étais, et j'ai tout vu de mes yeux ! Drina aussi, d'ailleurs, et cela lui brisait le cœur, la pauvre. Mais contrairement à moi – et à toi aussi, j'en ai peur – elle portait à Damen un amour inconditionnel. Elle était toujours prête à lui pardonner ses pires égarements, sans lui demander de comptes. Ce qui, à l'évidence, n'est pas ton cas.

— C'est faux ! J'ai toujours aimé Damen ! Depuis le premier jour !

Ma voix grince comme si j'avais des tonnes de poussière au fond de la gorge. J'aurais mieux fait de me taire, je ne suis pas de force à lutter contre Roman.

— Désolé, poulette, mais tu te trompes. Tu n'as jamais vraiment aimé Damen. Un chaste petit bisou, des promenades main dans la main… Ce n'est pas aimer, ça ! Franchement, Ever, tu crois que vos pathétiques préliminaires auraient suffi à satisfaire un égoïste narcissique tel que Damen ? Pendant quatre siècles ?

Je prends mon courage à deux mains et feins une assurance que je suis loin d'éprouver.

— C'est toujours mieux que toi et Drina, non ?

Son regard se durcit.

— Merci de me le rappeler. Bon, comme je te l'ai dit, j'ai une patience d'ange. Damen, non. Pfff ! Quel dommage que tu t'obstines à jouer les vierges effarouchées. On est pareils, toi et moi. Bien plus que tu ne le crois. Toujours à se morfondre pour quelqu'un qu'on ne possédera jamais vraiment…

Folle de rage, j'en oublie ma promesse à Damen.

– Je pourrais te tuer dans la seconde, si je voulais, je…

Je me mords les lèvres. Pas question de lui dévoiler le secret que Damen et moi sommes les seuls à connaître : pour tuer un Éternel, il faut viser son chakra le plus faible.

Roman s'approche avec un sourire de dément.

– Comment ça ? En me frappant en plein chakra, peut-être ?

Les bras m'en tombent. Comment le sait-il ?

Roman éclate de rire devant ma mine déconfite.

– Damen a été mon prisonnier pendant un certain temps, tu te rappelles ? Il m'a appris beaucoup de choses. Il répondait à toutes mes questions, figure-toi, y compris celles te concernant.

Je reste interdite, bien décidée à feindre l'indifférence. Trop tard. Roman a gagné. Il a tapé en plein dans le mille. Et il le sait, ce monstre.

Ses yeux bleus m'enveloppent d'un regard si perçant que mon estomac se ratatine.

– Ne t'angoisse pas, ma belle. Je ne te veux aucun mal, même si ton manque de jugeote et ton usage anarchique de la magie me disent qu'il suffirait d'un coup en pleine trachée pour t'envoyer *ad patres*. Non, je m'amuse trop à te regarder te démener comme un beau diable, une belle diablesse, devrais-je dire. Surtout que, d'ici peu, tu ramperas à quatre pattes devant moi, tellement tu souffriras de solitude. Et puis, même si tu en meurs d'envie, je sais que tu ne prendras jamais ta revanche. Tu devines pourquoi ? Parce que je détiens l'information que tu recherches. L'antidote de l'antidote. Eh oui ! Tu vas devoir me la soutirer. Et payer le prix fort, Ever, et cash…

Je reste médusée par sa folle vanité. Vendredi déjà, il m'avait fait la même proposition, seulement j'étais tellement préoccupée par le sort de Damen que ce détail m'avait échappé.

Pour la première fois depuis des jours, mon espoir se ranime. L'antidote est à ma portée. Ce n'est qu'une question de temps. Il me suffit de trouver le moyen de lui arracher la formule. Je relève le menton et plante résolument mon regard dans le sien.

— Oh, voyez-vous ça ! se moque-t-il. Tu as oublié notre rendez-vous avec le destin, on dirait.

Il tend le bras vers moi et je me prépare à foncer vers la porte, mais il le rabaisse aussitôt.

— Respire, ma belle. Pas de quoi paniquer, ni sombrer dans l'hystérie, me susurre-t-il à l'oreille, tandis que ses doigts glissent le long de mon épaule, y laissant une traînée glaciale. Je suis sûr que nous allons trouver un petit arrangement, toi et moi. Une solution… euh… satisfaisante.

Dégoûtée, je plisse les paupières et assène :

— Quoi que tu dises ou fasses, je ne coucherai jamais avec toi !

Au même moment, M. Munoz ouvre la porte, de sorte que toute la classe entend mes paroles.

Un sourire aux lèvres, Roman entre dans la salle, les mains levées en signe de reddition.

— On se calme ! Qui a parlé de faire des cochonneries ? Je ne voudrais pas te vexer, ma puce, mais si je cherchais une partenaire à ma hauteur pour ce genre de sport, je n'irais certainement pas piocher dans la catégorie « vierge de glace » !

Il part d'un grand éclat de rire, la tête renversée, exhibant au passage son serpent tatoué.

Je me précipite vers ma table, le rouge aux joues, les yeux obstinément baissés. L'heure suivante est un supplice : mes charmants camarades de classe pouffent chaque fois que Roman m'adresse d'obscènes petits bruits imitant des baisers mouillés. Même M. Munoz est impuissant à rétablir l'ordre. Dès que la cloche sonne, je saute sur mes pieds et fonce vers la porte. Il faut absolument que je trouve Damen avant Roman. Il le provoquerait. Mon cher amour risquerait de craquer et de commettre l'irréparable, ce qui nous condamnerait à jamais.

– Ever ? Vous avez une minute ? lance M. Munoz dans mon dos, alors que j'ai la main sur la poignée.

Les autres s'agglutinent derrière moi, impatients de me poursuivre de leurs railleries. Après leur départ, je me retourne vers Munoz, alors que le rire moqueur de Roman résonne encore dans le couloir.

Le professeur m'adresse un petit sourire nerveux.

– Ça y est, c'est fait, déclare-t-il.

Horriblement gênée, je me dandine d'un pied sur l'autre en regrettant de ne pas avoir appris l'observation à distance. Cela me permettrait de garder un œil sur le déroulement du déjeuner et m'assurer que Damen conserve son sang-froid.

– Je lui ai adressé la parole, comme vous me l'aviez conseillé, précise-t-il.

Le cœur au bord des lèvres, je commence à comprendre.

– La jeune femme de Starbucks. Sabine. Je l'ai croisée ce matin, nous avons bavardé quelques minutes et…

Son regard se perd dans le vague, vers le souvenir impérissable de cet instant magique.

J'en ai le souffle coupé. Il faut absolument que je mette un terme à cette histoire avant qu'il ne soit trop tard.

– Et vous aviez raison. Elle est très sympathique. Je ne

devrais peut-être pas vous le dire, mais je l'ai invitée à dîner vendredi soir.

Je hoche la tête comme un petit chien mécanique. Ses mots m'effleurent à peine, pendant que je me connecte sur son esprit pour revoir la scène :

Sabine fait la queue. Arrive M. Munoz. Sabine se retourne et le gratifie d'un sourire… honteusement charmeur !

Seulement, il n'y a pas de quoi avoir honte. Pas en ce qui concerne Sabine, en tout cas. Ni M. Munoz, d'ailleurs. Non, c'est moi qui devrais être embarrassée. Eux, ils sont sur leur petit nuage.

Cette histoire est impossible. Pour un millier de bonnes raisons. Primo, Sabine n'est pas seulement ma tante, c'est ma tutrice, ma seule famille au monde ! Et secundo : après la scène ridicule et pathétique de vendredi dernier, Munoz sait que je possède des pouvoirs psychiques, alors que Sabine, elle, l'ignore !

Je m'évertue depuis des mois à lui cacher mon secret. Il est hors de question qu'elle l'apprenne par mon professeur d'histoire au cours d'un dîner aux chandelles !

Je cherche comment lui signifier qu'il ne peut en aucun cas inviter ma tante à dîner, ni lui révéler ce que j'ai laissé échapper dans un moment de faiblesse, alors que je pensais ne jamais le revoir. Mais il me devance :

— Enfin, bref… Il est tard, allez déjeuner. Je ne pensais pas vous retenir si longtemps, je me disais que…

— Oh, il n'y pas de problème. Je…

M. Munoz me coupe la parole et me met littéralement à la porte :

— Dépêchez-vous de retrouver vos camarades. Je voulais vous remercier, c'est tout.

cinq

J'arrive à **notre table** et m'installe à côté de Damen, soulagée de constater que tout est normal. Je cherche Roman des yeux, quand Damen pose sa main gantée sur mon genou en m'adressant un message mental.

– *Il est parti.*

– *Parti ? Dans le sens « ailleurs », pas « parti en fumée », j'espère ?*

Damen éclate de rire en silence, un silence mélodieux qui résonne pour moi seule.

– *On se calme, il est bien vivant. Je l'ai vu quitter le parking, il y a quelques minutes, avec un type que je ne connais pas.*

– *Il n'est pas venu te parler ? Ni chercher la bagarre ?*

Damen secoue la tête.

– *Ouf, tant mieux. Écoute, on ne peut rien contre lui. Il a l'antidote ! Il me l'a dit ! On n'a plus qu'à trouver un moyen de…*

– *Parce que tu crois tout ce qu'il raconte ? C'est un menteur, un manipulateur, il fonctionne comme ça ! Tu dois l'éviter comme la peste, Ever, il essaie de se servir de toi. Impossible de lui faire confiance.*

J'esquisse un geste de dénégation. Cette fois, c'est différent. Je le sens, et j'aimerais en convaincre Damen.

– Non, il ne mentait pas, je t'assure. Il a dit que…

Haven choisit ce moment pour mettre son grain de sel. Les coudes sur la table, elle nous dévisage d'un œil soupçonneux.

– Ça suffit, vous deux ! À quoi vous jouez, à la fin ? Vous voulez bien arrêter votre cirque ? On dirait une sorte de code secret ! Comme les jumeaux qui inventent une langue pour eux seuls. Mais vous, c'est pire, vous n'avez même pas besoin de parler ! J'en ai la chair de poule, rien qu'à vous regarder !

Son aura brille d'un jaune bienveillant qui contraste avec la sobriété étudiée de sa tenue, tout en dégradés de noirs. Elle ne nous en veut pas, même si notre attitude la perturbe réellement.

Je fais l'innocente et m'active à déballer un sandwich que je ne mangerai pas, histoire de me donner une contenance pour ne pas trahir mon affolement. D'un coup de genou, j'implore Damen de dire quelque chose, car moi je suis à court d'inspiration.

Haven s'obstine.

– Ne me prenez pas pour une imbécile. Voilà un moment que je vous observe. Ça commence à m'angoisser.

Miles lève les yeux de son texto, le temps de remarquer :

– Qu'est-ce qui t'angoisse, exactement ?

Elle pointe un doigt accusateur, maculé de glaçage rose.

– Ces deux-là ! Ils sont de plus en plus bizarres, je te jure !

Miles daigne enfin lâcher son téléphone et nous lance un regard sceptique.

– C'est vrai que vous êtes bizarres. Et puis, excuse-moi, Damen, mais l'hommage à Michael Jackson, tu ferais mieux d'oublier. Même toi, l'ex-top model, tu as l'air ringard avec ton gant.

Il éclate d'un rire joyeux, ce qui agace Haven au plus haut point.

– C'est ça, rigole ! Je parle sérieusement. Il y a quelque chose de louche chez nos deux tourtereaux, et j'ai bien l'intention de le découvrir.

Damen me prend de vitesse. Il agite sa bouteille rouge en souriant avec nonchalance.

– Ne te fatigue pas, Haven. Il n'y a rien de bizarre là-dedans ! Ever et moi essayons de communiquer par télépathie, c'est tout. Si nous n'avons plus besoin de parler, les profs n'auront plus à nous demander de nous taire, tu saisis ?

Je me cramponne à mon sandwich, dont la mayonnaise dégouline. Damen vient de transgresser la règle numéro un : « Ne jamais révéler notre identité réelle, ni nos pouvoirs. »

Je recommence à respirer quand Haven s'exclame :

– Tu me prends pour une idiote ?

– Jamais de la vie ! Ça marche, je t'assure. Tu veux essayer ?

Une deuxième vague de panique me paralyse, comme si j'assistais à un accident de la route au ralenti. Sauf que l'accidentée, c'est moi...

– Ferme les yeux et pense à un chiffre entre un et neuf, poursuit Damen, sérieux comme un pape. Bon, maintenant, concentre-toi sur ce chiffre, essaie de le visualiser, et répète-le en boucle dans ta tête. Tu y es ?

Haven grimace et fronce les sourcils pour le principe, mais son aura la trahit et vire au vert mensonge. Je lis dans ses pensées qu'elle fait semblant et choisit de visualiser une couleur – bleue en l'occurrence – au lieu d'un chiffre, décidant que le jeu n'en vaut pas la chandelle.

Damen se gratte le menton, l'air songeur.

– Je ne vois rien. Tu es sûre que c'est un chiffre entre un et neuf ?

Elle hoche la tête, en se concentrant de plus belle sur son bleu azur.

– Désolé, on ne doit pas être sur la même longueur d'onde, je ne vois pas le moindre chiffre.

Miles délaisse son portable quelques secondes.

– Je peux essayer ?

Il commence à se concentrer, quand Damen s'écrie :

– Tu vas à Florence ?

– Raté, c'était le chiffre trois. Et je te signale que tout le monde sait que je vais à Florence !

Damen blêmit.

– Peut-être, mais pas moi.

– Ah bon ? Ever ne te l'a pas communiqué par télépathie ?

Miles éclate d'un rire moqueur avant de retourner à ses chers textos.

Je ne comprends pas pourquoi le fait que Miles se rende à Florence contrarie tellement Damen. Il s'agit de la ville où il est né et a grandi, mais c'était il y a des siècles ! Je lui prends la main, le supplie de me regarder, mais il ne détache pas les yeux de Miles, l'air paniqué.

Quant à Haven, elle a reporté son attention sur son gâteau et s'amuse à en décoller le glaçage rose d'un ongle laqué de noir. Ce qui ne signifie pas qu'elle a baissé les bras.

– C'était un beau coup d'essai, ton histoire de télépathie. Mais il va falloir trouver mieux. Tout ce que vous m'avez prouvé, c'est que vous êtes encore plus frappés que je ne le pensais. Je finirai par découvrir votre petit secret un jour ou l'autre. On parie ?

Je réprime un gloussement nerveux. J'aimerais croire qu'elle plaisante, mais une incursion dans sa tête me détrompe. Elle est on ne peut plus sérieuse.

Damen ramène la conversation au sujet qui l'intéresse, même s'il est déjà au courant des réponses.

– Quand pars-tu, Miles ?

– Bientôt. Je compte déjà les minutes, tant j'ai hâte d'y être.

– Tu vas t'y plaire, déclare Damen d'une voix radoucie. Tout le monde adore Firenze. C'est une ville tellement merveilleuse.

Miles et Haven s'exclament en chœur :

– Tu connais ?

– Oui. J'y ai même habité, il y a longtemps.

Haven flaire qu'il y a anguille sous roche.

– Tiens, tiens ! Drina et Roman aussi !

Damen hausse les épaules, comme si cette information le laissait froid. Mais Haven insiste. Elle repousse son gâteau et se penche vers lui.

– Quelle drôle de coïncidence, tu ne trouves pas ? Vous avez tous les trois vécu en Italie, dans la même ville, et puis vous atterrissez ici à quelques mois d'intervalle ! C'est plutôt curieux, non ?

Damen se borne à siroter son élixir sans réagir.

Miles se débrouille pour rompre le silence et la tension ambiante.

– Que me conseilles-tu en priorité ? Y a-t-il des endroits incontournables ?

Damen feint de réfléchir. Pas très longtemps.

45

– La ville entière mérite le détour, mais il faut absolument voir le Ponte Vecchio. C'était le premier pont qui traversait l'Arno, et le seul à avoir survécu à la guerre. Ne manque pas non plus la Galerie de l'Académie, où est exposé le *David* de Michel-Ange, entre autres…

– Bien sûr que je vais aller voir *David*, le pont, le Duomo, et tous les sites répertoriés dans les guides. Mais ce qui m'intéresse, ce sont les endroits un peu plus confidentiels, moins fréquentés, tu vois ? Là où vont les Florentins branchés, quoi ! Roman m'a parlé d'un lieu dont j'ai oublié le nom et où sont conservés des peintures et des objets de la Renaissance, des pièces très peu connues du grand public. Il en avait un souvenir ébloui. Tu ne connaîtrais pas des tuyaux de ce genre ? Et aussi des adresses pour sortir ou faire du shopping ?

Damen le toise d'un regard si sévère que j'en ai froid dans le dos.

– Non, pas vraiment, réplique-t-il d'une voix cassante. Comme je te l'ai dit, c'était il y a longtemps. Les endroits qui prétendent receler des œuvres d'art et ne sont pas répertoriés dans les guides sont presque toujours des attrape-touristes proposant de grossières contrefaçons. Ne perds pas ton temps dans ce genre de piège, il y a suffisamment d'autres choses passionnantes à voir.

Miles a décidé que cette conversation ne rivalisait pas avec ses textos bien-aimés. Les pouces comme animés d'une vie propre, il marmonne :

– D'accord, si tu le dis. De toute façon, Roman a promis de me préparer une liste.

six

– **Quels progrès ! Je suis épaté !** Tu as appris ça toute seule ?

Je hoche la tête en parcourant du regard la pièce vide. Je suis plutôt fière de moi. Ce qui ne m'était pas arrivé depuis des semaines.

Quand Damen a exprimé le désir de vider sa maison des meubles prétentieux qu'il y avait entassés durant le règne sanglant de Roman, j'ai sauté sur l'occasion pour éliminer les gros fauteuils de cuir noir, les gigantesques écrans plats, la table de billard au tapis rouge et le bar chromé – autant de symboles physiques de la pire période de notre relation. Je les ai désintégrés avec un tel enthousiasme que j'ignore où ils sont passés. Quoi qu'il en soit, ils ne sont plus là.

Damen n'en revient toujours pas.

– On dirait que tu n'as plus besoin de mes leçons.

Je passe une main gantée – une nouvelle acquisition – dans ses cheveux de jais en souriant. J'espère extorquer le plus vite possible à Roman la recette de l'antidote, ou trouver une solution un peu plus subtile que les gants de cuir.

– Pas sûr. Je serais bien incapable de te dire où j'ai renvoyé ce fatras, et je me demande d'ailleurs comment meubler cette pièce, vu que je ne sais pas où se trouvent tes anciens meubles.

Brusquement, Damen s'éloigne et va se poster à la fenêtre, la mine sombre, les yeux rivés sur la magnifique pelouse du jardin.

– Ils sont retournés à leur état originel d'énergie pure. Quant au reste… cela n'a pas vraiment d'importance. Je n'en ai plus besoin.

J'observe sa mince silhouette à contre-jour en me demandant comment il peut envisager la perte d'objets aussi précieux avec une telle désinvolture. Pourquoi ne cherche-t-il pas à retrouver son portrait en costume bleu peint par Picasso, le Velázquez où il chevauche un étalon blanc, et toutes les autres pièces plusieurs fois centenaires ?

– Mais ta collection a une valeur inestimable ! Tu ne pourras jamais remplacer de pareilles œuvres ! Il faut absolument les récupérer !

Damen se retourne vers moi.

– Du calme, Ever. Tu l'as dit toi-même, ce ne sont que des objets sans signification réelle. La seule chose qui compte vraiment à mes yeux, c'est toi.

Je sens qu'il est sincère et je suis très émue, quoique pas autant que je ne le devrais. Autre chose le préoccupe ces derniers temps : son karma. Ce n'est pas un problème, tant que je figure en tête de ses priorités. Le plus troublant, en revanche, c'est que la liste s'arrête là, le reste de la page est vierge.

Je lui prends la main, espérant qu'il m'écoutera, pour une fois.

– Tu te trompes, Damen. Ce ne sont pas de vulgaires objets. Des livres dédicacés par Shakespeare et les sœurs Brontë, des chandeliers offerts par Marie-Antoinette et

Louis XVI sont des pièces uniques ! Historiques, même ! Tu ne peux pas les taxer de vieilleries qui prennent la poussière dans un coin !

Son regard s'adoucit.

– Je croyais que tu détestais mon « salon lugubre », comme tu l'appelais.

– Il n'y a que les imbéciles qui ne changent pas d'avis. Au fait, pourquoi le voyage de Miles à Florence te perturbe-t-il à ce point ?

Il se raidit sans répondre.

Alors j'insiste :

– Est-ce à cause de Drina et Roman ? Tu as peur que Miles découvre votre passé commun ?

Damen me fixe un moment en silence avant de grincer entre ses dents :

– Je n'ai pas peur, tu exagères.

– C'est vrai, tu as parfaitement raison. Pour le commun des mortels, tu es d'un calme olympien, mais il suffit de te voir froncer les sourcils et serrer les mâchoires pour comprendre que tu n'es pas dans ton état normal.

– Tu sais ce que j'ai vécu à Florence, soupire-t-il. C'est un endroit sublime, mais qui abrite des souvenirs trop douloureux. Je ne veux pas y repenser.

Je me souviens avec un pincement au cœur des images que j'ai visionnées au cours de l'une de mes visites à l'Été perpétuel : Damen enfant, caché dans un placard, témoin du meurtre de ses parents par des brutes sans scrupules à la recherche de l'élixir ; puis maltraité par les prêtres de l'orphelinat, jusqu'à ce que la peste noire s'abatte sur Florence et qu'il donne à boire à Drina et aux autres petits orphelins le précieux liquide afin de les immuniser, sans

49

imaginer un instant qu'il les rendrait ainsi immortels. Quelle idiote je suis de lui rappeler ces horreurs !

Damen désigne la pièce d'un geste circulaire.

— Je préfère me consacrer au présent et j'ai besoin de ton aide pour aménager cette pièce. L'agent immobilier prétend que les acquéreurs potentiels préfèrent une décoration élégante et sobre. Je pensais laisser la maison en l'état pour mettre en valeur les volumes, mais il doit savoir de quoi il parle.

— Ton agent immobilier ? Quel agent immobilier ? je glapis d'une voix suraiguë, incapable de me contrôler.

— C'est évident, non ? Pour vendre la maison.

Je sens ma tête sur le point d'exploser. Je vais m'évanouir et regrette le vieux canapé de velours pourpre, qui aurait amorti ma chute en douceur.

Je parviens difficilement à rester sur mes jambes et dévisage mon petit ami de ces quatre derniers siècles, comme si c'était la première fois que je le voyais.

— Enfin, Ever, il n'y a pas de quoi en faire un drame ! Ce n'est qu'une maison. Une demeure gigantesque dont je n'utilise que quelques pièces à peine.

— Et tu comptes la remplacer par quoi ? Une tente ?

Son regard me supplie :

— Non, par quelque chose d'un peu plus modeste, bien sûr. Ne le prends pas mal, Ever. Je n'ai pas l'intention de te contrarier.

— Et c'est à cet agent immobilier que tu vas demander quelque chose d'un peu plus modeste ? Pourquoi ne matérialises-tu pas une petite maison, dans ce cas ? Tu tiens absolument à jouer les M. Tout-le-monde, pas vrai ?

Il n'y a pas si longtemps, c'était moi qui rêvais de redevenir comme tout le monde. Mais je me suis habituée à mes pouvoirs, et la normalité ne me passionne plus. L'attitude de Damen me laisse comme un arrière-goût de trahison.

– Franchement, Damen, qu'est-ce qui t'arrive ? C'est toi qui m'as donné l'immortalité, qui m'a appris tout ce que je sais, tu te rappelles ? Et maintenant que je me suis accoutumée à cette existence, tu décides que tu n'en veux plus ? Pourquoi ?

En guise de réponse, il ferme les yeux et projette une image de nous deux folâtrant sur une plage de sable rose.

Je refuse de jouer le jeu, jusqu'à ce qu'il réponde à mes questions.

– Je te l'ai déjà dit, explique-t-il. Mon unique recours, la seule solution pour me dépêtrer de l'enfer où je me suis fourré, c'est de rééquilibrer mon karma. Cela implique de cesser de matérialiser tout ce qui me passe par la tête, cesser de vivre dans le luxe et la facilité comme je l'ai fait durant six cents ans. Je veux devenir un honnête citoyen avec une profession et des préoccupations normales, comme tout un chacun.

Je n'arrive pas à le croire.

– Et comment comptes-tu t'y prendre ? En six siècles, as-tu jamais exercé un vrai métier, dis-moi ?

Curieusement, il éclate de rire à gorge déployée.

– Ever, réfléchis deux secondes, parvient-il à articuler entre deux gloussements. Tu crois vraiment que j'aurais du mal à trouver du travail ? Tu ne penses pas que j'ai acquis quelques compétences, avec les années ?

Je m'apprête à répondre que c'est très impressionnant de le voir peindre un Picasso d'une main et un Van Gogh de l'autre, mais que cela ne l'aidera pas vraiment à décrocher une place de serveur au Starbucks du coin. Il ne m'en laisse pas le temps et revient vers moi à une vitesse hallucinante.

— Pour quelqu'un qui a décidé de renoncer à ses pouvoirs, tu te déplaces drôlement vite, je persifle. À propos, tu comptes abandonner la télépathie aussi ?

La chaleur de son corps près du mien me donne presque le vertige. Je suis si troublée que je bafouille presque. Il passe un bras autour de ma taille et plonge son regard dans le mien.

— Je n'abandonnerai rien, si cela me permet d'être près de toi, Ever. Quant au reste, dis-moi ce qui compte le plus : la richesse matérielle ou celle du cœur ?

Je me mords les lèvres sans répondre. Il a raison, j'ai honte de ma mesquinerie.

— Quelle importance si je préfère le bus à une grosse BMW, un jean à un pantalon Gucci ? La voiture, les vêtements de marque, la maison, ce ne sont que des mots, des frivolités qui n'ont rien à voir avec mon moi véritable, ma personnalité réelle.

Je détourne les yeux. Au fond, je ne tenais pas particulièrement à sa décapotable ni à son faux château français. Je pourrais les inventer moi-même si je voulais. Mais honnêtement, je dois avouer que l'atmosphère sophistiquée où il se complaisait a contribué à me séduire. Cela ajoutait du piquant au mystère qui l'entourait.

Et quand je me décide enfin à le voir tel qu'il est, sans chichis, je me rends compte qu'il n'a pas changé, c'est toujours le garçon merveilleux dont je suis tombée amoureuse. Il a raison, seule compte la beauté de l'âme, le reste n'a pas d'importance.

Tout à coup, je pense au seul endroit où nous pourrions être enfin seuls et en sécurité. Je saisis sa main gantée et l'entraîne à ma suite.

– Viens, je vais te montrer quelque chose, dis-je avec un grand sourire.

sept

Je craignais qu'il refuse de me suivre dans un lieu surnaturel qui n'obéit qu'à la magie. Nous débarquons sans dommage dans la vaste prairie de l'Été perpétuel. Damen se relève, défroisse son jean et me tend la main.

– Bravo ! Je n'aurais jamais pu créer le portail aussi vite.

– Tu exagères ! C'est toi qui m'as initiée.

Je m'abandonne au paysage enchanteur. Les fleurs, les arbres frémissants, tout ici respire l'énergie universelle la plus pure.

Je rejette la tête en arrière pour mieux offrir mon visage à la lumière vaporeuse, et me rappelle la dernière fois où je suis venue. J'avais créé un double de Damen pour danser dans ses bras, avant de le quitter.

– Tu ne m'en veux pas de t'avoir conduit ici ? je demande d'une voix incertaine.

– Bien sûr que non. Je ne me lasse pas de l'Été perpétuel. Il symbolise la beauté et l'espérance du monde.

Main dans la main, nous déambulons dans l'herbe souple et drue. Sous nos pieds, des fleurs sauvages ploient leurs corolles bigarrées. Rien n'est impossible en ce lieu enchanteur. Y compris – je l'espère – notre amour.

– Cet endroit m'a manqué, sourit Damen. J'ai l'impression qu'il y a des lustres que nous n'y étions venus.

– C'était bizarre de se rendre ici sans toi. Je l'ai découvert sous un nouvel aspect. Je te montrerai plus tard. Pour l'instant…

Je l'entraîne vers une cabane en bois de style balinais, perchée au bord du ruisseau arc-en-ciel. J'écarte les rideaux de dentelle et m'installe sur un canapé crème moelleux. Damen me rejoint et nous nous absorbons dans la contemplation des poutres de cocotier délicatement sculptées.

Je ferme les tentures d'une pensée. Je tiens à ce que rien ne vienne troubler notre abri.

– Où sommes-nous, exactement ? questionne Damen.

– J'ai vu une cabane de ce genre en couverture d'un magazine. Elle m'a tellement plu que j'ai décidé d'en reproduire une pareille pour nous seuls. Tu sais, un repère secret où l'on peut venir faire… ce qu'on veut.

Je détourne la tête, le cœur en folie et les joues en feu. En six siècles, il n'a jamais connu pire séductrice que moi, j'en suis certaine.

Damen éclate de rire et m'attire contre lui. Seul un mince film d'énergie scintillante nous sépare et nous protège.

Les yeux clos, je savoure la chaleur délicieuse de son corps contre le mien. Nos cœurs battent à l'unisson, dans un même élan, comme s'ils souffraient également de ne pouvoir se toucher et déployaient leurs efforts pour se rapprocher l'un de l'autre. C'est si bon, si naturel que je me blottis plus près encore et enfouis mon visage dans le creux de son cou. Je brûle de poser mes lèvres sur sa peau douce et suave. Mais Damen se ressaisit et court se réfugier à l'autre bout de la pièce, m'abandonnant sur le coussin blanc.

Je me redresse et finis par le découvrir tremblant comme une feuille, le regard fou. Je me lève pour le rejoindre, mais il recule, une main tendue devant lui.

— Damen ? Qu'est-ce qui t'arrive ?

— Ne me touche pas. Surtout, reste où tu es, n'approche pas.

— Mais pourquoi ? Qu'est-ce que j'ai fait ? Je croyais qu'il ne nous arriverait rien de mal ici... Enfin... je veux dire... je pensais que nous pourrions...

Je tremble si fort que je suis incapable de terminer ma phrase. Les yeux de Damen s'assombrissent, au point que la pupille se confond avec l'iris. Son regard est dur, sa voix cassante, à mille lieues de sa douceur coutumière.

— Tu n'y es pour rien, Ever, mais... Comment sais-tu qu'il ne peut rien nous arriver ici ?

Je baisse les yeux, anéantie par ma bêtise. Je rêvais tellement de cet instant que j'ai failli le tuer.

— Euh... je croyais...

Voilà à quoi cela mène d'avoir une tête sans cervelle. On s'expose à passer pour une andouille, criminelle de surcroît.

— Je suis désolée. J'ai agi sans réfléchir. Je ne sais pas quoi dire.

Je fléchis les genoux et les entoure de mes bras, comme pour me faire toute petite et disparaître sous terre. Pourtant, je ne parviens pas à envisager qu'un malheur puisse nous frapper en ce lieu magique aux fabuleuses vertus curatives. Où pourrions-nous être en sécurité, sinon ?

Damen répond à ma question muette.

— L'Été perpétuel renferme la potentialité de toute chose. Jusqu'à présent, nous n'avons vu que le côté bienfaisant, mais qui nous dit qu'il n'existe pas une face cachée, maléfique ? Nous ne savons rien de cet endroit, Ever, réfléchis.

Je me souviens que les jumelles, Romy et Rayne, avaient tenu des propos semblables, lors de notre première rencontre. Damen fait apparaître un joli banc de bois sculpté et m'invite à m'y asseoir. Je m'installe le plus loin possible pour ne pas le faire fuir.

– Viens plus près. Je veux te montrer quelque chose. C'est important. Ferme les yeux et écarte de ton esprit les pensées parasites. Tu vas y arriver ?

J'obéis et tente de balayer la litanie paranoïaque qui me sert de mantra : *Qu'est-ce qui se passe ? Est-ce qu'il m'en veut ? Bien sûr que oui ! Comment ai-je pu être aussi bête ? Pourra-t-il jamais me pardonner, m'accorder une deuxième chance ?*

J'attends quelques minutes, sans succès, je ne ressens qu'un vide immense, d'une noirceur compacte.

Je lorgne de son côté, mais très concentré, Damen garde les yeux obstinément fermés.

– Je ne vois pas où tu veux en venir.

– Chut. Écoute, regarde au fond de toi, tu distingueras ce que je t'envoie.

Je m'applique du mieux possible, mais je n'entends qu'un silence inquiétant et ne vois qu'un vaste désert obscur. Je dois m'y prendre de travers.

– Euh… Damen. Je suis désolée, mais je ne perçois que le silence et le vide.

– Exactement. Maintenant, prends ma main et laisse-toi glisser sous la surface. Sers-toi de tous tes sens et dis-moi ce que tu vois.

J'obtempère et tente de déchirer la noirceur solide qui m'entoure, mais je ne rencontre que le même vide abyssal.

Et puis...

Soudain...

Le gouffre m'aspire. Je dégringole dans les ténèbres, la tête la première. Rien ne semble pouvoir m'arrêter ni me freiner. Je hurle d'effroi. Brusquement, tout s'arrête. Le cri, la chute... Je reste en suspens, sans attache. Je flotte dans le noir, seule au milieu de ce tissu sépulcral, perdue dans cet abysse sans lumière, abandonnée dans ce vide vertigineux, ce monde oublié où règnent les ténèbres. Alors l'horrible vérité me pénètre peu à peu : *c'est ici que je vais vivre, maintenant.*

Un enfer sans issue.

J'essaie de fuir, je hurle, j'appelle au secours... en vain. Je suis paralysée, comme prisonnière des glaces, seule pour l'éternité. Séparée des êtres qui me sont chers, de toute forme d'existence. Je n'ai d'autre choix que de me résigner. Ma tête se vide, mon corps s'alourdit.

Inutile de lutter, personne ne peut me sauver.

Le temps passe et je reste là, solitaire pour l'éternité, tandis qu'une ombre cherche à se frayer un chemin vers ma conscience, à m'atteindre sans y parvenir.

Et puis...

Soudain...

Quelque chose m'arrache à cet enfer : les bras de Damen. Quel soulagement de voir son beau visage inquiet penché au-dessus du mien ! Il me serre contre lui, des sanglots dans la voix.

– J'ai eu si peur ! J'ai cru que je t'avais perdue, que tu ne reviendrais jamais !

Je m'accroche à lui, tremblante, trempée de sueur, le cœur battant à se rompre. Jamais je ne m'étais sentie aussi abandonnée, détachée de tout. Je me presse contre lui, comme si je craignais qu'il m'échappe à nouveau. Mon esprit se connecte au sien pour connaître la raison d'une telle épreuve.

Damen se dégage et saisit mon visage entre ses mains.

– Pardon, Ever. Je n'avais pas l'intention de te punir, ni de te faire du mal. Je voulais te montrer quelque chose. Il fallait que tu vives d'abord cette expérience pour comprendre.

J'approuve mentalement, encore trop secouée pour parler. J'ai l'impression d'avoir éprouvé la mort en direct.

– Voilà ! s'écrie Damen, les yeux écarquillés. C'est exactement ce qui se passe. L'âme cesse d'exister.

– Et cet endroit horrible, c'était quoi ? j'articule tant bien que mal.

Damen détourne les yeux.

– Ce qui nous attend. Le pays des Ombres. La négation absolue et éternelle de l'âme. Je croyais – j'espérais – que ce sort funeste m'était réservé… Nous voilà fixés. Il te guette aussi, Ever. Promets-moi d'être extrêmement prudente.

Je cherche les mots pour lui répondre, mais il prend les devants.

– Depuis quelques jours, je revois des bribes de mon passé, proche et lointain. Quand nous avons mis les pieds ici, c'est le fil de ma vie qui a commencé à défiler. Lentement, puis de plus en plus vite, jusqu'aux semaines où Roman me tenait sous sa coupe. J'ai revu ma mort, Ever. Les quelques secondes après que tu as rompu le cercle des

jumelles, avant que tu ne me fasses boire l'antidote. J'ago-
nisais, et mon existence entière s'est déroulée devant mes
yeux : six cents ans de vanité sans limites, de pur narcissisme, d'égoïsme forcené. J'ai revu la totalité de mes
actions – de mes méfaits, devrais-je dire – ainsi que leurs
conséquences, les répercussions physiques et mentales sur
mon entourage. Excepté quelques rares instants de bonté,
ce furent six siècles de débauche égocentrique. Je ne prêtais
aucune attention à autrui, et perdais mon âme au profit
de mes caprices matérialistes. Voilà qui confirme ce que
je pressentais : mon karma est la cause des obstacles qui
se dressent entre nous.

Son regard exprime une telle souffrance que je dois me
retenir de le serrer contre moi pour le consoler. Je sens
qu'il n'a pas fini, que le pire est à venir.

– Et quand je suis mort, Ever, je ne suis pas venu ici.
Je me suis retrouvé dans un lieu radicalement différent,
l'exact opposé de l'Été perpétuel. Un endroit terriblement
froid et obscur, le pays des Ombres. J'ai vécu la même
expérience que toi. Je flottais, seul et détaché de tout,
suspendu dans le néant pour l'éternité. J'ai ressenti ce que
tu viens de décrire : je n'avais aucun lien avec le monde,
plus d'âme, plus rien.

Je suis glacée d'inquiétude. Je ne l'avais encore jamais
vu si las, blasé, rongé de remords.

– Je viens enfin de comprendre ce qui m'a échappé
pendant ces longues années. Seul notre corps physique est
immortel. Pas notre âme.

Je suis incapable de soutenir son regard, et même de
respirer. Un vrai cauchemar.

– Le même destin t'attend toi aussi. Et c'est moi qui

t'y ai condamnée, si, par malheur, il t'arrivait quelque chose.

Je porte instinctivement la main à ma gorge, mon chakra le plus vulnérable d'après Roman, le siège de mon manque de discernement, ma plus grande faiblesse. Peut-être existe-t-il un moyen de le protéger ?

– Comment savoir ? Cela s'est passé en quelques secondes, tu l'as dit toi-même. Tu as pu te tromper, non ? Ce que tu as vu n'était peut-être qu'une étape ? Je t'ai ramené à la vie trop vite pour que tu aies le temps d'arriver jusqu'ici, tu ne crois pas ?

– Ever, qu'as-tu vu au moment de ta *mort*, tu te rappelles ? Où étais-tu entre le moment où ton âme a quitté ton corps et celui où je t'ai ramenée à la vie ?

J'examine les arbres, les fleurs, le ruisseau. Ce jour-là, je m'étais retrouvée dans ce même champ, et j'étais si enivrée par ces parfums, éblouie par la brume qui chatoyait au-dessus de ma tête, par le sentiment d'amour infini qui m'enveloppait, que j'aurais voulu rester là pour toujours, ne plus jamais quitter ce lieu paradisiaque.

– Tu n'as pas vu l'abîme glacé, parce que tu étais encore mortelle. Tu venais de mourir d'une *mort naturelle*, si je puis dire. Mais dès la première gorgée d'élixir que je t'ai fait boire, tout a changé. En t'offrant l'immortalité, je t'ai en même temps dépossédée de l'Été perpétuel, et tu ne pouvais pas davantage gagner l'autre côté du pont. Je t'ai condamnée au pays des Ombres.

Les yeux baissés, il a l'air si découragé que j'ai peur de le perdre pour de bon. Soudain, il relève la tête.

– Nous pouvons vivre éternellement sur cette Terre, toi et moi. Mais si l'un de nous venait à mourir… nous nous perdrions dans ces abysses obscurs et serions séparés à jamais.

Je voudrais lui dire qu'il se trompe, mais je reste silencieuse. C'est inutile, il me suffit de plonger mes yeux dans les siens pour entrevoir la vérité.

– Je ne sous-estime pas les pouvoirs de ce lieu, puisque la mémoire m'est revenue à l'instant où nous sommes arrivés, reprend-il. Mais nous ne pouvons pas prendre le moindre risque. Il nous faut garder la tête froide, même si le désir que nous éprouvons l'un pour l'autre est ce qu'il y a de plus pur au monde. Rien ne nous prouve que le poison de Roman ne fonctionne pas ici. Dans le doute, la prudence est de mise. Je veux rester en vie, ne serait-ce que pour te protéger.

– Me protéger, moi ? Mais c'est toi qu'il faut sauver ! Et c'est ma faute, d'ailleurs ! Si je n'avais pas...

– Ever, écoute, coupe-t-il d'une voix ferme. Une bonne fois pour toutes : tu n'as rien à te reprocher, d'accord ? J'ai honte, quand je repense à ma vie passée. J'ai mérité ce qui m'arrive. Pendant des siècles, je me suis si peu soucié de mon âme que mon karma se venge maintenant. Malheureusement, je t'ai entraînée avec moi, mais je ferai mon possible pour t'éviter ce sort atroce. C'est tout ce qui compte, tu m'entends ? Je ne veux pas mourir, parce qu'il faut que je trouve une astuce pour empêcher Roman, ou ses sbires, de te faire du mal. Or, pour rester en vie, je ne dois pas te toucher. Jamais. Le jeu n'en vaut pas la chandelle.

Ses paroles se bousculent dans ma tête, suscitant un tourbillon de pensées. Pourtant, même si j'ai eu un aperçu du pays des Ombres, je ne regrette pas d'être immortelle.

– Et... et les autres orphelins ? J'en ai compté six. Que

sont-ils devenus ? Ont-ils tous mal tourné, comme Roman et Drina, à ton avis ?

Damen se met à arpenter la pièce.

– Je pensais qu'ils seraient trop vieux pour représenter une menace sérieuse. Après cent cinquante ans, les effets de l'élixir s'estompent. La seule explication est que, au cours de notre mariage, Drina a dû mettre des bouteilles en réserve et les donner à Roman. Il est sans doute parvenu à retrouver la formule et a approvisionné les autres.

Drina… J'ai l'intuition qu'elle doit être prisonnière du pays des Ombres. Elle avait beau incarner la méchanceté, elle ne mérite pas ce sort. Personne ne le mérite, d'ailleurs.

– C'est donc là où j'ai expédié Drina, quand je l'ai…

Je m'interromps, incapable de poursuivre. Damen revient s'asseoir tout près de moi.

– Ce n'est pas toi qui l'y as envoyée. C'est moi. En lui donnant l'immortalité, j'ai scellé son destin, comme le tien.

Sa chaleur me réconforte, presque autant que ses efforts pour me convaincre de mon innocence. Je ne suis pas coupable d'avoir condamné mon ennemie jurée à errer dans cet enfer de noirceur.

– Je m'en veux tellement, si tu savais, ajoute-t-il. Je regrette de t'avoir entraînée là-dedans. J'aurais dû te laisser mener ta vie. L'existence aurait été tellement plus simple si tu ne m'avais pas rencontré…

– Non ! c'est faux. De toute façon, il est trop tard, tu sais très bien qu'il est illusoire de refaire le monde avec des « si » ! Nous sommes faits l'un pour l'autre, donc nous devons partager le même sort, que tu le veuilles ou non.

– Et si j'avais commis une grossière erreur en créant

quelque chose qui n'a pas sa place dans ce monde ? Y as-tu pensé ?

Quoi que je dise, il est trop entêté pour se laisser convaincre. Je dois lui prouver qu'il se trompe. Par chance, je sais exactement par où commencer.

Je bondis sur mes pieds et le prends par la main.

– Viens ! Nous n'avons pas besoin de Roman, ni de personne. Je sais où trouver les réponses à nos questions.

huit

Nous prenons la direction des anciens temples, les grands sanctuaires de la connaissance. Je fais halte au pied des marches et observe Damen du coin de l'œil pour vérifier si, comme moi, il peut voir la façade protéiforme du bâtiment, laquelle ne se dévoile qu'aux rares élus dignes d'y pénétrer.

Damen reste confondu devant ce monument qui prend tour à tour l'apparence des lieux les plus beaux et les plus sacrés du monde. Le Taj Mahal cède la place au Parthénon, puis au temple du Lotus et à la grande pyramide de Gizeh, et ainsi de suite. Éblouis, nous nous avançons ensemble dans le grand hall de marbre bordé de colonnes merveilleusement sculptées, d'inspiration grecque.

Damen promène des regards fascinés autour de lui.

– Quelle splendeur ! Je n'étais pas venu ici depuis…

Je retiens mon souffle, impatiente d'en apprendre davantage.

– Depuis l'époque où je cherchais à te retrouver.

– Que veux-tu dire ?

– Parfois, j'avais la chance de te rencontrer par hasard, de me trouver au bon endroit au bon moment, même s'il me fallait souvent attendre des années avant de me présenter à toi.

– Tu m'espionnais ? Alors que je n'étais qu'une petite fille ?

– Mais non ! riposte-t-il avec une grimace. Enfin, Ever, pour qui tu me prends ? Disons plutôt que je rongeais mon frein en attendant l'occasion. Sur la fin, j'avais de plus en plus de mal à te localiser. Ce n'était pourtant pas faute d'essayer. Je vivais en nomade, parcourant le globe à ta recherche, persuadé que je t'avais perdue à jamais. En désespoir de cause, je me suis décidé à venir ici et, heureusement, j'ai rencontré des amies qui m'ont indiqué le chemin.

– Romy et Rayne ?

Soudain, je me demande comment vont les petites jumelles et où elles se trouvent. J'ai honte de l'avouer, mais avant que Damen ne prononce leurs noms, je les avais complètement oubliées.

– Tu les connais ? questionne-t-il, très surpris.

Aïe, l'heure est venue de lui livrer les détails que j'aurais préféré effacer de ma mémoire. Je m'absorbe dans la contemplation des colonnes pour éviter de croiser son regard. Finalement je me lance :

– Elles m'ont guidée moi aussi jusqu'aux temples. Elles se trouvaient chez Ava, lors de la soirée qu'elle avait organisée chez elle – enfin, Rayne y était. Romy était partie… chercher un remède pour te sauver, et…

Je ferme les yeux et soupire : autant lui montrer ce que j'ai trop honte d'exprimer par des mots. Je lui repasse le film de cette journée-là, préférant qu'il n'y ait plus de secret entre nous. Il sait maintenant que les deux petites se sont battues pour l'arracher à la mort, mais que j'étais trop butée pour les écouter.

Au lieu des manifestations de colère ou de déception

auxquelles je m'attendais, Damen place ses mains sur mes épaules et me transmet mentalement :

– *Le passé est révolu. Il ne sert à rien de se morfondre, il faut aller de l'avant.*

Je déglutis avec peine et le fixe intensément. Il a raison, nous avons du pain sur la planche, mais par où commencer ? Sa réponse à ma question muette me plonge dans la stupeur.

– Nous ferions mieux de nous séparer. Réfléchis, Ever, tu cherches une solution pour annuler l'effet du poison que m'a administré Roman, alors que moi, je veux trouver comment te protéger du pays des Ombres. Chacun sa quête, non ?

À quoi bon discuter ? Je suis bien forcée d'accepter.

– D'accord. On se retrouve chez moi, si ça ne t'ennuie pas ?

Je n'ai pas très envie de retourner dans son palace vide.

Il hoche la tête et s'évapore dans la nature.

À mon tour, je ferme les yeux et fais le vide dans ma tête pour mieux me concentrer.

J'ai besoin d'aide. J'ai fait une erreur monumentale et je ne sais pas comment la réparer. S'il existe un antidote de l'antidote, je dois en trouver la formule, ou alors il me faut découvrir un subterfuge pour l'extorquer à Roman sans avoir à... disons, à me mettre en mauvaise posture, si vous voyez ce que je veux dire...

Je répète ma requête encore et encore pour accéder à l'*Akasha*, le « livre de vie » où sont consignés tous les événements qui furent, sont et seront. J'espère qu'on ne me fermera pas la porte au nez, comme la dernière fois.

Je perçois le bourdonnement familier de l'*Akasha*, mais au lieu du long corridor débouchant sur la salle mystérieuse, je me retrouve dans un immense cinéma désert. Une porte à deux battants s'ouvre devant moi. Je n'ai guère le choix.

J'entre dans une salle à la moquette un peu collante, aux sièges élimés et à l'odeur douceâtre de pop-corn sucré. Je choisis la meilleure place, au centre, et me cale dans mon fauteuil, les jambes étendues sur le dossier du siège devant moi. Une seconde plus tard, les lumières s'éteignent et un pot de pop-corn atterrit sur mes genoux. Les rideaux rouges s'écartent et dévoilent l'écran de cristal familier sur lequel les images se succèdent à un rythme accéléré.

Au lieu de la solution que j'attendais, je visionne des extraits de films que je reconnais aussitôt – une sorte de montage de nos vidéos familiales, à l'époque où j'habitais dans l'Oregon, illustré par une bande originale qui ne peut être que l'œuvre de Riley.

Je nous revois, ma sœur et moi, donnant un concert sur une scène improvisée, dans le salon : nous chantons en play-back en nous trémoussant comme des petites folles devant nos parents et Caramel, notre labrador. Puis un gros plan de Caramel tirant la langue et se contorsionnant pour lécher la noix de beurre de cacahuète que Riley a étalée sur sa truffe.

Je ne m'attendais pas à cela, mais je comprends que c'est important. Riley m'a promis de trouver une méthode pour communiquer. Même invisible, elle ne m'abandonnerait pas, m'a-t-elle juré.

Du coup, j'en oublie mes problèmes et me cale confortablement dans mon fauteuil pour savourer l'instant. Nul besoin de la voir ni de l'entendre pour savoir qu'elle est là, près de moi. Deux sœurs qui se retrouvent devant la version filmée de leur vie enfuie…

neuf

De retour dans ma chambre, je découvre Damen assis sur mon lit, une pochette de satin au creux de sa main gantée.

Je me serre contre lui, consulte mon réveil et me livre à un rapide calcul mental.

– Je suis restée absente longtemps ?

– Le temps n'existe pas vraiment dans l'Été perpétuel, en revanche, sur le plan terrestre, cela fait un petit moment que je t'attends, oui. Tu as appris quelque chose ?

Je repense à notre petite séance privée, à Riley et à moi.

– Rien de bien intéressant. Et toi ?

Il me tend la pochette de satin en souriant.

– Ouvre, tu vas voir.

Je m'exécute et fait glisser le contenu dans ma main : un cordon de soie noire retient une grappe de pierres multicolores de taille et de forme différentes, montées sur de fins anneaux dorés. Je les fais danser dans la lumière, où elles étincellent dans un ballet d'une étrange beauté.

– C'est un talisman, précise Damen. Les cristaux sont réputés pour leurs propriétés magiques. On leur prête depuis des siècles un pouvoir de guérison et de protection. Ce collier a été fabriqué spécialement pour toi.

L'efficacité d'un petit tas de pierres, aussi jolies soient-elles, me laisse perplexe. Mais l'antidote qui a sauvé Damen reposait également sur le pouvoir magique des cristaux, et il aurait parfaitement fonctionné si Roman ne m'avait convaincue à la dernière seconde d'y ajouter une goutte de mon sang.

– C'est une pièce unique, créée en harmonie avec ton itinéraire individuel. Il n'en existe pas de semblable au monde. Ce collier ne résout pas vraiment nos problèmes, je sais, mais sera d'une aide précieuse.

Malgré mon scepticisme, je m'apprête à enfiler l'amulette lorsque Damen me la prend délicatement des mains.

– Tu permets ?

Il rassemble mes longs cheveux blonds et les rejette sur une épaule afin de nouer le cordon sur ma nuque. Puis il fait glisser les pierres à l'intérieur de mon tee-shirt avant de laisser retomber mes cheveux dans mon dos.

Je suis surprise de constater que les pierres ne sont pas froides, au contraire. Leur contact me procure même un grand réconfort.

– C'est un secret ? Je dois les cacher ?

– Pas vraiment, non, mais ne les montre pas trop. Je ne sais pas exactement quelles sont les connaissances de Roman en la matière, alors dans le doute, on ne saurait être trop prudents.

– Roman est au courant, pour les chakras.

Devant son air surpris, je préfère omettre le fait qu'il a révélé cette information lui-même, entre autres secrets, lorsqu'il était sous sa coupe. Mon tendre ami se sent déjà si coupable qu'il est inutile d'en rajouter.

J'effleure les pierres du bout des doigts sous le léger coton, étonnée de leur dureté, alors que la face contre ma peau est si douce, comme si elles faisaient déjà corps avec moi.

– Et toi, tu n'as pas besoin de protection ?

En réponse, Damen exhibe un autre talisman du col de son tee-shirt.

– Comment se fait-il que le tien soit si différent ?

– Je te l'ai dit, il n'y en a pas deux pareils au monde, de même qu'il n'y a pas deux personnes identiques. Mon talisman n'appartient qu'à moi, exactement comme les faiblesses que je dois surmonter.

– Des faiblesses, toi ? Tu plaisantes ? Tu es beau comme un dieu et tu excelles en tout, que te faut-il de plus ?

Damen éclate de rire, un son merveilleux que je n'entends, hélas, plus assez souvent.

– Crois-moi, je suis loin d'être parfait !

– Et tu es sûr que ces cristaux suffisent à nous protéger ?

Il se lève et se dirige vers la porte.

– Je pense, oui. Mais j'aimerais autant que tu n'essaies pas d'en tester les limites.

– Et Roman ? Tu ne crois pas que nous devrions chercher un stratagème pour le convaincre ou l'obliger de nous donner l'antidote du poison ?

Appuyé contre le chambranle de la porte, Damen fronce les sourcils.

– J'ai peur qu'il n'y ait pas de solution, Ever. Roman n'attend que cela, la confrontation. Nous avons intérêt à ne compter que sur nous-mêmes.

– Oui, mais comment ? Nous n'avons pas vu l'ombre d'une piste ! À quoi bon s'épuiser à chercher des réponses, alors que Roman les possède ? Il m'a promis de me donner l'antidote si j'acceptais d'en payer le prix. Le remède est peut-être là, au fond !

Damen plonge ses yeux dans les miens.

– Et tu serais prête à le faire ? questionne-t-il d'une voix sourde.

Je baisse les yeux, mes joues s'embrasent, je remonte les genoux sous le menton.

– Non ! Enfin… pas à ce prix ! Mais peut-être que…

Pourquoi ne comprend-il pas et m'oblige-t-il à me justifier ?

– Ever, c'est exactement ce que veut Roman. Il cherche à nous diviser, à nous faire douter l'un de l'autre. Et il aimerait qu'on engage la bataille : ce serait comme une déclaration de guerre, il n'attend que cela. Pourquoi t'obstines-tu à le croire ? C'est un manipulateur, et le jeu qu'il joue est très dangereux. Ne le traite surtout pas à la légère, Ever. Je te promets de faire mon possible pour te protéger, mais je n'y arriverai pas sans ton aide. Jure-moi de l'éviter comme la peste, de ne pas répondre à ses provocations. Je finirai bien par trouver une solution. En attendant, si tu as une question, c'est à moi que tu dois la poser, pas à lui. D'accord ?

Je me mords les lèvres. Pour quelle raison le lui promettrais-je, alors que la clé du problème est à portée de main ? Et puis, c'est moi qui nous ai mis dans ce pétrin, c'est donc à moi de nous en sortir.

Une idée commence à germer dans ma tête, une très bonne idée même…

Damen me considère, l'air interrogateur.

– Donc, nous sommes d'accord ? On laisse Roman en dehors, tu as compris ?

Je hoche la tête. Il doit s'estimer satisfait, car il me tourne le dos et dévale l'escalier quatre à quatre. Les seules traces de sa présence sont les pierres contre ma peau, et la tulipe rouge qu'il vient d'abandonner sur le lit.

dix

– **Ever, tu es là ?**

Je ferme en vitesse la fenêtre Google sur mon écran et retourne à la dissertation que je suis censée rédiger. Je n'ose pas imaginer la réaction de Sabine si elle me voyait chercher sur Internet de vieilles formules alchimiques, au lieu de plancher sur mes devoirs.

Je ne peux pas m'en empêcher. C'est bien gentil de rester lovée contre Damen à écouter nos deux cœurs battre à l'unisson, mais je vais vite m'en lasser. J'aspire à vivre une vraie relation, sans barrières. Je rêve de savourer le contact de sa peau, comme avant. Et quand je veux quelque chose…

– Tu as dîné ? demande Sabine en posant une main sur mon épaule.

Je m'y attendais si peu que je me laisse envahir par un flot d'images : la fameuse rencontre au Starbucks vue par ma tante. Hélas, sa version ne diffère guère de celle de M. Munoz. Ils ont l'air radieux et pleins d'espoir. Le bonheur de Sabine me console, après tout ce qu'elle a enduré à cause de moi. C'est vrai qu'elle le mérite. Je me rassure en me rappelant la vision que j'ai eue de l'homme de sa vie, un homme charmant qui travaille dans le même immeuble. Je devrais peut-être agir pour tempérer son enthousiasme, vu que ce petit flirt n'a pas d'avenir. Non, j'ai déjà pris un risque insensé en révélant mes dons à mon professeur. Si j'ouvre la bouche, Sabine va suspecter quelque chose, et je ne peux pas me le permettre.

Je pivote sur ma chaise pour échapper à son étreinte. Je ne tiens pas à en savoir davantage.

– Oui, j'ai dîné. Damen a fait la cuisine.

Ce n'est pas vraiment un mensonge. Après tout, c'est Damen qui a confectionné mon élixir.

Sabine recule d'un pas, la mine inquiète.

– Damen ? Voilà un moment que je n'avais pas entendu parler de lui. Vous êtes de nouveau ensemble ?

J'ai envie de me gifler. Quelle idiote d'en parler à la légère, sans préparer le terrain ! Je hausse les épaules et laisse mes cheveux retomber sur mon visage pour dissimuler ma gêne. J'attrape une mèche et fais mine d'en inspecter les pointes, même si elles sont en parfaite santé.

– Oui, enfin… nous ne sommes plus fâchés. Plus du tout, même… Comment dire…

On s'aime comme des fous sans pouvoir se toucher – sinon, c'est direction l'abysse infernal pour l'éternité.

– Oh, après tout, je crois qu'on peut dire que nous sommes ensemble, j'ajoute avec un sourire forcé qui manque me déchirer les lèvres, en espérant que Sabine m'imitera.

Elle passe une main dans ses cheveux dorés, de la même nuance que les miens avant que l'élixir ne les éclaircisse davantage. Après quoi, elle s'assied sur mon lit, croise les jambes et pose sa serviette. Autant d'indices prouvant qu'elle est sur le point de se lancer dans l'un des monologues interminables et embarrassants dont elle a le secret.

Elle inspecte mon jean délavé et mon tee-shirt blanc à

la recherche d'indices, de symptômes, de signes trahissant l'adolescente en détresse. Elle a dû rayer la boulimie et l'anorexie de la liste, depuis que l'élixir m'a fait prendre dix bons centimètres et quelques muscles – alors que je ne suis pas plus accro au sport qu'auparavant. À présent que mon alimentation ne la tourmente plus, ce sont les aléas de ma relation avec Damen qui lui mettent la puce à l'oreille. Elle vient de terminer la lecture d'un livre pour parents dépassés, soutenant que les amours tumultueuses sont souvent la cause de comportements à risques chez les jeunes. Jargon mis à part, ils n'ont peut-être pas tort, mais je défie quiconque de résumer ou d'expliquer ma relation avec Damen en un seul chapitre !

Sabine rassemble son courage avant de débiter :

– Et... tu es heureuse ? Je ne dis pas que tu ne devrais pas, Ever. J'aime beaucoup Damen, vraiment. C'est quelqu'un de poli et d'attentionné, et il a les pieds sur terre, ce qui ne gâche rien. Je trouve pourtant son assurance un peu curieuse chez un garçon aussi jeune. Parfois, j'ai l'impression que, je ne sais pas... qu'il est trop âgé pour toi, peut-être. C'est drôle, non ?

Je repousse mes cheveux pour mieux la voir. C'est la deuxième fois aujourd'hui que l'on me pose des questions sur lui – sur nous. Haven a presque deviné notre pouvoir de télépathie, ce midi, et voilà que Sabine trouve Damen trop mûr pour son âge. Si elle savait ! Ce n'est pas si incroyable, au fond, mais le fait qu'elles se sont aperçues de quelque chose m'inquiète un peu.

– Ce que je veux dire, c'est que bien qu'il n'ait que quelques mois de plus que toi, il paraît beaucoup plus expérimenté. Trop, si tu veux mon avis. Je ne voudrais pas que tu te sentes obligée de faire quelque chose que tu pourrais regretter par la suite.

J'ai toutes les peines du monde à ne pas éclater de rire. Dire que ma tante me voit dans le rôle de l'innocente jeune fille pourchassée par le grand méchant loup ! Dans cette histoire, c'est moi la prédatrice, moi qui viens de risquer la vie de Damen en me jetant dans ses bras.

– Je parle sérieusement, Ever, insiste ma tante. Il peut dire et penser ce qu'il veut, tu es seule maîtresse de ton corps. À toi de décider quand, comment et avec qui. Même si tu as des sentiments pour lui, cela ne l'autorise pas à…

Je lui coupe la parole avant de mourir d'embarras.

– Tu n'y es pas du tout, Sabine. Damen n'est pas du genre à me forcer la main. C'est un vrai gentleman, je t'assure. Ce n'est pas la raison pour laquelle nous nous sommes séparés. Je sais où je vais. Fais-moi confiance, d'accord ?

Elle me considère pensivement, son aura orange vif fluctue. Elle aimerait me croire, mais se demande si ce n'est pas une erreur. Elle finit par se lever, ramasse son sac, fait mine de sortir, mais s'arrête sur le seuil de la porte.

– Oh, j'allais oublier l'essentiel…

Je suis tentée de me faufiler dans sa tête pour savoir à quoi m'attendre, mais je me suis juré de respecter sa vie privée et de ne lire ses pensées qu'en cas d'urgence.

– Puisque l'année scolaire s'achève et que tu n'as pas mentionné de projets de vacances, je me disais que ce serait peut-être une bonne expérience pour toi de trouver un petit boulot, histoire de t'occuper quelques heures par jour. Qu'en penses-tu ?

Ce que j'en pense ? J'en pense que j'aurais mieux fait de lire dans ta tête pour me préparer au choc ! Ce n'est pas une urgence, c'est une alerte rouge !

— Ne t'inquiète pas, je ne parle pas d'un emploi à plein temps. Tu pourras aller à la plage avec tes amis. Je suis sûre que cela te ferait du bien de...

— C'est une question d'argent, n'est-ce pas ?

S'il s'agit de payer ma part des courses et des factures, ce n'est pas un problème. Elle peut même puiser dans l'assurance vie de mes parents. Mais il est absolument hors de question qu'elle prenne de mon temps. Ne serait-ce qu'une journée. Hors de question.

On dirait que j'ai touché un nerf sensible. Sabine rosit et baisse les yeux. Pour quelqu'un qui gagne sa vie en damant le pion à des multinationales, elle est d'une pudeur extrême quand il s'agit de finances.

— Non, cela n'a rien à voir avec l'argent, Ever ! Je pensais simplement que ce serait l'occasion de rencontrer du monde, d'apprendre quelque chose de nouveau. De rompre la routine pour quelques heures. Et...

Et de t'éloigner de Damen. Je n'ai pas besoin de sonder son esprit pour comprendre que le fond du problème est là. Notre idylle renaissante ne l'enchante pas et elle est bien décidée à nous éloigner l'un de l'autre. Je comprends son inquiétude, quand elle m'a vue si déprimée au cours des semaines où nous étions séparés, mais elle se trompe quant aux raisons de cette séparation et je ne vois pas comment le lui expliquer sans me trahir.

— Un poste de stagiaire vient de se libérer au cabinet. Il suffit que j'en touche deux mots à mes patrons, ils t'embaucheront volontiers.

Les yeux brillants et la mine réjouie par ce qu'elle croit être une excellente nouvelle, Sabine semble s'attendre à me voir sauter de joie.

– Les stages ne sont-ils pas réservés aux étudiants en droit ?

J'espère avancer un argument massue : après tout, je n'ai pas le début de la moindre compétence en la matière.

– Non, non, ce n'est pas un stage technique, tu sais. Il s'agit plutôt de répondre au téléphone et de classer des dossiers. Rien de bien excitant, je te l'accorde. D'autant que la rémunération est plutôt symbolique. Mais c'est toujours appréciable sur un CV, et il y a une petite prime à la fin de l'été. Cela constituerait une distraction constructive et aussi un sérieux coup de pouce pour entrer dans une université prestigieuse.

Tiens, voilà encore quelque chose qui m'obsédait dans mon ancienne vie : mes études. Je les avais presque oubliées. Franchement, quel intérêt y a-t-il à se morfondre d'ennui pendant d'interminables heures de cours, quand il me suffit de placer la main sur un livre ou de me connecter à l'esprit d'un professeur pour connaître toutes les réponses ?

– Réfléchis, Ever, c'est une excellente expérience, ajoute Sabine, visiblement agacée par mon silence. J'ai lu dans des livres spécialisés que cela permettait d'apprendre l'auto-discipline, de se frotter un peu aux responsabilités – bref, de se forger le caractère. Ce serait parfait pour toi, je pense, et je serais vraiment ennuyée de voir quelqu'un d'autre obtenir ce poste.

Génial, les conseils avisés d'un expert à deux sous vont me gâcher l'été.

79

Je suis furieuse contre Sabine. Soudain, je me rappelle dans quelles dispositions elle se trouvait à mon arrivée : calme, tranquille, détendue. Elle me faisait confiance et me laissait vivre à ma guise. C'est à cause de moi qu'elle a changé. C'est le résultat de mon exclusion temporaire du lycée pour état d'ébriété, mon refus d'avaler autre chose que mon élixir, et ma récente mésaventure avec Damen. La seule solution qu'elle a trouvée est ce fichu stage, qu'elle veut m'infliger à tout prix.

Le hic, c'est que je ne peux pas me permettre de passer l'été à jongler avec des piles de dossiers ou à jouer les standardistes. Trouver l'antidote risque de me prendre beaucoup de temps. Et ce n'est pas en passant des heures à m'échiner sous l'œil vigilant de Sabine et de ses collègues que j'y parviendrai.

Mais comment le lui signifier sans la mettre hors d'elle ? Il va falloir jouer serré. Courage. Surtout, ne pas me mordre les lèvres, ne pas triturer l'ourlet de mon tee-shirt, la regarder bien en face. C'est parti !

– Sur le principe, je suis d'accord avec toi. L'idée de me confronter au monde du travail ne me déplaît pas, au contraire. Mais tu en as déjà tellement fait pour moi que je préférerais me débrouiller seule, pour une fois. Et puis, je dois avouer qu'être enfermée dans un bureau ne me tente pas vraiment. J'aimerais éplucher les petites annonces, voir un peu ce qui se présente. De cette façon, je pourrai payer ma part des factures et de nourriture.

– Ta part de nourriture ? s'esclaffe Sabine. Ce ne sera pas difficile, tu ne manges rien ! Non, Ever, je ne veux pas de ton argent. Mais je peux t'aider à ouvrir un compte d'épargne, si tu veux.

– Entendu ! Super !

J'ai besoin d'une épargne comme une poule d'une brosse à dents, mais la diversion est bienvenue, du moment qu'elle ne pense plus à ce maudit stage.

Sabine réfléchit un instant en tambourinant sur le montant de la porte.

– Bon, je te laisse une semaine pour trouver quelque chose.

Je montre un sang-froid admirable. *Une semaine ? Comment décrocher un job en une semaine, pour la première fois de ma vie, qui plus est ? Je ne sais même pas par où commencer ! Serait-il possible de matérialiser un emploi par la pensée ?*

Sabine lit la détresse sur mon visage.

– Le délai est très court, je sais, mais ce serait vraiment trop dommage que quelqu'un d'autre obtienne ce poste alors qu'il t'irait comme un gant, j'en suis sûre.

Sur ces mots, elle sort et ferme la porte derrière elle, me laissant complètement sonnée, hébétée. J'observe les dernières paillettes orange scintiller à l'endroit où elle se trouvait l'instant auparavant, les résidus tenaces de son champ magnétique. Quelle ironie ! Moi qui me moquais de Damen parce qu'il pensait pouvoir se trouver un travail, me voilà dans la même situation, avec de surcroît un lourd handicap : six siècles d'expérience en moins !

onze

Cette nuit-là, je me retourne et m'agite en tous sens.
Mon lit est un véritable champ de bataille trempé de sueur,
et je suis épuisée par de terribles cauchemars. Je parviens
à m'extirper d'un rêve et aspirer une goulée d'air avant
d'être à nouveau happée et ramenée dans les ténèbres que
je m'efforce de fuir.

C'est un vrai supplice. Ma sœur – car elle est là – me
prend par la main en riant pour me faire visiter un pays
étrange. Je commence par gambader gaiement à ses côtés,
mais à peine a-t-elle tourné le dos que j'en profite pour
m'échapper et remonter à la surface.

Cela ne peut pas être Riley, pas pour de vrai. Elle est
partie, elle a fini par m'obéir et traverser le pont qui mène
dans l'au-delà. La Riley de mon rêve ne cesse de me tirer
par le bras en me criant de l'écouter, de lui faire confiance,
mais je refuse et me sauve à toutes jambes. Je suis sûre
qu'elle est ici pour me faire payer ma bêtise, parce que j'ai
mis Damen en danger, expédié Drina au pays des Ombres
et menacé l'existence de tout ce qui m'est cher. C'est mon
subconscient bourrelé de remords qui me transmet ces
images trop joyeuses, trop guimauves pour être réelles.

Cette fois, au moment où je réussis à m'arracher à son
étreinte, elle se plante devant moi pour me barrer le

passage en me criant de ne plus bouger. Derrière elle, se trouve une petite scène dont elle écarte le rideau rouge. J'aperçois au centre un grand rectangle de verre, une sorte de prison d'où Damen essaie de s'évader avec l'énergie du désespoir.

Je me précipite pour le délivrer en l'exhortant à tenir le coup, mais il ne m'entend pas, ne me voit même pas. Il continue de cogner à la paroi de verre jusqu'à ce que ses forces le trahissent. Découragé par l'inanité de ses efforts, il finit par fermer les yeux et disparaître dans l'abîme.

Vers le pays des Ombres.

L'au-delà des âmes perdues.

Je bondis de mon lit, glacée de sueur, un oreiller serré contre la poitrine. Plus que le sentiment de défaite annoncée, c'est la portée du message adressé par ma sœur de cauchemar qui me terrifie : quoi que je fasse, Damen est en danger à mon contact.

J'attrape au hasard quelques vêtements dans mon placard et me précipite au garage. Il est trop tôt pour aller au lycée, ou n'importe où, d'ailleurs, mais je ne peux pas me résoudre à rester les bras croisés. Je ne crois pas aux rêves prémonitoires. Il y a sûrement une solution, et je vais la trouver. Je dois commencer par la seule piste dont je dispose.

Au moment de monter en voiture, je me ravise. Le bruit du moteur et de la porte du garage risque de réveiller Sabine. Je pourrais sortir et faire apparaître un autre véhicule, une Vespa ou un vélo, mais je décide de courir.

L'athlétisme n'a pourtant jamais été mon fort. J'étais plutôt du genre à traîner les pieds comme une tortue neurasthénique en cours de sport. Mais c'était avant de devenir immortelle... et rapide comme une flèche. Je n'ai même pas testé mes limites, à vrai dire. La dernière fois que je l'ai fait, c'était justement le jour où je me suis rendu compte de mon nouveau potentiel. Voici l'occasion rêvée de voir quelle vitesse et quelle distance je peux atteindre avant de tomber dans les pommes.

Je m'esquive par la porte de la cuisine et gagne la rue sans faire de bruit. Je comptais m'échauffer un peu avant de galoper sur le bitume, mais au bout de deux foulées, une décharge d'adrénaline m'envahit – le meilleur carburant du monde – et je décolle comme une fusée. Les maisons voisines deviennent floues, une vision brouillée de pierre et de plâtre. J'enjambe les poubelles, esquive les voitures mal garées, et bondis de rue en rue avec la grâce et l'agilité d'un félin. Inutile de contrôler mes jambes, elles se dirigent d'elles-mêmes en un temps record.

Quelques secondes plus tard, me voilà devant la porte que je me suis juré d'éviter, m'apprêtant à enfreindre ma promesse à Damen. Je vais parler à Roman dans l'espoir de trouver un terrain d'entente.

À peine ai-je le temps de lever la main pour frapper que la porte s'ouvre. Roman me dévisage, les paupières plissées, sans trahir la moindre surprise. Il porte une robe de chambre de velours pourpre sur un pyjama de soie bleue. Sur ses pantoufles, deux renards brodés de fil d'or pointent leur museau.

– Ever ! s'exclame-t-il en inclinant la tête pour montrer son tatouage, quel bon vent t'amène ?

Du doigt, j'effleure le talisman caché sous mon tee-shirt. Mon cœur bat la chamade. J'espère que Damen a raison et que les pierres me protégeront, au cas où les choses tourneraient mal.

– Nous devons parler, toi et moi.

Je réprime une grimace sous son regard insistant. Il hausse les sourcils et affecte un air faussement surpris.

– Toi et moi ? Première nouvelle !

Je pense à autre chose pour ne pas laisser transparaître mon dégoût.

– Tu reconnais cette porte, non ? dit-il en tapotant le bois qui rend un son mat.

Je ne vois pas où il veut en venir.

– Non, bien sûr, puisque j'ai dû la remplacer après ta dernière visite, poursuit-il avec un rictus sardonique. Le jour où tu as défoncé ma porte pour vider mes bouteilles d'élixir dans l'évier. Tu te rappelles ? C'était très vilain de ta part, Ever. En plus, tu as laissé un inextricable fouillis derrière toi. J'espère que tu as décidé de te comporter plus calmement aujourd'hui.

Il s'efface à peine pour me laisser entrer, et je réprime un frisson en arrivant à sa hauteur.

Je lui emboîte le pas jusqu'au salon. Il ne s'est pas contenté de changer la porte. Le marbre, les lourdes tentures, les murs chaulés de blanc et quelques décorations en fer forgé ici et là ont remplacé les reproductions de Botticelli et les falbalas.

L'ensemble est sinistre.

– Voyons voir : Renaissance toscane ?

Je me retourne et sursaute de le découvrir si près de moi que je vois briller ses pupilles couleur rubis au fond de ses yeux. On dirait qu'il a décidé de s'incruster dans mon espace vital. Un lent sourire étire ses lèvres, dévoilant des dents éblouissantes.

– J'avoue avoir parfois le mal du pays. *Home sweet home*, comme on dit, pas vrai ?

Je déglutis avec difficulté et cherche du coin de l'œil l'issue la plus proche. On ne sait jamais.

Roman se dirige vers le bar et retire une bouteille d'élixir de sa cave réfrigérée. Il remplit un verre en cristal de Bohême qu'il me tend. Je refuse et le regarde s'affaler sur le canapé, jambes écartées, le verre en équilibre sur un genou.

– Alors, à quoi dois-je cet insigne honneur ? Tu n'es quand même pas venue au beau milieu de la nuit pour admirer ma nouvelle déco ! Que veux-tu ?

Je m'éclaircis la gorge et m'oblige à le regarder en face, sans flancher, sourciller, me mordre les lèvres, etc. Je devine que cette situation pourrait vite partir en sucette et tourner à mon désavantage.

– Je suis venue te proposer une trêve.

Aucune réaction de sa part. Il se borne à me dévisager de son regard perçant.

– Euh... tu sais, un cessez-le-feu, un armistice, un...

– Je t'en prie, épargne-moi la liste des synonymes. Pour ta gouverne, je peux le dire en vingt langues et quarante dialectes, qui dit mieux ?

Moi, je ne sais l'exprimer que dans ma langue maternelle, mais c'est l'initiative qui compte. Roman fait tourner son élixir dans son verre, et je ne peux détacher mon regard du liquide rouge qui chatoie au fond du cristal.

– À quel genre de trêve pensais-tu, Ever ? Tu connais les règles, ma belle. Tu n'auras rien sans contrepartie, je te le signale, ajoute-t-il en tapotant de la main le divan à côté de lui.

S'il croit que je vais me coller contre sa répugnante carcasse, il se trompe !

J'éprouve le plus grand mal à réprimer mon agacement :

– Pourquoi joues-tu au chat et à la souris ? Tu n'es pas trop mal, physiquement parlant, en plus, tu es immortel, et donc doué pour un tas de choses : je suis sûre qu'il y a des milliers de filles qui rêvent de sortir avec toi. Pourquoi t'obstiner à me harceler, dans ce cas ?

Roman rejette la tête en arrière et part d'un rire homérique à faire trembler les murs.

– Je ne suis « pas trop mal » ?, articule-t-il quand il recouvre enfin son sérieux.

En gloussant, il pose son verre sur la table et tire un coupe-ongles doré d'une petite boîte incrustée de pierreries. Il examine ses ongles en marmonnant « pas trop mal » avant de relever les yeux vers moi.

– Tu sais quoi, poupée ? Tu as presque compris. C'est un fait : je peux avoir tout ce que je veux, et surtout qui je veux. C'est tellement facile. Trop facile, même.

Il s'absorbe dans sa manucure, et je commence à croire qu'il n'a plus rien à dire quand il ajoute :

– Inévitablement, au bout d'un siècle et des poussières, cela devient lassant. Tu es encore novice en la matière pour t'en rendre compte, mais je t'ai rendu un fier service. Crois-moi.

Un service ? Il se moque de moi !

Du bout de son coupe-ongles, Roman m'indique un gros fauteuil, à sa droite.

– Tu es sûre que tu ne veux pas t'asseoir ? Tu vas me faire passer pour un hôte indigne, si tu restes debout. Et puis, as-tu la moindre idée de l'effet que tu me fais, avec ta mine chiffonnée ? On sent que tu sors à peine du lit, et je dois dire que c'est tout simplement affolant.

Il plisse les yeux comme un chat aux aguets, et ses lèvres

s'entrouvrent pour laisser apparaître le bout de sa langue. Je ne remue pas un cil et ignore son manège. Ce n'est qu'un jeu, et je signerais ma défaite en acceptant de prendre place à ses côtés. Quoique rester figée sous son œil lubrique et moqueur ne soit pas très glorieux non plus.

– Tu es encore plus mythomane que je ne le croyais, si tu as réussi à te convaincre que tu m'as rendu service. Tu es complètement à côté de la plaque !

Je regrette aussitôt mes paroles, mais Roman hausse les épaules et les sourcils d'un air suprêmement dédaigneux avant de se concentrer sur ses ongles.

– Crois-moi, poulette, c'est même plus qu'un service. Je t'ai donné un but dans la vie. Une raison d'être. Corrige-moi, si je me trompe, Ever, mais grâce à moi, tu sais quoi faire de tes journées. Et tu es tellement obsédée par la recherche d'une solution pour pouvoir enfin… consommer ta relation avec Damen, que tu as réussi à te convaincre que ce serait une bonne idée de venir ici. Je me trompe ?

Je déglutis à grand-peine. J'aurais dû m'en douter et écouter Damen.

Roman se lime les ongles avant de reprendre :

– Tu es trop impatiente, ma biche. Pourquoi se presser, alors que tu as l'éternité devant toi ? Réfléchis deux secondes, à quoi auriez-vous passé tout ce temps si je n'étais pas intervenu ? À jouer au docteur jusqu'à l'écœurement ?

– N'importe quoi ! Tout ce que tu as réussi à me prouver avec tes histoires de service rendu et de raison d'être, c'est que tu es complètement…

Inutile de continuer, c'est un malade qui ne croit que ce qu'il veut.

Il abandonne son coupe-ongles sur la table sans me quitter des yeux.

– Je me suis consumé pour elle pendant six siècles. Six siècles ! Tu veux savoir pourquoi ? Pourquoi je ne pensais qu'à elle, alors que j'aurais pu avoir n'importe quelle autre femme ? Tu donnes ta langue au chat ? Ce n'était pas pour son physique, contrairement à ce que tu crois. Bien sûr, sa beauté m'a séduit au début, mais ce qui m'a rendu fou d'amour, c'était qu'elle reste hors d'atteinte. Tout simplement. J'ai eu beau souffrir en silence et essayer de gagner son cœur par n'importe quel moyen, elle ne m'a jamais laissé approcher.

Roman me fixe d'un regard intense, douloureux, mais cela ne m'émeut pas. C'est son problème s'il a choisi de passer des siècles à soupirer pour les beaux yeux d'un monstre.

Ignorant mon silence méprisant, il poursuit, penché en avant, les coudes sur les cuisses :

– Écoute, Ever, ce que je vais te dire est d'une importance capitale, et tu ferais bien de t'en souvenir. Nous désirons toujours ce que nous ne pouvons atteindre. Telle est la nature humaine, nous sommes programmés ainsi. Cela ne t'enchantera peut-être pas, mais c'est l'unique raison pour laquelle Damen te court après depuis quatre siècles.

Il hoche la tête comme s'il venait de me livrer les clés de l'Univers.

Je ne réagis pas. Je connais sa tactique, il essaie de me déstabiliser en frappant là où le bât blesse.

– Il faut te rendre à l'évidence, Ever. Rappelle-toi qu'il ne lui a pas fallu longtemps pour se lasser de Drina, malgré son incroyable beauté.

Pas longtemps » ? *Il a quand même attendu deux siècles !*
Bien qu'en comparaison avec l'éternité, évidemment...

— Ce n'est pas un concours de beauté, je réplique platement.

Roman affecte un air de pitié et s'étire sur le canapé en me défiant du regard.

— Bien sûr que non, ma biche, sinon Drina aurait gagné haut la main. Laisse-moi deviner, tu crois que votre histoire est celle de deux âmes destinées l'une à l'autre à travers les âges... un conte de fées à faire pleurer les midinettes ? Pas vrai ? Allez, avoue, c'est bien ainsi que tu vois les choses, non ?

Ma patience est à bout. Il est temps d'en finir.

— Ce que je pense ne t'intéresse pas, Roman. Et je ne suis pas venue pour que tu me gaves avec ta philosophie douteuse. Je suis là parce que...

— Parce que tu attends quelque chose de moi. Donc, c'est moi qui choisis les règles du jeu, pas toi.

— Je les connais par cœur, tes règles. Ça ne m'amuse pas. Pourquoi t'acharnes-tu, alors que tu connais ma réponse ? Quoi que tu nous fasses subir à Damen et moi, rien ne ramènera Drina, tu le sais, non ? C'est fini. Terminé. Tout ce que tu y gagneras si tu continues, c'est t'empêcher de vivre ta vie, de passer à autre chose.

Je ne le quitte pas des yeux et projette une image où il me remet complaisamment l'antidote.

— Je voudrais que tu m'aides à annuler ce que tu as fait à Damen, je précise. Ce n'est pas le bout du monde, si tu y réfléchis bien.

— Désolé, poupée. J'ai fixé mon prix. À toi de décider si tu es prête à le payer.

Je m'adosse au mur, démoralisée mais pas vaincue.

90

La condition qu'il m'impose est précisément celle que je ne peux pas accepter. Damen m'avait prévenue.

– Jamais, Roman, tu m'entends ? Plutôt…

Je n'ai pas le temps de finir. Roman s'est levé du canapé à une vitesse supersonique, son haleine me glace la joue avant que j'aie le temps de réagir.

– Détends-toi, Ever, susurre-t-il. Ce serait une petite distraction très amusante, mais ce n'est pas ce que je veux. Je cherche quelque chose d'un peu plus… ésotérique. Cela dit, si tu veux tenter l'expérience, sans engagement ni conséquence…

Il s'interrompt, plonge ses yeux dans les miens et me montre la petite scène qu'il se joue mentalement.

Je détourne la tête, écœurée. Il me faut toute ma volonté pour ne pas le gifler quand il s'approche avec une désinvolture étudiée.

– Je sais ce que tu endures, Ever. Se morfondre pour quelqu'un que l'on ne peut pas toucher est une souffrance épouvantable. Toi et moi l'avons expérimenté. Nous sommes pareils.

Je m'efforce de décrisper mes poings. Il m'est défendu de réagir, je ne peux pas me le permettre.

Roman s'écarte d'un millimètre.

– Je ne m'inquiète pas pour toi, Ever. Tu es maligne, tu trouveras bien un moyen. Sinon… Eh bien, les choses resteront en l'état, tout simplement. Toi et moi, nos destins entremêlés pour l'éternité…

La seconde d'après, il a ouvert la porte d'entrée. Je ne l'ai même pas vu passer. D'un geste, il m'invite à sortir et me pousse presque dehors quand j'arrive à sa hauteur.

– Désolé d'abréger cette visite, mais je me soucie de ta

réputation. Si jamais Damen apprenait que tu es venue ici cette nuit…

Il me sourit de toutes ses dents blanches. Avec son hâle parfait, ses cheveux blonds et ses yeux bleus, on dirait une publicité pour la Californie : « Venez vivre le rêve grandeur nature à Laguna Beach ! » Je me reproche ma stupidité. J'aurais mieux fait de m'abstenir et de rester sagement au lit. Mais non : il a fallu que je débarque chez Roman pour lui servir un autre motif de chantage sur un plateau. Quelle gourde !

Roman surveille du coin de l'œil une Jaguar noire ancien modèle qui se gare dans l'allée. Un homme et une femme très séduisants, la chevelure assortie à la voiture, se dirigent vers la maison et s'engouffrent à l'intérieur.

– Désolé que tu sois venue pour rien, ma belle, lance Roman en refermant la porte derrière eux. Sois gentille, fais très attention à la voiture de Marco. Il est capable de meurtre pour une simple trace de doigt.

douze

Je retourne à la maison. Enfin, c'était mon intention, mais très vite j'erre au hasard dans la ville. Mes pieds pèsent des tonnes et décollent à peine du sol. Inutile de courir, je n'ai plus rien à prouver. Je ne fais pas le poids face à Roman. C'est lui qui mène la danse, je ne suis qu'un vulgaire pion.

Mes pas me conduisent au centre de Laguna Beach, « le Village », comme on le surnomme. Je n'ai pas envie de rentrer. Je ne pourrai pas trouver le sommeil, de toute façon. Je me sens tellement blessée, humiliée dans ma fierté que je n'ose pas rendre visite à Damen. Je traverse les rues désertes et sombres et me retrouve devant un joli petit cottage pimpant. Les plantes vertes de chaque côté de la porte et le paillasson qui vous souhaite la bienvenue lui donnent un charme familier, rassurant.

En fait, c'est tout le contraire. C'est le lieu du crime, ni plus ni moins. Je ne prends pas la peine de frapper. Ava est partie. Et vu qu'elle a filé en douce avec la bouteille d'élixir en abandonnant Damen à son sort, je doute fort qu'elle remette jamais les pieds ici.

Je déverrouille mentalement la porte, inspecte les lieux d'un regard et me dirige vers la cuisine. À ma grande surprise, celle-ci d'ordinaire impeccable est une véritable porcherie. Les assiettes sales s'empilent dans l'évier et la poubelle déborde. Ce n'est pas le genre d'Ava, donc il y a un intrus.

J'avance sur la pointe des pieds dans le couloir. Toutes les pièces sont vides. J'arrive devant la porte indigo au fond du corridor. L'espace prétendument sacré où Ava s'isolait pour méditer dans l'espoir d'atteindre les dimensions parallèles. Je l'entrebâille avec précaution et distingue deux silhouettes étendues à même le sol. Je cherche l'interrupteur à tâtons, avant de me rappeler que je n'ai pas besoin d'électricité pour percer la pénombre. Et me voilà nez à nez avec les deux dernières personnes que je m'attendais à voir.

— Rayne ?

Je m'agenouille près de la fillette qui se redresse en se frottant les yeux.

— Tiens, salut, Ever ! Moi, c'est Romy. Rayne est là-bas.

Je croise le regard hostile de sa jumelle, laquelle ne m'a jamais porté dans son cœur, et me tourne ostensiblement vers Romy :

— Qu'est-ce que vous fabriquez ici ?

Elle saute sur ses pieds, défroisse son chemisier blanc et sa jupe bleu marine.

— Nous habitons là, maintenant.

Je les observe tour à tour. Elles ont le même teint pâle, les mêmes grands yeux noirs et la même coupe de cheveux sévère que lors de notre première rencontre. Mais alors que, dans l'Été perpétuel, elles étaient toujours tirées à quatre épingles, sanglées dans leurs uniformes impeccables, ici, au contraire, elles ont l'air sales et négligées.

Je me sens curieusement mal à l'aise à l'idée qu'elles squattent ici.

94

– Vous ne pouvez pas rester là, vous êtes chez Ava. Pourquoi ne retournez-vous pas chez vous, dans l'Été perpétuel ?

Rayne prend le temps de remonter ses chaussettes, détail qui la distingue de sa jumelle, avant de me lancer un regard haineux.

– Parce que nous ne pouvons pas, grosse maligne ! Grâce à toi, nous sommes coincées ici pour toujours.

J'interroge Romy du regard.

– Ne fais pas attention à Rayne. Nous sommes ravies de te voir. Nous avions même parié sur le temps qu'il te faudrait pour nous retrouver.

– Ah ? Et qui a gagné ?

– Romy. Moi, j'étais sûre que tu nous avais oubliées.

– Tu veux dire que vous n'avez pas bougé d'ici depuis l'autre jour ?

– Tu es sourde ou quoi ? s'énerve Rayne. Nous sommes coincées ! Nous avons perdu nos pouvoirs.

– Ne t'affole pas. Je vais vous aider à repartir, si c'est ce que vous voulez.

Ce n'est quand même pas sorcier. Il suffit de faire apparaître le portail, les reconduire dans l'Été perpétuel, leur dire au revoir et rentrer chez moi.

– Oh oui, aide-nous à rentrer, s'il te plaît, opine Romy.

– Et sans traîner, si possible, renchérit sa sœur. Tu nous dois bien ça, non ?

J'accuse le coup. Le reproche est mérité, bien sûr. Je suis aussi pressée qu'elles de les renvoyer dans leur dimension.

Je m'installe sur le futon, surprise qu'elles aient préféré dormir par terre.

– Venez là. Rayne, assieds-toi à ma droite, et Romy de

l'autre côté. Maintenant, donnez-moi la main, fermez les yeux, et concentrez-vous pour visualiser le portail. Imaginez que vous vous trouvez devant le voile de lumière dorée. Une fois que vous y serez, traversez-le. N'ayez pas peur, je vous tiens la main, d'accord ?

Elles acquiescent docilement et nous fermons les yeux de concert. Tout se passe comme prévu, mais lorsque je rouvre les yeux, je suis seule dans la magnifique prairie de l'Été perpétuel. Je retourne dare-dare chez Ava pour affronter une Rayne au bord de la crise de nerfs, les poings sur les hanches.

— Je te l'avais bien dit ! Nous sommes coincées ici. Nous avons perdu notre puissance magique, et nous ne pourrons jamais rentrer chez nous. Tout ça par ta faute ! Nous n'aurions jamais dû t'aider, voilà le résultat !

Romy me lance un regard désolé.

— Rayne ! Surveille tes paroles !

— Mais c'est vrai ! Je t'avais prévenue que c'était trop risqué, qu'elle ne nous écouterait pas et prendrait la mauvaise décision. D'ailleurs – ô surprise – c'est ce qu'elle a fait, pas vrai ? Tout s'est passé exactement comme je le craignais, et maintenant c'est nous qui sommes les dindons de la farce !

Détrompe-toi, vous n'êtes pas les seules, j'ajoute *in petto*. J'espère qu'elles ont aussi perdu la faculté de lire dans les pensées, parce que je ne suis pas fière de moi. Rayne a beau être odieuse, elle n'a peut-être pas tort.

— Écoutez, je sais à quel point vous tenez à retourner là-bas et je vous promets de trouver une solution. Je ne sais pas encore comment, mais faites-moi confiance, d'accord ? En attendant, je ne vous laisserai pas tomber, croix de bois, croix de fer.

Je surprends leur regard incrédule. Rayne croise les bras sur la poitrine avec un gros soupir.

– Renvoie-nous dans l'Été perpétuel, on ne t'en demande pas plus.

Surtout garder mon calme, ne pas exploser !

– D'accord, mais pour cela, j'ai besoin de quelques éclaircissements.

Rayne jette à sa sœur un regard signifiant un « non » catégorique, mais Romy ne lui prête aucune attention.

– On t'écoute.

J'ai du mal à trouver mes mots, mais je dois absolument savoir.

– Sans vouloir vous offenser, les filles… euh… êtes-vous mortes ?

Je retiens mon souffle. Je m'attendais à tout, colère ou irritation, mais de là à déclencher l'hilarité générale… Elles sont pliées en deux. Rayne se tape les cuisses, et Romy glisse du futon en pleurant de rire. Du coup, si quelqu'un est agacé, c'est moi.

– Pas la peine de vous moquer. Nous nous sommes rencontrées dans l'Été perpétuel qui grouille d'âmes en peine, donc ma question ne manque pas de logique, non ? Sans parler de votre pâleur anormale.

Rayne, qui a retrouvé ses esprits, esquisse une grimace.

– Ah bon, parce que tu es super bronzée, toi, peut-être ? Pourtant, il ne nous viendrait pas à l'esprit de te demander si tu appartiens aux morts-vivants !

– C'est trop facile, vous avez une longueur d'avance. Riley vous avait parlé de moi avant notre rencontre. Vous saviez exactement qui j'étais. Si vous voulez que je vous aide, il va falloir coopérer et éclairer ma lanterne, que cela vous plaise ou non. Bref, j'ai besoin de connaître votre histoire.

– Jamais, dit Rayne en défiant sa sœur du regard.

Je suis tentée d'abaisser mon bouclier de protection et de les toucher du bout des doigts pour voir défiler le film de leur vie, mais je préfère entendre leur version de leur bouche. De toute façon, Romy a apparemment décidé de balayer les réticences de sa sœur.

– Nous ne sommes pas mortes, explique-t-elle. Nous sommes plutôt des… réfugiées du passé, si tu préfères. À l'époque, il y a des lustres, nous nous sommes trouvées face à…

Elle s'interrompt, sourcils froncés, cherchant ses mots.

– … C'était une période épouvantable, et nous avons bien failli y passer. Mais nous avons trouvé refuge dans l'Été perpétuel, et c'est ce qui nous a sauvées. Je crois bien que nous avons perdu la notion du temps là-bas. Jusqu'à la semaine dernière, quand nous avons volé à ton secours en venant ici. Nos pires craintes se sont réalisées : nous avons perdu nos pouvoirs et nous ne savons plus où aller ni comment survivre dans ce monde.

En guise de commentaire, sa jumelle se cache la tête dans les mains en poussant un grognement indistinct.

– Quel genre de persécutions avez-vous fuies ? Et que veux-tu dire par « il y a des lustres » ? Tu pourrais être un peu plus claire ?

Cette fois, les jumelles échangent un regard qui me laisse résolument sur la touche. Je n'ai pas le choix : j'attrape la main de Romy avant qu'elle n'ait le temps de réagir, et me glisse dans son esprit. Là, au sein d'un chaos terrifiant, j'assiste à de telles atrocités que je manque lâcher prise et m'enfuir au triple galop.

Une foule hystérique encercle leur maison en hurlant, des torches à la main. Leur tante bloque la porte tant bien que mal, le temps de matérialiser le portail conduisant à l'Été perpétuel et d'y introduire les jumelles.

Elle s'apprête à les suivre, quand la porte vole en éclats. Les petites se retrouvent seules dans un monde complètement inconnu, sans repères, ignorantes du sort de leur tante. Ce n'est que bien plus tard, lors d'une visite à l'*Akasha*, qu'elles la revoient, accusée de crimes ridicules et torturée dans un simulacre de procès. Elle nie en bloc, sûre de son bon droit, elle n'a pas commis de faute selon les principes de la Wicca, la loi des sorciers et des sorcières : « Si tu ne blesses personne, fais ce que tu veux. » La tête haute face à ses oppresseurs, elle monte sur l'échafaud.

Je lâche Romy, prise de vertige. Mes doigts se referment sur mon talisman. Le regard de leur tante était si familier, j'en suis profondément troublée, me répétant pour me rassurer que les petites et moi sommes en sécurité, que ces choses-là n'existent plus de nos jours.

— Bon, voilà, tu sais tout, commente Romy, tandis que sa sœur trépigne dans son coin. Tu comprends, maintenant, pourquoi nous n'osons pas mettre le nez dehors ?

Que dire ? Rayne refuse de me regarder et Romy garde les yeux baissés.

— Je… Je suis navrée. J'étais loin d'imaginer que vous aviez échappé aux procès des sorcières de Salem.

— Pas exactement, corrige Rayne.

— Ce n'était pas nous, mais notre tante Clara, précise sa sœur. C'était la sage-femme la plus demandée et la plus respectée de la région, et du jour au lendemain, ils sont venus la chercher comme s'il s'agissait d'une criminelle.

Romy s'interrompt, les yeux pleins de larmes, accablée de chagrin en revivant ce cauchemar.

– Nous l'aurions accompagnée, nous n'avions rien à nous reprocher, poursuit Rayne d'un air de défi. Un pauvre bébé était mort, d'accord, ce n'était pas la faute de Clara. Le coupable, c'était le père. Il ne voulait pas de cet enfant ni de sa mère ; il les a tués et a accusé Clara. Il a crié sur tous les toits que c'était une sorcière. Alors, elle s'est dépêchée de créer le portail pour nous sauver, et elle était sur le point de nous rejoindre quand… Tu connais la suite.

– Mais c'était il y a trois cents ans !

J'ai beau être immortelle, je n'arrive toujours pas à me faire à l'idée d'une existence aussi longue. Les jumelles restent muettes, et je commence à saisir l'ampleur du problème.

– Et vous n'étiez jamais revenues ? Les choses ont beaucoup changé depuis votre départ. Ce n'est plus du tout le même univers.

– Tu nous prends pour des débiles ? crache Rayne. Dans l'Été perpétuel aussi, les choses ont évolué. Les nouveaux venus apportaient les objets et autres gadgets dont ils ne voulaient pas se séparer. Tu ne nous apprends rien !

Rayne n'a pas compris ce que je voulais dire. Je ne pensais pas tant au passage de la calèche à la voiture, ou des couturières personnelles aux boutiques de prêt-à-porter, qu'à leur aptitude à s'intégrer dans notre monde. Avec leurs grands yeux noirs, leur teint diaphane et leur frange taillée au rasoir, elles ne risquent pas de passer inaperçues ! Si elles veulent s'acclimater au vingt et unième siècle, il leur faudra davantage qu'un simple « relookage ».

– Et puis, tu sais, Riley nous a préparées à votre monde, ajoute Romy, esquivant un méchant coup de coude de sa sœur. Elle a fondé une école privée dans l'Été perpétuel et nous a convaincues de nous y inscrire. D'où nos uniformes, tu vois ? Riley était notre professeure, elle nous a appris ce qu'il faut savoir pour vivre dans cette dimension, y compris la façon de s'exprimer. Elle voulait que nous revenions sur terre et s'était mis dans la tête de nous instruire. Elle pensait que c'était trop bête de ne pas profiter de notre adolescence, et voulait aussi que nous gardions un œil sur toi.

Je comprends mieux l'intérêt de Riley pour les petites jumelles. En fait, son calcul était purement égoïste.

– Quel âge avez-vous ? Ou plutôt, quel âge aviez-vous quand vous avez atterri dans l'Été perpétuel ?

– Treize ans, pourquoi ?

Je réprime un sourire. J'en étais sûre !

Depuis toujours, Riley rêvait du jour où elle aurait treize ans et appartiendrait enfin au monde des « vrais » adolescents. Mourir à douze ans lui est resté en travers de la gorge, et elle a décidé de demeurer dans la dimension terrestre et de vivre indirectement son adolescence à travers moi, jusqu'à ce que je la persuade de traverser le pont. Il est donc logique qu'elle ait essayé de décider les jumelles à retourner parmi les vivants pour ne pas renoncer à leur jeunesse.

La force de Clara et la détermination de Riley face à des situations apparemment sans issue m'insufflent le courage d'affronter Roman. Si elles y sont arrivées, alors je devrais y arriver aussi.

Les jumelles ne peuvent pas rester seules ici, et je me vois mal les conduire chez Sabine, mais je connais quelqu'un qui devrait pouvoir les aider, à condition qu'il le veuille.

— Venez, les filles, je vous emmène dans votre nouvelle maison ! dis-je avec un entrain un peu forcé.

treize

En sortant de la maison, je me rends compte que nous aurons besoin d'une voiture. Les jumelles se cramponnent l'une à l'autre en ouvrant de grands yeux terrifiés. Dédaignant le confort, je fais apparaître un véhicule qui nous mènera à bon port en quatrième vitesse. Romy s'installe sur les genoux de sa sœur et j'appuie sur le champignon, surprise de l'aisance avec laquelle je pilote mon carrosse. Les petites sont littéralement collées à la vitre, bouche bée devant le paysage qui défile.

Je n'ai jamais vu un tel engouement pour la beauté de Laguna Beach.

– Vous n'êtes pas sorties une seule fois depuis que vous êtes ici ?

Elles hochent la tête sans détourner le regard, fascinées.

Je m'arrête devant l'imposant portail. Un homme en uniforme s'approche et nous scrute avec attention avant de nous laisser entrer.

Rayne a retrouvé son air soupçonneux.

– Où nous emmènes-tu ? C'est quoi, ces grilles ? Et pourquoi y a-t-il un gardien ? C'est une prison, ou quoi ?

Nous suivons la route qui serpente jusqu'au sommet de la colline.

– Il n'y a pas de résidences privées avec gardien dans l'Été perpétuel ?

Personnellement, je n'en ai pas vu, mais je n'y habite pas depuis trois siècles, moi.

Elles secouent vigoureusement la tête, non sans inquiétude.

Je tourne dans la rue de Damen et me gare dans l'allée.

– Ne vous en faites pas, ce n'est pas une prison. Les grilles sont là pour empêcher les indésirables d'entrer, pas pour nous empêcher de sortir.

– Mais pourquoi veulent-ils empêcher les gens d'entrer ? demandent les jumelles dans un bel ensemble.

Je me frotte le menton. Comment leur expliquer ? Moi-même, j'ai du mal à m'y faire. Je n'avais jamais vu cela dans l'Oregon.

– Pour que les habitants se sentent plus…

J'ai failli dire « en sécurité », mais ce n'est pas tout à fait cela.

– … Enfin, bref, vous allez vivre ici, alors autant vous y habituer.

– Il n'en est pas question ! proteste Rayne. Tu nous avais promis de découvrir comment nous renvoyer chez nous ! Tu as oublié ?

La petite est terrifiée, me dis-je pour ne pas perdre patience.

– Bien sûr que non. Disons que c'est votre résidence temporaire.

Je l'espère, en tout cas, sinon j'en connais un qui risque de faire une drôle de tête.

Je descends de voiture.

– Venez voir votre nouvelle maison *temporaire*, dis-je gaiement.

Les jumelles sur les talons, je fais halte devant la porte. Dois-je frapper et attendre que Damen vienne nous ouvrir, ou entrer sans le réveiller ? Le temps que je me décide, Damen apparaît sur le seuil.

– Ever ? Ça va ? lance-t-il en guise de bonjour.

Je lui souris et pense : *Avant de dire quoi que ce soit, laisse-moi une chance de t'expliquer, d'accord ? Et surtout, ne t'énerve pas, s'il te plaît.*

– On peut entrer ? je demande sans me démonter.

Il s'efface pour nous laisser passer et fait une drôle de tête quand les jumelles lui foncent dessus et le serrent de toute la force de leurs petits bras maigrichons en le regardant avec adoration.

– Damen ! C'est toi ? Ça alors, c'est bien toi !

Quelles touchantes retrouvailles ! Inutile de dire que leur enthousiasme en voyant Damen est à des années-lumière de la froideur avec laquelle elles m'ont accueillie.

Damen leur ébouriffe les cheveux et se penche pour plaquer à chacune un gros baiser sur la joue.

– Salut, vous deux ! Ça fait un bout de temps, hein ?

Rayne rayonne.

– Une semaine, juste avant qu'Ever n'ajoute son sang à l'antidote et ne fiche tout par terre !

– Rayne ! s'écrie Romy sur un ton de reproche.

Je me garde de réagir. Que pourrais-je répondre, de toute façon ?

Damen vole à mon secours.

– Non, encore avant, je voulais dire.

Les jumelles le regardent d'un air malicieux.

– C'était il y a un peu plus de six ans, quand Ever avait à peine dix ans !

Damen éclate de rire en me voyant lever les yeux au ciel.

— Ah oui ! C'est grâce à vous que je l'ai retrouvée. Je ne vous remercierai jamais assez. Et puisque vous savez ce qu'Ever représente pour moi, ce serait trop vous demander d'être un peu plus aimables avec elle ?

Il pince la joue de Rayne, qui rosit de plaisir, avant de nous précéder au salon.

— Et à quoi dois-je l'immense bonheur de vous retrouver, mes petites chéries ?

Elles se regardent et pouffent de rire, sous le charme. J'en suis encore à choisir mes mots pour lui annoncer la nouvelle en douceur, quand les petites s'exclament à l'unisson :

— Ever a dit qu'on pourrait vivre chez toi !

Le sourire de Damen se fige, tandis que ses yeux s'écarquillent d'horreur.

Je lui envoie une montagne de tulipes télépathiques avant d'ajouter :

— Provisoirement, bien entendu. Le temps de trouver comment les ramener dans l'Été perpétuel, ou qu'elles récupèrent leurs pouvoirs magiques.

Mentalement, j'ajoute :

— *C'est bien toi qui affirmais vouloir rééquilibrer ton karma en rachetant ton égoïsme passé ? Aider quelqu'un dans le besoin est une belle occasion de faire preuve de générosité, n'est-ce pas ? Heureusement que tu n'as pas encore vendu la maison, vous ne serez pas à l'étroit, les filles et toi. Cela tombe bien, tu ne trouves pas ?*

Là-dessus, je lui décoche un grand sourire en hochant la tête, un peu comme ces petits chiens articulés que l'on place sur la lunette arrière des voitures.

Damen nous dévisage tout à tour, les jumelles et moi, puis éclate de rire.

– Évidemment que vous pouvez rester ici ! Aussi longtemps qu'il vous plaira ! Venez, je vais vous montrer les chambres, vous choisirez celle que vous voudrez. D'accord ?

Elles grimpent l'escalier quatre à quatre en gazouillant de bonheur, complètement métamorphosées maintenant qu'elles sont sous la protection de Damen, mon merveilleux ami au cœur d'or.

En arrivant à l'étage, elles restent interdites devant la pièce spéciale de Damen, toujours vide.

– On peut prendre celle-là ?

– Non !

Le cri m'a échappé. Les jumelles me fusillent du regard. Je suis désolée de les contrarier, mais je tiens à remettre la pièce en état. Impensable si Romy et Rayne s'y installent.

– Celle-ci n'est pas libre, mais il y en a des tas d'autres. Vous allez voir, la maison est gigantesque, et il y a même une piscine !

Elles se regardent sans mot dire et tournent les talons en maugréant entre leurs dents, peu soucieuses que je les entende.

Au frisson qui m'agite, je devine que Damen est tout près de moi.

– *Pourquoi ne pas leur laisser cette pièce ?*

Je le suis dans le couloir en silence.

– *Parce que je veux y réinstaller ta collection, un jour. Ces objets ne signifient peut-être rien pour toi, mais pour moi, si. Tu ne peux pas reléguer le passé aux oubliettes, abandonner ce qui définit ta personnalité.*

107

– *Ever, nous ne sommes pas définis par les objets matériels,* rétorque-t-il. *Ni les vêtements, ni les voitures, ni les œuvres d'art ne peuvent révéler l'essence de l'homme. Ce qui compte, c'est la manière dont on mène sa vie. Seuls nos actes nous assureront de passer à la postérité.*

Il m'envoie une image de nous deux enlacés, ses lèvres sur les miennes. L'effet est si réel que j'en suis bouleversée.

Je souris et complète le tableau avec une multitude de tulipes et d'arcs-en-ciel, de couchers de soleil et de cupidons joufflus – panoplie complète du romantisme kitsch qui nous fait pouffer de rire.

– *C'est vrai, tu as raison. Mais c'est un peu curieux de parler de postérité alors que nous sommes immortels, tu ne trouves pas ? Je pensais que nous pourrions…*

Deux hurlements me font sursauter.

– Celle-là ! Je veux celle-là !

Inséparables comme elles sont, j'étais sûre que Romy et Rayne voudraient partager la même chambre, avec des lits superposés ou quelque chose de ce genre. Mais je me trompais. Chacune jette son dévolu sur la pièce de son choix, et rien ne la convaincra d'y renoncer.

Damen et moi passons deux bonnes heures à décorer les chambres à leur goût. Elles semblent prendre un malin plaisir à nous faire matérialiser lits, coiffeuses, étagères, etc., pour changer d'avis et nous obliger à tout recommencer.

Je ne me plains pas. Au contraire, je suis infiniment soulagée de voir Damen utiliser sa magie, même s'il la met au service des filles, et pas au sien propre. Le temps de satisfaire nos deux petites pensionnaires, l'aube pointe et je me dépêche de filer avant que Sabine ne remarque mon absence.

Damen me raccompagne à la porte.

– Je sèche les cours aujourd'hui. Je ne peux pas les laisser seules. Je reviendrai dès qu'elles se seront acclimatées.

Là-haut, les jumelles se sont enfin assoupies, chacune dans son petit lit douillet. Je soupire avec lassitude. Il a raison, mais je déteste le lycée en son absence. Je me promets de ramener les petites dans l'Été perpétuel avant qu'elles n'en prennent trop à leur aise ici.

Damen a sondé le fond de mes pensées.

– J'en doute. Ce n'est peut-être pas la solution.

Je lève un sourcil interrogateur, mais les papillons qui s'agitent dans mon ventre confirment mes pires craintes.

Damen passe l'index sur sa barbe naissante.

– Je me disais que... Elles ont beaucoup souffert, privées de leur famille, de leur maison, de tout ce qui constitue l'existence... Elles ont été brutalement arrachées à leur enfance et envoyées dans l'Été perpétuel toutes seules... Elles méritent bien de profiter un peu de leur jeunesse, les pauvres. Tu ne trouves pas ?

Je m'y attendais ! J'ouvre la bouche pour répliquer, mais rien ne sort. Bien sûr que je veux les voir heureuses, en sécurité, mais cela ne va pas plus loin. Je comptais sur une brève visite de quelques jours – quelques semaines tout au plus. Quant à nous imaginer jouer au papa et à la maman avec des jumelles qui ont à peine quatre ans de moins que moi, il y a un monde !

– Pas de panique, Ever. C'était une idée comme une autre, c'est à elles de décider. Il s'agit de leur vie, après tout.

J'avale péniblement ma salive sans répondre. Cette discussion peut attendre, je dois rentrer. Je me dirige vers la voiture que j'ai matérialisée pour venir.

– Une Lamborghini ? glousse Damen.

Je souris timidement, les joues en feu.

– Il me fallait quelque chose de rapide.

Il n'en croit pas un mot.

– Les filles étaient paniquées à l'idée de rester dehors, alors j'ai décidé de les conduire chez toi au plus vite.

Damen considère la voiture, ma mine piteuse, et éclate de rire.

– Et donc il te fallait le dernier modèle rouge flamboyant, c'est ça ?

Je pince les lèvres et détourne les yeux. Je ne veux pas argumenter. Et puis je ne vais pas la garder. Je compte bien m'en débarrasser en arrivant à la maison.

J'ouvre la portière et, en m'installant au volant, je lui adresse la question que je mourais d'envie de lui poser depuis un moment.

– Au fait, Damen… Comment se fait-il que tu nous aies ouvert si vite tout à l'heure ? Tu as deviné que nous arrivions ? Il était quatre heures du matin, et je n'ai même pas eu besoin de frapper. Tu ne dormais pas ?

Je sens un picotement familier, comme si son regard me brûlait à travers le métal rutilant qui nous sépare.

– Ever, je sais toujours quand tu es près de moi.

quatorze

Aussitôt que la dernière sonnerie retentit après cette longue journée sans Damen, je saute dans ma voiture pour aller le retrouver. Au lieu de tourner à droite, au feu, je change d'avis et effectue un demi-tour sur les chapeaux de roues. Il a probablement besoin d'être un peu seul avec les jumelles. C'est la raison que j'invoque. En fait, je ne souhaite pas être témoin de l'adoration qu'elles portent à Damen, et encore moins de la franche animosité de Rayne à mon égard.

Je prends la direction du centre de Laguna. J'ai l'intention de passer chez Magie et Rayons de lune, la librairie où travaillait Ava. Peut-être parviendrais-je à convaincre Lina, la propriétaire, de m'aider dans mes recherches sans qu'elle me tire les vers du nez ? Soupçonneuse comme elle est, je subodore que ce ne sera pas si facile.

Une fois garée – à trois rues du magasin, ce qui est un exploit dans une ville comme Laguna – je paye le parcmètre par précaution et me dirige vers la boutique où un écriteau fixé sur la porte annonce : « Je reviens dans dix minutes. »

Je jette un coup d'œil alentour. Personne. Je me concentre pour retourner l'écriteau et ouvrir le verrou. Puis je me glisse à l'intérieur en étouffant le son de la clochette et me dirige vers les étagères, ravie de pouvoir enfin consulter les volumes qui les garnissent sans avoir Lina sur le dos.

J'effleure les couvertures dans l'espoir de capter un signal, un fourmillement au bout des doigts me signalant l'ouvrage que je recherche. Sans résultat concluant, je change de tactique et, prenant un livre au hasard, je ferme les yeux et pose la main à plat dessus pour voir ce qu'il renferme.

– Comment êtes-vous entrée ?

Je sursaute et me rattrape à l'étagère derrière moi dans une dégringolade de CD.

J'ose à peine regarder le désastre à mes pieds – un amoncellement de boîtiers dont certains fêlés.

– Vous m'avez fait peur. Je…

Je m'agenouille le cœur battant, les joues rouge brique. Qui est ce garçon ? Et surtout, comment a-t-il pu se glisser derrière moi sans que je m'en aperçoive ? Tout mortel est enveloppé d'un champ magnétique qui annonce sa présence, en quelque sorte. Serait-il… immortel ?

Il se baisse à son tour pour ramasser les disques éparpillés. J'en profite pour l'observer en douce. Bronzé, athlétique, il porte des dreadlocks d'un blond doré jusqu'au bas du dos. Je cherche un indice qui révélerait son immortalité, en espérant qu'il ne soit pas du genre maléfique, comme Roman : un visage trop parfait, voire un serpent tatoué, par exemple. Il surprend mon regard et m'adresse un sourire désarmant. Ses joues se creusent de fossettes irrésistibles, sa dentition est juste assez anarchique pour être charmante – une preuve certaine d'humanité –, quant à ses yeux, ils sont vert marin, à vous faire tourner la tête.

– Ça va ? Tu ne t'es pas fait mal ?

Je secoue la tête et me relève maladroitement en m'essuyant les mains sur mon jean. Pourquoi suis-je si troublée ?

– Non, non, ça va. Je regardais les livres, c'est tout, dis-je avec un petit rire nerveux qui sonne atrocement faux.

Je baisse les yeux de honte, puis il me vient à l'esprit que sa présence ici n'est peut-être pas plus légitime que la mienne. Je relève la tête et croise son regard insondable, même pour moi. Je remarque alors ses pieds nus maculés de sable et sa combinaison de surf repliée sur ses hanches, dangereusement bas. Je détourne les yeux de peur d'en voir davantage.

– Et toi, tu es entré comment ?

– Je suis le propriétaire de ce magasin, assène-t-il en rangeant les CD intacts.

Je hausse les sourcils.

– Vraiment ? Il se trouve que je connais la propriétaire et que tu ne lui ressembles pas du tout.

Il me lance un regard oblique et se frotte le menton, l'air songeur.

– Ah ? Pourtant, il paraît que je suis son portrait craché. Bon, d'accord, il n'y a pas vraiment de ressemblance.

– Tu es de la famille de Lina ?

J'espère que ma voix ne trahit pas ma panique.

– Oui, c'est ma grand-mère. Je m'appelle Jude, au fait.

Il me tend une main fine et bronzée. Malgré ma curiosité, je ne me risque pas à la serrer. Il m'intrigue et j'aimerais comprendre la cause de ma gêne en sa présence, mais je me sens incapable d'endiguer le flot d'informations qu'entraînerait tout contact, ce qui serait trop hasardeux dans l'état d'esprit où je me trouve.

Je hoche la tête et marmonne mon nom avec un vague geste de la main. Il laisse retomber la sienne, me lance un drôle de regard et jette son drap de bain sur l'épaule, répandant du sable au passage.

– Bon. Maintenant que les présentations sont faites, je reviens à ma question : que viens-tu faire ici ?

Je feins de m'intéresser à un ouvrage portant sur l'interprétation des rêves.

– Et moi, je te répète ma réponse, au cas où tu l'aurais oubliée : je cherchais un livre. Ce n'est pas défendu quand même ?

Je le fixe hardiment dans les yeux – d'un bleu-vert magnifique, évoquant les eaux pures d'un lagon. Quelque chose d'indéfinissable dans son regard me perturbe et son visage me semble étrangement familier, alors que je suis certaine de ne l'avoir jamais rencontré.

Il éclate de rire et écarte quelques mèches de son visage, dévoilant un sourcil barré d'une cicatrice.

Il me décoche un sourire malicieux. Je baisse la tête, les joues en feu et le cœur en émoi. Il me faut plusieurs secondes pour me ressaisir.

– Non, ce n'est pas défendu. Mais je dois dire qu'après tous les étés que j'ai passés ici, c'est la première fois qu'un client s'y prend de cette façon.

– Tu veux dire que tu n'as jamais vu personne lire une quatrième de couverture ? J'ai du mal à le croire.

– Non. Je n'ai jamais vu personne lire les yeux fermés.

Il incline la tête et fixe je ne sais quoi sur ma droite.

Mes joues reprennent une belle couleur écarlate. Je frissonne. Il est plus que temps de changer de sujet.

– Tu devrais plutôt t'inquiéter de savoir comment je suis entrée ici, et pas de ce que je faisais.

Quelle gaffeuse ! Je ne sais plus où me mettre.

Jude fronce les sourcils.

– J'ai dû oublier de verrouiller la porte, encore une fois. Non ?

Je m'engouffre dans la brèche ouverte.

– Si, justement. Tu as laissé la porte ouverte… grande ouverte, même. Un beau gâchis question climatisation, et puis…

– Tu as dit que tu étais une amie de Lina ? interrompt Jude en posant sa serviette mouillée sur le comptoir. Elle ne m'a jamais parlé de toi.

– Oh, nous ne sommes pas vraiment amies. Elle m'a aidée, une fois, avec… Attends une minute : pourquoi en parles-tu au passé ? Elle va bien, au moins ?

Jude se perche sur un tabouret et attrape un classeur de factures.

– Oui. Chaque année, elle prend une sorte de retraite spirituelle. Cette fois, elle est partie au Mexique, histoire de vérifier si les Mayas avaient raison de prédire la fin du monde pour 2012. Qu'en penses-tu ?

Il me dévisage d'un air interrogateur. Je hausse les épaules. Je n'ai jamais entendu parler de cette théorie. Je me demande si elle s'applique à Damen et moi. Finirons-nous au pays des Ombres, ou serons-nous condamnés à errer sur une Terre désolée qu'il nous incombera de repeupler, sauf que – hilarante ironie – au moindre contact Damen mourra.

Je préfère ne pas répondre. Ni trop réfléchir à ce sujet. Et puis, je ne dois pas perdre de vue la raison de ma visite.

– Donc, vous n'êtes pas vraiment amies ? insiste-t-il.

– Non, pas exactement. Je l'ai rencontrée par l'inter-médiaire d'Ava.

Son nom m'écorche les lèvres.

Et exaspère Jude, visiblement. Il lève les yeux au ciel et marmonne quelque chose d'incompréhensible.

– Ah, tu la connais aussi ?

Je laisse mon regard glisser sur son visage, son cou, ses épaules, son torse bronzé et musclé. Au nombril, je me force à détourner les yeux.

– Oui, je la connais. Elle a disparu sans prévenir, il y a quelques jours. Volatilisée.

Si seulement tu savais !

Il range son classeur.

– J'ai essayé de l'appeler à son domicile et sur son portable, sans résultat. J'ai fini par faire un saut chez elle pour vérifier qu'il ne lui était rien arrivé. Il y avait de la lumière, donc elle doit m'éviter. Elle m'a planté avec une dizaine de clients sur les bras, qui réclament un tarot. Je ne la voyais pas comme une lâcheuse égoïste, et pourtant…

Tu n'es pas le seul à t'être trompé sur son compte. Moi aussi, j'ai été assez stupide pour lui livrer mes secrets les plus intimes…

– Je n'ai pas encore trouvé quelqu'un pour la remplacer, tu t'en doutes. Or, c'est plutôt compliqué de surveiller la boutique et de faire une séance de voyance en même temps. C'est pour ça que je me suis accordé une pause, tout à l'heure. Les vagues étaient superbes, et j'avais besoin de souffler. J'ai dû oublier de fermer à clé.

Je ne sais pas s'il croit vraiment avoir laissé la porte ouverte, ou s'il a des soupçons. J'essaie de le sonder, mais me heurte au mur qu'il a érigé pour protéger ses pensées. Je ne distingue que son aura, d'un violet éclatant. Elle était invisible tout à l'heure, mais à présent on dirait qu'elle m'attire irrésistiblement.

– Jusqu'ici, je n'ai reçu que quelques candidatures, tous des amateurs, explique-t-il. J'en ai tellement assez de devoir sacrifier tous mes week-ends que je crois que je vais finir par mettre les noms dans un chapeau et en tirer un au hasard.

Son sourire à fossettes m'hypnotise. Je me reproche déjà ce que je vais dire, mais mon esprit pratique me souffle que l'occasion est trop belle et qu'il ne faut pas la rater.

– Je peux te dépanner, si tu veux.

Je retiens mon souffle en attendant sa réponse, mais il se contente de hausser un sourcil interrogateur avec un léger sourire en coin.

– Je ne plaisante pas, je m'empresse d'ajouter. Tu n'es même pas obligé de me payer !

Ses sublimes yeux verts s'ouvrent tout grands.

– Enfin, je ne te coûterai pas trop cher, je veux dire. Le minimum syndical, tu vois ? Je suis assez douée pour compenser par les pourboires.

Jude croise les bras sur la poitrine et incline la tête avec une moue dubitative.

– Tu es voyante ?

Je redresse les épaules et m'efforce de paraître calme, professionnelle, digne de confiance. Il s'agit de mon premier poste, quand même.

– Eh bien, oui ! Il me vient toutes sortes d'informations, sans que je sache vraiment comment. C'est difficile à expliquer.

Pas très convaincant, je l'avoue. Il faut dire que je n'ai pas l'habitude de me vanter de mes pouvoirs surnaturels, encore moins devant un étranger.

Il regarde toujours je ne sais quoi sur ma droite.

– Tu te définirais comment, dans ce cas ?

117

Je ne vois pas trop ce qu'il veut dire, ni la réponse qu'il attend. Je joue avec la fermeture Éclair de mon sweat-shirt en espérant qu'il précise.

– Quel est ton domaine ? Clairvoyance, clairaudience, psychométrie, radiesthésie ?

Je n'en ai pas compris la moitié, mais je n'ai aucun doute quant à mes capacités, du moment qu'il s'agit de facultés psychiques.

– Je sais tout faire.

– Tu n'es pas médium, affirme-t-il.

– Je vois aussi les esprits, seulement ceux qui n'ont pas encore traversé…

Je m'interromps. Mieux vaut ne pas mentionner l'Été perpétuel, ni le pont qui mène dans l'au-delà.

– … enfin, ceux qui s'attardent encore parmi nous.

Il me toise de la tête aux pieds, et son regard me donne le frisson. Aussitôt après, il sort un tee-shirt à manches longues d'un tiroir et l'enfile avant de se retourner vers moi.

– Bon. Si tu veux travailler ici, Ever, il va falloir passer un test.

quinze

Jude ferme la porte d'entrée à clé et me précède dans une petite pièce à l'arrière de la boutique. Je le suis, les poings crispés, les yeux fixés sur le logo « peace and love » au dos de son tee-shirt. À la moindre entourloupe, je suis prête à lui faire regretter son erreur de la manière forte.

Il m'indique une chaise capitonnée placée devant une petite table recouverte de soie bleue. Il prend place en face de moi, une cheville posée sur son genou.

Je le tiens à l'œil, les mains croisées, concentrée sur ma respiration pour éviter de trahir ma panique.

— Alors, que sais-tu faire ? Tu te sers du tarot, des runes, de l'astrologie chinoise ? Comment fais-tu ?

Je jette un coup d'œil vers la porte. Il ne me faudrait qu'une fraction de seconde pour me sauver. Il aurait à peine le temps de cligner des yeux.

Il secoue ses dreadlocks en riant et ses fossettes se creusent.

— Ever, quand je parlais de test, je voulais dire que tu devais me montrer ce dont tu es capable, tu comprends ?

Je garde les yeux baissés et passe nerveusement un doigt sur la nappe moirée. Je songe à ce que m'a dit Damen ce matin : qu'il pouvait toujours sentir ma présence. Espérons que je suis trop loin pour qu'il devine ce que je m'apprête à faire.

– Je n'ai besoin de rien de spécial. Il me suffit de toucher les mains.

– Ah, tu es chiromancienne ? Je ne m'attendais pas à cela, mais je t'en prie, vas-y.

Il s'approche de la table et me tend sa paume ouverte.

La gorge sèche, je considère les lignes profondes qui la creusent. Pour moi, elles sont muettes.

– Je ne lis pas les lignes. Je me contente de toucher ta main pour ressentir ton énergie – me brancher dessus, en quelque sorte. C'est elle qui va me raconter ton histoire.

Je rassemble mon courage pour effleurer sa main et en finir au plus vite, mais il s'écarte et me dévisage avec attention. Après quoi, il fixe ses paumes calleuses d'un air absent.

– C'est juste la main, ou… ?

Je toussote, mal à l'aise. Pourquoi ai-je l'impression de trahir Damen, alors que j'essaie simplement de décrocher un job pour contenter Sabine ?

– Non, ce peut être n'importe quoi. L'oreille, le nez, le gros orteil, pour moi, c'est pareil. Je préfère la main, parce que c'est plus pratique.

Jude esquisse un sourire sans me quitter de ses yeux aigue-marine.

– Plus pratique que le gros orteil ?

J'inspire à fond. Ses mains sont dures, tout le contraire de Damen dont la peau est presque plus douce que la mienne. Mon malaise s'accroît à cette pensée.

Comme je ne peux plus toucher Damen, le simple fait de me retrouver seule avec un autre me paraît sordide, illicite, malhonnête.

Je ferme les yeux et avance mes doigts. Après tout, ce n'est qu'un entretien d'embauche comme un autre. C'est l'affaire d'une minute. Je ne fais de tort à personne. Je presse sa paume du bout de l'index. Son énergie déferle en moi, pareille à une vague de sérénité, une mer calme. Quelle différence avec la décharge électrique que je ressens au contact de Damen ! La vie de Jude se déploie devant mes yeux sans crier gare.

Je retire ma main d'un geste brusque et la porte à l'amulette cachée sous mon tee-shirt. Je regrette d'avoir réagi si brutalement, car Jude a l'air inquiet.

– Désolée, je bredouille. En temps normal, je ne ferais jamais cela. Je suis beaucoup plus réservée d'habitude. J'ai été un peu surprise, tu comprends ? Mais je suis capable de maîtriser mes réactions, je t'assure. Vraiment… j'ajoute avec un sourire forcé qui doit achever de le convaincre que je suis folle à lier et la plus incompétente des voyantes de pacotille. Je m'efforce de rester impassible, même quand j'annonce des nouvelles horribles… Enfin, non… Je sais éprouver de la sympathie et de la compassion quand il le faut. Mon cœur déborde, même…

Quel désastre ! Plus j'essaie de rattraper le coup, plus je m'embourbe dans l'ornière. C'est pathétique. Je ramasse mon sac à dos. Autant faire une croix sur ma future carrière.

Jude s'incline vers moi, si près que j'en ai la respiration coupée. Son regard vert me cloue sur place.

– Dis-moi ce que tu as vu, Ever.

Je déglutis avec peine et, les yeux clos, je revois sa vie défiler dans ma tête.

– Tu es différent. Tu l'as toujours été. Tout petit déjà, tu voyais les défunts. Ta grand-mère, par exemple. Elle est décédée bien avant ta naissance, et quand elle s'est penchée sur ton berceau, tu lui as souri.

Je m'interromps pour l'interroger des yeux. Il reste immobile, le regard fixe, impassible.

J'hésite à aborder la suite, mais si je veux le convaincre, je n'ai guère le choix.

— Plus tard, tu avais dix ans quand ton père s'est tiré une balle dans la tête. Tu croyais que c'était ta faute. Tu étais persuadé qu'il avait perdu la raison parce que tu pouvais voir ta mère, disparue un an plus tôt. Des années ont passé avant que tu n'admettes la vérité. Ton père se sentait seul, il était dépressif et voulait rejoindre sa femme à tout prix. Aujourd'hui encore, il t'arrive de te sentir coupable.

Je lorgne de son côté. Jude n'a pas cillé, mais quelque chose dans son regard me dit que j'ai raison.

— À plusieurs reprises, ton père a essayé de te rendre visite pour se faire pardonner. Mais tu lui as toujours tourné le dos. Tu en avais assez d'être raillé par les autres enfants et sermonné par les bonnes sœurs. Sans parler de ta famille d'accueil qui… Bref, tu voulais être normal et ne plus être traité comme un paria.

J'ai une boule dans la gorge. Je connais bien ce sentiment ! Vouloir à tout prix se fondre dans la masse, tout en sachant combien c'est illusoire…

— Tu as fini par t'enfuir, et tu as rencontré Lina. Elle t'a recueilli, nourri, logé, même si elle n'est pas vraiment ta grand-mère.

Je rouvre les yeux. Imperturbable, Jude se renverse sur son siège en se frottant les yeux de ses longs doigts minces.

— Elle m'a sauvé la vie, à plus d'un titre, marmonne-t-il. J'étais complètement perdu et elle…

– Elle t'a accepté tel que tu es ?

– Mais qui suis-je ? Tu pourrais me le dire ?

– Tu es tellement brillant que tu as terminé le lycée à seize ans. Et tu as mis tes talents de médium au service des autres, sans rien demander en échange, ou presque. Malgré tout, tu restes profondément...

J'allais dire « tire-au-flanc », mais comme je tiens à gagner ses bonnes grâces, je me contente de « décontracté » !

Son rire me rassure, aussi je poursuis.

– Si tu avais le choix, tu ne travaillerais jamais. Tu passerais ta vie à chercher la vague parfaite.

– C'est une métaphore ? demande-t-il avec un sourire en coin.

– Non. Dans ton cas, c'est à prendre au sens littéral.

Il me lance un regard en biais. Mon estomac fait un numéro de claquettes. Il repose son pied nu sur le sol et les coudes sur la table.

– D'accord, tu as gagné. Et maintenant que mon âme n'a plus de secret pour toi, j'aimerais te demander un petit service. Est-ce que, par hasard, si tu regardais vers mon avenir, tu y verrais une certaine jeune fille blonde ?

Je me tortille sur ma chaise, ne sachant que répondre.

– Quand je dis « avenir », je veux dire futur proche, en fait. Crois-tu que Stacia acceptera de sortir avec moi vendredi soir ?

– Stacia ?

Les yeux m'en sortent de la tête. Moi qui me vantais de rester de marbre quoi qu'il arrive ! Au temps pour moi !

Il secoue la tête. Ses dreadlocks blondes contrastent merveilleusement avec son teint hâlé.

– Anastasia Pappas, Stacia pour les intimes.

Je réprime un soupir de soulagement. Ouf, il s'agit d'une autre pimbêche que notre Stacia nationale.

Je mobilise mon énergie mentale. Jude n'a rien à espérer de cette fille, c'est peine perdue. Il pourrait gagner un temps fou si je lui révélais ce que je vois, mais il risque de ne pas apprécier la vérité.

— Tu veux vraiment le savoir ? Tu ne préfères pas faire durer le suspense ?

— C'est ce que tu comptes dire à tes futurs clients ? réplique-t-il du tac au tac.

— Bien sûr que non. Je n'ai pas l'intention de me défiler, s'ils sont assez bêtes pour le demander. La question est : es-tu assez bête, toi ?

Il me dévisage longuement, la tête inclinée. Je commence à craindre d'avoir dépassé les bornes, mais il sourit et me tend la main. Je lui tends la mienne à mon tour, et il la garde dans la sienne quelques secondes de plus que nécessaire.

— Je suis assez bête pour t'engager, c'est sûr. Et je commence à comprendre pourquoi tu refusais de me toucher, tout à l'heure. Merci. C'était la meilleure séance de voyance que j'aie jamais expérimentée, ou presque.

Je prends un ton faussement vexé.

— Ça veut dire quoi « ou presque » ?

Il ouvre la porte en riant.

— Tu peux venir demain matin ? Vers dix heures ?

Comment lui avouer que ce n'est pas possible ?

— C'est trop tôt ? reprend-il, remarquant mon hésitation. Tu aimes faire la grasse matinée ? Bienvenue au club. Mais si j'arrive à me lever, ce devrait être à ta portée.

— Non, ce n'est pas le problème.

Pourquoi est-ce que je répugne à lui dire la vérité ?

Maintenant que je suis engagée, il peut penser de moi ce qu'il veut, non ?

– J'ai cours à cette heure-là, en fait.

« Cours », cela sonne mieux que « lycée », n'est-ce pas ? Il croira peut-être que je suis à l'université.

– Où ?

– Euh… à Bay View… je bredouille.

– Ah, au lycée ?

J'essaie de plaisanter pour dissiper ma gêne, mais mon rire sonne faux.

– Moi qui croyais que tu étais médium ! Je suis en première, voilà.

Il me scrute un long moment avant de me raccompagner à la porte du magasin.

– Tu as l'air plus âgée, observe-t-il. Écoute, passe dès que tu auras une minute, et je te montrerai comment marche la caisse et deux, trois autres choses, d'accord ?

– Tu veux que je tienne la boutique ? Je pensais seulement remplacer Ava pour la voyance.

– Pourquoi pas ? Ça t'ennuie ? demande-t-il en me tenant la porte.

– En fait, non. Il y a juste une chose… Enfin, deux. D'abord, je me demandais si je pourrais adopter un pseudonyme pour la voyance. Je vis chez ma tante, elle est géniale, mais elle n'est pas au courant de mes talents. Tu comprends ?

– Aucun problème. C'est toi qui choisis. En revanche, comme plusieurs clients attendent un rendez-vous, cela m'arrangerait si tu pouvais me donner un nom tout de suite.

Sa demande me prend au dépourvu. Je suis tentée par Rachel, en souvenir de ma meilleure amie dans l'Oregon, ou alors un prénom banal, Anne ou Jenny. Et puis je me rappelle que les voyantes sont réputées pour leur excentricité. Je laisse mon regard errer vers la plage où un panneau attire mon regard.

– Avalon. Comme la ville sur l'île de Santa Catalina.

– Entendu. Et la deuxième chose ?

– Tu mérites mieux que Stacia.

Son regard en dit long, même si la nouvelle n'a pas l'air de l'enchanter.

– Tu as remarqué que tu tombes toujours amoureux de filles qui ne sont pas pour toi ?

J'attends une réponse, ou du moins une réaction, mais il se contente de me dire au revoir de la main. Je retourne à ma voiture. Il ne se doute probablement pas que je l'entends penser : *J'ai remarqué, oui.*

seize

À peine suis-je arrivée à la maison que Sabine m'appelle : je ne dois pas l'attendre pour dîner. J'hésite à lui parler de mon nouveau job d'été. Tôt ou tard, il faudra bien que je lui annonce la nouvelle. Au moins, elle n'insistera plus pour me faire entrer dans son cabinet. Mais vu la nature de mon futur travail, j'appréhende sa réaction. Même si je passe sous silence la partie voyance de mon contrat (je ne vais certainement pas y faire la moindre allusion), elle risque de trouver suspect que je choisisse de passer l'été dans une librairie ésotérique. Qui sait ce qu'elle est capable d'imaginer ?

Sabine est trop rationnelle pour comprendre. Elle a choisi de vivre dans un univers carré, logique de A à Z, à mille lieues du chaos du monde. Je déteste lui mentir, mais cette fois, je ne vois pas comment m'en sortir autrement. Il est hors de question qu'elle apprenne que je peux prédire l'avenir et monnaye mes talents sous le pseudonyme d'Avalon.

Je vais lui raconter que j'ai trouvé un poste de vendeuse dans une librairie générale, ou chez Starbucks, tiens, pourquoi pas ? Évidemment, il faudra que je soigne les détails si elle décide de creuser un peu le sujet.

Je rentre la voiture au garage, monte dans ma chambre et jette mon sac à terre. Puis, j'ouvre mon placard et ôte mon tee-shirt. Je suis sur le point de déboutonner mon jean, quand j'entends la voix de Damen.

– Ne te gêne surtout pas pour moi !

Je fais volte-face, les bras croisés sur la poitrine, le cœur palpitant. Damen sifflote entre ses dents et tapote le lit à côté de lui pour que je le rejoigne.

Je repasse mon tee-shirt et m'affale près de lui.

– Je ne t'avais pas vu. Ni senti ta présence, d'ailleurs.

– Tu avais l'air perdue dans tes pensées.

– Qu'est-ce que tu fabriques ici ?

À vrai dire, je me moque de la réponse. Je suis heureuse qu'il soit là, un point c'est tout.

– Sabine rentre tard ce soir, alors je me suis dit que…

– Comment le sais-tu ?

Quelle question ! C'est presque trop facile pour lui, il peut lire les pensées de n'importe qui. Même les miennes, quand je lui en laisse l'accès. Je ne me protège presque jamais en sa présence, mais ce soir, il le faut. Je veux pouvoir lui expliquer ma version des faits avant qu'il n'assiste dans ma tête à ma confrontation avec Roman et en tire des conclusions hâtives.

Il se penche vers moi.

– Et comme tu n'es pas venue après les cours…

– Je pensais te laisser un peu tranquille avec les jumelles. Vous laisser le temps de vous apprivoiser…

Il pouffe de rire.

– Oh, c'est fait depuis longtemps. La journée a été, disons, riche en rebondissements. Tu nous as manqué, ajoute-t-il en me caressant du regard les cheveux, le visage et les lèvres. J'avais tellement envie que tu sois là…

– Tu aurais été le seul, je crois.

Damen m'effleure la joue, l'air inquiet.

– Que veux-tu dire ? Qu'est-ce qui ne va pas ?

J'attrape un oreiller et le serre contre moi. J'aurais été mieux inspirée de me taire.

– Rien. C'est que… Si tu veux mon avis, les jumelles étaient ravies de mon absence. Elles sont persuadées que tout est ma faute. Et, franchement, je ne peux pas leur en…

Quelque chose me coupe la parole et le souffle.

Damen m'a touchée.

Vraiment touchée.

Pour de vrai.

Ni gants, ni télépathie. Un vrai contact à l'ancienne, peau contre peau. Enfin… presque.

– Comment… ?

Damen éclate de rire devant mon air ahuri.

– Ça te plaît ?

Il me saisit la main et lève le bras. Le mince voile d'énergie qui sépare nos deux épidermes vibre doucement.

– J'ai passé la journée à mettre ce système au point. Je ne laisserai rien nous séparer, Ever. Jamais, tu entends ?

Je l'observe à travers l'énergie qui scintille entre nous, submergée par le champ des possibles. Pouvoir enfin sentir la chaleur de sa peau ! Certes, le voile de protection tempère un peu le délicieux frisson. Mais c'est un tel bonheur de le toucher après tout ce temps !

Je me love contre Damen, tandis que le halo d'énergie épouse mon mouvement. Je retrouve la joie de me serrer contre lui, de caresser son visage du bout des doigts.

– C'est beaucoup mieux. Ton gant de cuir commençait à me lasser.

Damen se redresse, l'air faussement outragé.

– Mon gant te lassait ?

J'éclate de rire et l'attire contre moi pour m'enivrer de son odeur légèrement musquée.

– Allez, avoue que c'était une véritable hérésie vestimentaire. Je craignais que Miles ne finisse par tomber en syncope ! Dis-moi, comment as-tu réussi à capturer la magie de l'Été perpétuel pour la faire fonctionner ici ?

Le visage dans mon cou, il murmure :

– Il ne s'agit pas de l'Été perpétuel, mais de la magie de la matière, de l'énergie qui nous entoure. Et puis, tu n'ignores pas que ce qui est possible dans l'Été perpétuel l'est également ici.

Ses paroles me rappellent Ava, les robes et parures extravagantes qu'elle se fabriquait là-bas et sa déception puérile de les voir s'évanouir à son retour dans notre dimension.

Damen devance mon objection.

– Les objets de là-bas ne peuvent pas en sortir, c'est vrai. Mais si l'on a compris que la magie repose sur le principe de l'énergie, il devient possible de faire apparaître les mêmes objets dans notre monde. Comme ta Lamborghini, par exemple.

Ce souvenir me fait rougir. Dire que Damen, il n'y a pas si longtemps, était fou des bolides !

– Ma Lamborghini ? Je m'en suis débarrassée dès que je suis rentrée à la maison, je te signale.

Damen me passe la main dans les cheveux, un sourire malicieux aux lèvres. J'espère que le voile protecteur qu'il a fabriqué me permettra de goûter bientôt à leur douceur.

– Et moi, je l'ai perfectionnée, figure-toi, quand je n'étais pas occupé à matérialiser tout et n'importe quoi pour les jumelles.

– C'est-à-dire ?

– Si tu savais ! Ça a commencé par une télé à écran plat. Ou plutôt, plusieurs : elles ont exigé d'en avoir une dans chaque chambre, plus deux au salon, tu imagines ? Bref, une fois que je les ai installées et branchées, cinq minutes plus tard, elles s'étaient métamorphosées en consommatrices enragées.

Je me demande s'il plaisante. Dans l'Été perpétuel, les jumelles ne semblaient pas attachées outre mesure au côté matériel de la vie. À moins, maintenant qu'elles ne peuvent plus obtenir ce qu'elles veulent grâce à la magie, qu'elles ne soient devenues comme tout le monde et désirent ce qui est à présent hors de portée.

– Elles sont la cible rêvée des publicitaires, tu te rends compte ? se désole Damen.

– Peut-être, mais ce n'est pas comme si tu avais vraiment acheté toutes ces choses. Tu t'es contenté de fermer les yeux, et hop ! Au fond, heureusement qu'elles ne t'ont pas traîné dans tous les magasins de la ville au risque de faire flamber ta carte de crédit. Tiens, d'ailleurs, c'est vrai, je ne t'ai jamais vu avec un portefeuille…

Damen me plaque un baiser sur le bout du nez.

– C'est vrai, je n'en ai pas besoin. Mais même si je n'ai pas acheté tout ce fatras, la pub est vraiment une arme redoutable, voilà ce que je voulais dire.

Je m'écarte légèrement. Je sais qu'il s'attend à un sourire ou une plaisanterie de ma part, or j'en suis incapable.

– Que tu payes ou non, attention à ce que tu leur offres. Ne va pas en faire des chipies pourries gâtées, ni les habituer à un mode d'existence qu'elles ne voudront plus quitter. N'oublie pas qu'il s'agit d'une solution temporaire, j'ajoute devant son air perplexe. Nous devons les prendre en charge, le temps de trouver une manière de restaurer leurs pouvoirs et de les renvoyer chez elles, dans l'Été perpétuel.

Damen roule sur le dos et s'absorbe dans la contemplation du plafond avant de se retourner vers moi.

– Puisque tu en parles…

Je frémis en attendant la suite.

– J'y ai beaucoup réfléchi. Comment savoir si dans l'Été perpétuel elles sont vraiment chez elles ?

J'ouvre la bouche pour argumenter, mais Damen lève l'index.

– Ever, tu ne crois pas que c'est à elles de choisir si elles veulent ou non y retourner ? Ce n'est pas à nous de décider à leur place.

– C'est bien ce qu'elles veulent ! En tout cas, c'est ce qu'elles m'ont dit hier, chez Ava. Elles m'en voulaient et m'accusaient d'être la cause de leurs malheurs. Rayne, surtout. Tu veux dire qu'elles ont changé d'avis ?

– Je crois qu'elles ne savent plus très bien ce qu'elles veulent. Elles sont un peu déboussolées et sont tentées par les possibilités qui s'offrent à elles si elles restent ici. Seulement, elles ont toujours une peur panique de sortir au grand jour. Nous devrions leur laisser le temps de retomber sur leurs pieds. Et si cela veut dire les garder ici un peu plus longtemps que prévu, pourquoi pas ? Après tout, je leur dois une fière chandelle. N'oublie pas que c'est grâce à elles que je t'ai retrouvée.

Je veux bien faire mon possible pour aider les jumelles, mais je redoute les conséquences de leur présence sur ma relation avec Damen. Elles ne sont chez lui que depuis quelques heures, et je regrette déjà de ne plus l'avoir pour moi seule. C'est très égoïste de ma part, et encore, ce n'est que le début. Nul besoin d'être extralucide pour savoir qu'elles exigeront de sa part une attention quasi permanente. Nos moments d'intimité risquent d'en souffrir cruellement.

— Ah, c'est là-bas que tu les as rencontrées ? Dans l'Été perpétuel, pendant que tu me cherchais ? Rayne m'a dit pourtant que tu les avais aidées, pas le contraire.

— Non, nous nous connaissons depuis très longtemps. Depuis Salem, en fait.

J'en reste bouche bée. Salem ? La chasse aux sorcières ? Damen anticipe ma question.

— C'était avant que la situation ne s'envenime. Je les ai rencontrées par hasard. Elles avaient fait l'école buissonnière et s'étaient égarées. Je les ai raccompagnées chez elles, leur tante n'en a jamais rien su.

Il sourit à ce souvenir. Je brûle de relever que, depuis le début, il avait encouragé leur côté « petite peste » ; heureusement il ne m'en laisse pas le loisir.

— Leur existence n'était pas rose, tu sais. Très jeunes, elles ont perdu tout ce qui leur était cher. C'est quelque chose que je peux comprendre. Pas toi ?

Bien sûr que si. Ma mesquinerie me fait honte. Reste l'aspect pratique des choses. Avec leur tempérament fantasque, sans parler de leur passé tricentenaire, leur intégration ne sera pas de tout repos. Je feins d'avoir l'air plus soucieuse de leur bien-être que du mien en objectant :

— Qui va les élever ?

— Nous. Toi et moi. Nous sommes les seuls capables de les comprendre.

Je pousse un gros soupir. J'aimerais m'écarter, prendre mes distances, mais la tendresse que je lis dans son regard me fait fondre.

– Écoute, je nous vois mal dans le rôle de parents, ou de famille d'accueil. Nous sommes beaucoup trop jeunes ! Je crois marquer un point, mais Damen éclate de rire.

– Parle pour toi ! Avec ma longue expérience de la vie, je pense pouvoir tenir le coup. Et puis, ce ne doit pas être bien compliqué…

Je repense à mes tentatives aussi brouillonnes qu'inefficaces pour guider ma sœur, dans son existence tant réelle que fantomatique… Je n'ai guère envie de recommencer avec deux ados, qui me détestent en plus…

– Tu n'imagines pas dans quoi tu t'embarques. Discipliner deux fortes têtes de treize ans, c'est un peu comme vouloir atteler un chat. Impossible !

Damen est décidé à dissiper mes craintes.

– Ever, je comprends tes angoisses. Mais dans cinq ans à peine elles seront majeures, et nous, libres comme l'air. Cinq années, ce n'est pas grand-chose au vu de l'immortalité…

– À condition qu'elles décident de partir à dix-huit ans, ce qui n'est pas gagné. De nos jours, les enfants s'incrustent à la maison jusqu'à trente ans ! Le syndrome Tanguy, tu connais ?

– Très drôle, mais on ne se laissera pas faire, rétorque-t-il avec un sourire espiègle. Nous leur apprendrons la magie nécessaire pour être autonomes, et puis nous les mettrons gentiment, mais fermement à la porte et reprendrons notre vie à deux.

Son regard, son sourire, sa main frôlant ma joue… Impossible de rester fâchée. Ni concentrée sur le problème des jumelles, d'ailleurs.

Ses lèvres effleurent mon cou.

– Cinq ans, ça ne compte pas quand on a vécu six siècles, répète-t-il.

Je me serre contre lui. Il a raison, bien sûr. Seulement, pour moi qui n'ai jamais atteint vingt ans dans mes incarnations précédentes, cinq ans de baby-sitting me paraissent une éternité.

Damen me prend dans ses bras et je me sens bien, en sécurité, délivrée de tout souci.

– On est d'accord ? On peut passer à autre chose ?

Je lui rends son étreinte, les mots sont devenus inutiles. Je ne désire plus qu'une chose, sentir ses lèvres sur les miennes, enfin.

Damen roule sur le dos et je me retrouve sur lui. La tête au creux de son cou, je sens son cœur battre au rythme du mien. Le voile de lumière qui nous sépare n'empêche pas nos corps de se fondre. Mes lèvres cherchent les siennes. Je me perds dans ce baiser tant espéré. Rien ne compte plus que notre désir trop longtemps contenu.

Avec un grognement sourd, Damen m'agrippe par la taille, me plaquant encore plus étroitement contre lui. Plus rien ne nous sépare, excepté quelques vêtements qui ne demandent qu'à être arrachés.

Le souffle court, je m'applique à défaire sa ceinture, tandis qu'il remonte mon tee-shirt. En faisant glisser son jean, je m'aperçois que le voile protecteur a disparu.

– Damen !

Il bondit hors du lit, le souffle court.

– Ever... Je... je suis désolé... Je croyais qu'on ne risquait rien.

Je rajuste mon tee-shirt, les joues en feu, le cœur sur le point d'exploser. J'ai failli le perdre, une fois de plus. Je baisse la tête et me cache sous le rideau de mes cheveux.

– Pardonne-moi, Damen. Je ne sais pas ce qui m'a pris, j'ai dû écarter le voile et…

Damen se rassoit à côté de moi et me saisit tendrement le menton. Je sens que le voile a réapparu entre nous.

– Tu n'as rien à te reprocher, Ever. Je ne pensais plus qu'à toi, et j'ai perdu le contrôle.

– Ne t'excuse pas, tu n'y es pour rien.

– Si. Je suis ton aîné, je devrais savoir me maîtriser.

Il fixe un point devant lui, les mâchoires serrées, les sourcils froncés. Et puis son visage s'éclaire.

– J'y pense : quelle preuve avons-nous que cette histoire d'ADN est vraie ? Comment savoir si Roman ne bluffait pas, que ce n'est pas une mauvaise blague de sa part ?

Il a raison. Je repense à cette soirée catastrophique, au moment où j'ai ajouté mon sang à l'antidote de Roman. Je n'ai que sa parole, or je sais ce qu'elle vaut.

Damen s'anime.

– Roman est un menteur, nous ne pouvons pas croire ce qu'il raconte.

– C'est vrai, mais comment le prouver ? Imagine un instant qu'il ne bluffait pas. Nous n'allons quand même pas prendre ce risque !

Un sourire aux lèvres, Damen bondit sur ses pieds et s'approche de mon bureau. Il ferme les yeux et fait surgir une bougie blanche dans un candélabre doré, une dague en argent à la poignée incrustée de pierres précieuses, et un miroir au cadre doré qu'il pose à plat sur le bureau. Après quoi, il me fait signe de le rejoindre.

– Excuse-moi, je vais mettre la galanterie de côté et passer en premier.

La main tendue au-dessus du miroir, il pique sa ligne de vie de la pointe du couteau. Quelques gouttes de sang tombent sur la surface lisse et s'agglutinent aussitôt. Damen allume la bougie pour désinfecter la lame avant de me la tendre. Sa main a déjà cicatrisé quand je m'entaille légèrement la paume. J'oublie la douleur en regardant mon sang couler sur le miroir et rejoindre celui de Damen.

Nous retenons notre souffle. Sur la surface du miroir, nos deux sangs se mêlent et se confondent, illustration parfaite de ce que Roman nous a défendu : la rencontre de nos deux ADN.

Nous escomptons une réaction violente, une punition terrible en réponse à nos fautes respectives. Mais rien ne se passe.

Damen me dévisage.

– Ça alors ! Tout va bien, tu vois. Il n'y a pas de...

Une gerbe d'étincelles jaillit. Le sang se met à bouillir dans un sifflement alarmant. La chaleur est telle qu'un gros nuage de fumée se forme au-dessus du miroir et envahit la chambre. Les crépitements ne cessent qu'une fois le sang évaporé. Sur le miroir noirci, il ne reste plus qu'un petit tas de cendres.

Ce qui attend Damen si nous nous touchons.

Nous échangeons un regard interloqué. Rien à ajouter, le message est clair.

Roman ne plaisantait pas.

Damen et moi ne pourrons jamais nous aimer.

À moins que je ne paye le prix que Roman m'a fixé.

Damen s'efforce de cacher sa déception, mais je vois à quel point il est ébranlé.

– Bon. Il faut croire que Roman n'est pas le fieffé menteur que je pensais. Du moins, pas cette fois.

– Ce qui veut dire qu'il possède bien l'antidote. Il ne me reste plus qu'à...

– Ever, non, n'y pense pas. Roman est imprévisible et dangereux. Je préfère que tu gardes tes distances, je t'en prie…

Il s'arrête et passe la main dans ses cheveux avec nervosité.

– J'ai besoin d'un peu de temps pour trouver une solution, d'accord ? ajoute-t-il sur le pas de la porte.

Il préfère garder ses distances après le choc qu'il vient d'encaisser, je le comprends. En guise de baiser, il m'envoie une tulipe rouge qui atterrit sur la paume de ma main à peine cicatrisée. Quand je relève les yeux, il a disparu.

dix-sept

Le lendemain, au retour des cours, je trouve Haven assise sur le perron. Elle a les yeux rougis de larmes. Son mascara a coulé et sa longue frange bleue lui colle aux joues. Elle presse contre son cœur une chose emmitouflée dans une couverture.

Sans desserrer son étreinte, elle se met debout en reniflant :

— J'aurais dû t'appeler pour te prévenir, mais je ne savais plus quoi faire.

Elle écarte un pan de l'étoffe. Un chat noir aux grands yeux verts, l'air plutôt mal en point, pointe sa truffe rose.

Je remarque que l'aura de Haven, comme celle du chat, manque de couleur et d'éclat.

— Il est à toi ?

— Elle, c'est une chatte, précise-t-elle en serrant la pauvre bête sur son cœur.

J'aimerais bien l'aider, mais je ne sais pas trop comment. Mon père était allergique, de sorte que nous n'avons jamais eu de chat à la maison.

— Elle est malade ? C'est à cause d'elle que tu as séché les cours aujourd'hui ?

Haven hoche la tête et me suit dans la cuisine, où je verse un peu d'eau dans une soucoupe. Elle s'assoit, pose le chat sur ses genoux et approche le récipient, mais l'animal détourne la tête avec répugnance.

– Tu l'as adoptée depuis longtemps ?

– Quelques mois. C'est un secret. À part Josh, mon frère et la femme de ménage, qui a juré de ne rien dire, personne n'est au courant. Ma mère sauterait au plafond si elle l'apprenait. Un animal dans son intérieur design, quelle horreur ! Je la garde dans ma chambre, sous mon lit. Mais je laisse la fenêtre entrouverte pour qu'elle puisse sortir. Je trouve cruel de l'enfermer, même si je sais que les chats le supportent bien.

Son aura d'ordinaire jaune vif est devenue grise et terne. En observant l'animal, je comprends qu'il n'en a plus pour très longtemps. J'essaie de ne pas trahir mon inquiétude.

– Comment s'appelle-t-elle ?

Haven esquisse l'ombre d'un sourire.

– Mascotte, parce que je la considère un peu comme un porte-bonheur. Je l'ai trouvée sur le rebord de ma fenêtre le jour où Josh m'a embrassée pour la première fois. Je trouvais cela romantique, un signe du destin. Quoique je commence à en douter…

Je ne supporte pas de voir ma meilleure amie dans ce triste état. Il me vient une idée. Peut-être pas une solution miracle, mais après tout, je n'ai rien à perdre.

– Je peux peut-être t'aider.

– Ce n'est plus un chaton, tu vois. Elle est âgée. Le vétérinaire m'a dit que je ne pouvais rien pour elle, à part lui assurer une fin heureuse. Le problème, c'est que ma mère a décidé de réaménager les chambres – alors que mon père menace de vendre la maison. Résultat : entre la décoratrice, l'agent immobilier et mes parents qui se crêpent le chignon, c'est un vrai champ de bataille. Comme Josh auditionne pour jouer dans un groupe et que Miles est pris par son théâtre, je suis venue te voir. Ce qui ne veut pas dire que tu es un bouche-trou, hein ! se récrie-t-elle, quand elle se rend compte de la teneur de ses propos. Tu passes beaucoup de temps avec Damen, je ne voulais pas vous déranger, tu comprends ? D'ailleurs, je peux m'en aller si vous aviez des projets pour la soirée.

Je m'adosse au comptoir et lui sourit. Comment formuler la chose ?

– Ne te tracasse pas. Damen mène sa vie à lui, tu sais. Cela m'étonnerait qu'il passe ce soir.

La détresse de mon amie m'est odieuse. Même si je sais qu'il n'est pas moral d'interférer avec le cycle de la vie et de la mort, je trouve intolérable de voir Haven souffrir alors que j'ai une demi-bouteille d'élixir dans mon sac.

Haven soupire et gratte Mascotte sous le menton.

– C'est trop triste. Je suis sûre qu'elle a eu une longue vie bien remplie. Pourquoi la fin est-elle si dure à accepter ?

Je l'écoute à peine, l'esprit ailleurs.

– C'est curieux, quand on y pense, poursuit-elle sur sa lancée. On est là, tout va bien – ou à peu près – et une minute plus tard, plus rien. On disparaît à jamais, comme Évangeline.

Ce n'est pas tout à fait exact, mais je n'ai pas envie de discuter.

– Je me demande à quoi cela rime, au fond. Je ne vois pas l'intérêt de s'attacher à quelqu'un ou quelque chose si l'on sait que primo, cela ne dure pas et deuxio, on souffre atrocement quand cela se termine. Si tout a un début, un milieu et une fin, alors à quoi bon commencer ? Pourquoi se donner de la peine si la seule issue possible, c'est *The End*.

Haven souffle sur sa frange qui lui tombe sur les yeux.

– Je ne parle pas seulement de la mort, précise-t-elle, même si c'est la seule certitude que nous ayons, mais de la vacuité de toute chose, le fait que rien ne dure jamais. C'est vrai, rien n'est fait pour demeurer éternellement. Rien.

Je hoche la tête. Comme si j'étais moi aussi une simple mortelle attendant l'échéance.

– Oui, pourtant...

– Attends. Avant de me faire un sermon sur les bons côtés de la vie et les mérites de l'optimisme, donne-moi un exemple de quelque chose qui n'ait pas de fin.

Elle me scrute d'un regard aigu qui me met mal à l'aise. M'aurait-elle percée à jour ? Serait-ce une ruse ? Je respire un grand coup et la regarde attentivement. Non, elle se bat contre ses propres démons, pas contre moi.

– Tu vois, tu ne sais pas. Tu aurais pu me citer Dieu ou l'amour universel, mais la question n'est pas là. Mascotte va mourir, mes parents sont au bord du divorce et, soyons lucides, Josh et moi ne finirons pas nos jours ensemble. Alors, autant prendre les devants et rompre tout de suite, quitte à le faire souffrir. Je suis sûre de deux choses : un, nous allons nous séparer un jour, et deux, l'un de nous deux en pâtira. Il n'y a pas de raison que ce soit moi ! À partir d'aujourd'hui, je serai la fille Teflon, si l'on peut dire. Rien ne m'atteint, et je ne m'attache à rien, voilà !

Elle renifle et détourne les yeux, les joues ruisselantes de larmes.

J'ai l'intuition qu'elle me cache quelque chose, mais je la prends au mot.

– Tu as raison. Tout a une fin...

Excepté Roman, Damen et moi !

– ... Et il est probable que ta relation avec Josh se termine un jour. C'est connu, les couples qui se forment au lycée ne résistent pas au temps.

Haven n'a pas l'air convaincue.

– C'est comme ça que tu envisages ta relation avec Damen ? Périmée après le bac ?

Je baisse les yeux. Je suis la pire des menteuses, même si je m'applique.

– Euh... j'essaie de ne pas trop y penser. Et puis, ce n'est pas parce qu'une expérience se termine qu'elle était forcément mauvaise, que l'on doive en souffrir ou qu'elle ne méritait pas d'être vécue. On n'a pas le choix, pour aller de l'avant, il faut faire un pas après l'autre. Et si l'on essaie d'éviter ce qui pourrait nous faire du mal, on n'ira jamais nulle part. On ne grandira jamais.

Haven acquiesce. Elle admet mes arguments, mais ne veut pas s'avouer vaincue.

– Il faut aller de l'avant, affronter le monde en espérant que tout ira pour le mieux, j'ajoute dans l'espoir de la convaincre. Il se peut même qu'on apprenne deux ou trois choses en cours de route. Ce que je veux dire, c'est que tu ne peux pas fuir la réalité sous prétexte que rien n'est éternel. La vie est pleine de surprises – bonnes ou mauvaises –, elle vaut la peine d'être vécue. Réfléchis : si tu n'avais pas recueilli ton chat, si tu n'avais pas accepté de sortir avec Josh, tu aurais raté tous les moments merveilleux que tu as passés avec eux.

Haven meurt d'envie de me contredire, mais ne dit mot.

– Josh est un garçon adorable, et il est fou de toi. Ce serait du gâchis de l'envoyer promener sur un coup de tête. Il est imprudent de prendre des décisions radicales quand on se sent déprimé.

– Et un déménagement ? C'est une raison valable, non ?

J'accuse le coup. Je ne m'y attendais pas.

– Josh va déménager ?

Haven caresse Mascotte entre les oreilles.

– Non, moi. Mon père n'a qu'une idée en tête, vendre la maison et partir. Tu penses qu'il ne nous a pas demandé notre avis, à mon frère et à moi.

Pas question de baisser ma garde pour lire dans ses pensées. Je me suis interdit d'espionner mes amis.

Haven relève la tête.

– Les conversations à la maison sont truffées de mots comme « plus-value » et « retour sur investissement ». En termes concrets, je ne retournerai pas à Bay View l'année prochaine. Je ne fêterai pas la fin du lycée avec vous. Je ne sais même pas si je serai encore en Californie !

– C'est hors de question. Tu dois rester avec nous !

– C'est gentil, mais tu ne peux rien y faire. Tu n'es pas de taille, face à mon père et à ses projets.

Bien sûr que je suis de taille. Si découvrir un antidote pour Damen est une autre affaire, aider ma meilleure amie à conserver son code postal et à sauver son chat est dans mes cordes. Aucun problème. Sauf que je ne peux pas dévoiler à Haven comment je pense m'y prendre.

– Compte sur moi, nous trouverons une solution. Et si tu venais vivre ici avec moi ?

Sabine n'acceptera jamais, mais si mon offre peut réconforter Haven et lui redonner le sourire…

– C'est vrai ? Tu demanderas à ta tante ?

– Bien sûr, je ferai ce que je peux.

Elle ravale ses larmes et regarde autour d'elle.

– C'est gentil. Je ne t'en demande pas tant. Je suis très touchée. C'est bon de savoir que, malgré nos petits désaccords, tu restes ma meilleure amie.

Je n'en reviens pas. Je croyais que c'était Miles.

Haven éclate de rire.

– Avec Miles, bien sûr ! ajoute-t-elle. J'ai le droit d'avoir deux meilleurs amis, non ? Un titulaire et un suppléant, quoi.

Elle se mouche à grand bruit.

– Je dois avoir l'air d'une folle, non ? Dis-moi la vérité, je peux encaisser.

– Non, non, tu n'as pas du tout l'air d'une folle. Tu parais triste, c'est différent. Et puis, quelle importance ?

– Une grande importance. J'ai un entretien d'embauche. Ça ne marchera jamais si j'arrive échevelée et les yeux rouges. Et je ne peux pas emmener Mascotte non plus.

Pauvre bête. Son énergie vitale s'amenuise à vue d'œil. Il n'y a pas de temps à perdre.

– Je peux la garder, si tu veux. Je n'avais rien prévu de très excitant ce soir, de toute façon.

Haven hésite à me confier son chat agonisant. Alors je prends d'autorité Mascotte dans mes bras avec un grand sourire.

– Ne t'inquiète pas. Je m'en occupe.

Haven se tâte, puis fourre la main dans son sac pour en sortir un petit miroir. Du bout des doigts, elle efface les traces de mascara sur ses joues avant d'appliquer un trait de crayon noir sur ses paupières.

– Je n'en ai pas pour longtemps. Une heure ou deux. Tout ce que tu as à faire, c'est de la garder dans tes bras et lui donner un peu d'eau si elle réclame à boire. Remarque, cela m'étonnerait, elle n'a plus envie de rien, la pauvre.

145

Un coup de blush, un coup de gloss, un coup de brosse à cheveux, et elle sort en coup de vent.

– Merci, Ever, lance-t-elle avant de monter dans sa voiture. J'ai vraiment besoin de ce travail. Je veux mettre de l'argent de côté pour pouvoir m'émanciper, comme Damen. J'en ai assez de mes parents et de leurs caprices. Je sais ce que tu vas me dire. Je n'aurai certainement pas le même train de vie que lui. Mais je préfère encore vivre dans un petit studio minable que de supporter l'égoïsme stupide de mes géniteurs. Bon, tu es sûre que cela ne t'embête pas, pour Mascotte ?

La situation de Damen est autrement plus complexe qu'il n'y paraît, mais elle ne peut pas le deviner.

– Pas du tout, file !

Je serre l'animal contre ma poitrine et l'encourage mentalement à tenir le coup encore un moment.

Haven s'installe au volant, met le contact et s'observe dans le rétroviseur.

– J'ai promis à Roman de ne pas être en retard. C'est encore jouable.

Je me fige, horrifiée.

– Roman ?

– C'est lui qui m'a obtenu ce rendez-vous. Allez, salut !

Elle me fait un signe de la main et disparaît, me laissant avec un chat mourant sur les bras et aucune possibilité de la mettre en garde.

dix-huit

Damen m'ouvre la porte.

— Non, Ever, la réponse est non, déclare-t-il d'emblée.

Je le dévisage, interloquée.

— Mais tu ne sais même pas de quoi il s'agit !

Mascotte serrée dans mes bras, je commence à regretter d'être venue.

— Ce chat va mourir et tu aimerais savoir si tu peux le sauver. La réponse est « non ». Impossible.

J'avais bloqué l'accès à mes pensées pour que Damen n'apprenne pas ma visite chez Roman. Il serait furieux. Mais il n'en a pas besoin pour comprendre la situation.

— Tu veux dire que ce n'est pas réalisable ? Que l'élixir ne fonctionnerait pas sur un félin ? Ou bien que c'est immoral et que je ne devrais pas me prendre pour Dieu ?

Damen m'invite à entrer.

— Cela fait-il une différence ?

— Bien sûr que oui.

À l'étage, la télévision marche à plein volume. Les jumelles sont devenues accros aux séries et aux publicités.

Damen m'entraîne dans le salon et m'invite à m'asseoir près de lui. Je suis un peu froissée par sa réaction. Il ne m'a même pas laissé le temps de m'expliquer. Je m'installe néanmoins sur le canapé et soulève légèrement la couverture de Mascotte. J'espère que Damen se laissera attendrir en voyant la pauvre bête.

Je lui fais face et j'attaque :

– Tu ne devrais pas tirer des conclusions hâtives, Damen. Rien n'est tout noir ni tout blanc. Il n'y a que des nuances de gris.

Le regard de Damen s'adoucit. Il se penche vers moi et caresse Mascotte entre les oreilles.

– Je suis désolé, Ever. Je ne sais pas si l'élixir agit sur les animaux. Je n'ai jamais essayé. Et même si…

– C'est vrai ? Tu n'as pas essayé ? Tu n'as jamais eu un petit animal que tu aimais et dont tu ne supportais pas de te séparer ?

– Non, pas vraiment.

Je reste interloquée, ne sachant comment interpréter sa réponse.

– J'ai grandi à une époque où les bêtes n'étaient pas encore des animaux de compagnie. Quand j'ai découvert l'élixir, j'ai compris que je n'avais pas intérêt à m'attacher à des créatures mortelles.

J'acquiesce d'un signe de tête, et en surprenant le regard qu'il jette sur Mascotte, je pressens qu'il est peut-être possible de négocier.

– Il est très dur de se séparer d'un animal qu'on a chéri, tu vois ?

Damen incline la tête et me regarde fixement.

– Tu me demandes si je sais ce qu'on éprouve en perdant un être cher ?

Je baisse les yeux. Je me fais l'effet d'une gamine écervelée. Ça m'apprendra à parler à tort et à travers.

– Et puis, il ne s'agit pas seulement de sauver un chat ou de lui assurer la vie éternelle, ajoute Damen.

En admettant que l'hypothèse soit envisageable chez les animaux. As-tu pensé à la réaction de Haven ? Comment lui expliquer que le chat qu'elle t'a confié à moitié mort se soit miraculeusement rétabli ? Il pourrait peut-être même redevenir un chaton, qui sait ?

Je soupire. Je n'avais pas vu plus loin que le bout de mon nez, comme d'habitude. L'élixir, quand il fonctionne, ne se contente pas de vous guérir. Il vous transforme physiquement, je le sais d'expérience.

– Le problème, ce n'est pas de savoir si l'élixir est efficace ou non sur les animaux, poursuit-il. Je n'en ai d'ailleurs aucune idée. Ce n'est pas non plus de se prendre pour Dieu et décider qui doit mourir ou qui doit vivre. Nous savons tous les deux que je ne suis pas compétent en la matière. Non, il s'agit de préserver notre secret. Je ne doute pas de tes bonnes intentions, mais tu risques d'éveiller les soupçons de Haven. Elle va se poser des questions auxquelles tu ne sauras pas répondre sans entrer dans les détails. Elle a senti que l'on cachait quelque chose. Il est plus que jamais nécessaire de faire profil bas.

J'ai la gorge serrée. C'est le comble du ridicule : posséder des pouvoirs magiques extraordinaires, et ne pas pouvoir s'en servir pour aider ceux qu'on aime.

Damen pose gentiment sa main sur mon bras après s'être assuré de la présence du voile.

– Je regrette, Ever. C'est triste, mais c'est dans l'ordre des choses. Les animaux s'y résignent bien mieux que les humains, crois-moi.

Je me blottis contre lui. Il sait me réconforter, même dans les situations pénibles.

– Je le sais, mais Haven me fait de la peine. C'est la guerre entre ses parents, elle risque de déménager…

Elle remet tout en question, un peu comme moi quand mon monde a basculé.

— Ever...

Ses lèvres sont toutes proches. Je ferme les yeux et lui donne un long baiser... Notre minute de tendresse est interrompue par les piaillements des jumelles dévalant l'escalier.

— Damen ! Romy ne veut pas que je... J'hallucine ! C'est un chat ?

— *Depuis quand Rayne a-t-elle appris à dire « j'hallucine » ?* je demande à Damen par la pensée.

Il se contente de rire.

— Ne t'approche pas trop, et surtout ne crie pas, lui intime-t-il. Il est très malade. Je crois qu'il n'en a plus pour longtemps.

— Pourquoi ne pas le sauver, alors ?

Romy nous rejoint et trois paires d'yeux implorent Damen.

Il prend un ton de père de famille autoritaire.

— Parce que ça ne se fait pas, point final.

Rayne se penche sur Mascotte.

— Pourtant, tu as sauvé Ever, et elle n'est pas aussi mignonne que lui.

— Rayne... bougonne Damen.

La petite pouffe de rire.

— Je plaisante ! Ça ne se voit pas ?

Je sais que c'est faux, mais je préfère ne pas insister. Je dois vite ramener Mascotte à la maison avant le retour de Haven. Je m'apprête à me lever, quand Romy s'agenouille devant moi, une main sur la tête du chat. Les yeux clos, elle se met à réciter une incantation que je ne comprends pas.

– Romy, je t'interdis d'utiliser la magie sur cet animal, intervient Damen.

Romy soupire et s'accroupit par terre.

– De toute façon, ça ne marche pas. Tu ne trouves pas qu'il ressemble à Sortilège au même âge ? demande-t-elle à sa sœur.

Rayne lui donne un coup de coude.

– Tu parles de quelle incarnation ?

Et les deux fillettes d'éclater de rire.

– C'était notre chat, explique Rayne en s'essuyant les yeux. Nous avions prolongé un petit peu la durée de sa vie.

Je jette un coup d'œil à Damen.

– *Ah, tu vois ?*

Il fronce les sourcils.

– *Tu ne vas pas recommencer, Ever !*

Romy le tire par la manche et le supplie du regard.

– Dis, on peut avoir un chat ? Un petit chat noir, comme lui ? Ce sont des animaux très propres, et aussi d'excellents compagnons de jeu, tu sais. Alors, Damen, on peut ? S'il te plaît ?

– Et puis, un chat noir nous aiderait peut-être à retrouver nos pouvoirs magiques, renchérit Rayne.

Un coup d'œil me suffit pour comprendre que la bataille est gagnée d'avance. Les jumelles obtiennent toujours ce qu'elles veulent, on dirait.

Damen affecte un air sévère.

– On en reparlera plus tard.

Il est le seul à ne pas voir qu'il a déjà perdu la bataille.

Je me relève et gagne la porte du salon avec Mascotte, Damen sur mes talons.

– Tu n'es pas fâchée ? murmure-t-il en me raccompagnant à ma voiture.

Je secoue la tête. Impossible de lui en vouloir très longtemps.

– Honnêtement, j'espérais que tu serais de mon côté, mais je comprends ton point de vue. J'aurais aimé aider Haven, tu vois ?

J'installe Mascotte dans sa corbeille sur la banquette arrière et referme la portière.

Damen me serre dans ses bras.

– Ne la laisse pas tomber. Elle a plus que jamais besoin de toi en ce moment.

Il s'incline pour m'embrasser – ses mains me réchauffent au plus profond de mon être –, puis il recule d'un pas pour me fixer de ses yeux pareils à deux lacs sombres et profonds. Damen, mon ami de toujours, mon roc, dont les intentions sont si droites et sincères. Pourvu qu'il ne découvre pas que j'ai rompu ma promesse de ne pas chercher à voir Roman !

Il saisit mon visage entre ses mains avec un sourire.

Je détourne les yeux. Je repense à Haven, à Roman, à Mascotte… Les erreurs s'accumulent, on dirait. Je me secoue pour chasser ces idées noires.

– On se voit demain ?

Il me ferme la bouche par un nouveau baiser. La membrane d'énergie qui vibre entre nos lèvres n'amoindrit en rien la douceur de l'instant.

Un double cri nous parvient depuis l'étage.

– Beurk ! C'est dégoûtant ! On ne veut pas voir ça !

Damen sourit et me regarde monter en voiture.

– À demain !

dix-neuf

Tout avait pourtant bien commencé. La journée s'annonçait sous les meilleurs auspices. Je me suis levée, douchée, habillée. J'ai fait un détour par la cuisine pour jeter dans l'évier le bol de céréales et le verre de jus d'orange, préparés par ma tante – pour la laisser croire que j'ai pris un bon petit déjeuner.

En route pour le lycée, j'écoute Miles ressasser ses histoires de Holt et de Florence. Je conduis en pilote automatique, impatiente de revoir Damen. Sa seule présence suffit à dissiper les nuages et illuminer ma vie, même si c'est éphémère.

En arrivant sur le parking de l'école, j'aperçois un monstrueux 4 × 4, parqué à côté de ma place habituelle. La panique me gagne quand je remarque Damen, appuyé contre cette énorme chose hideuse qui ressemble à une baleine échouée au milieu du bitume.

Miles manque s'étouffer.

– C'est une blague, ou quoi ? Ça ne t'amusait plus de prendre le bus, alors tu as choisi d'en conduire un à la place ?

Je ferme ma portière sans quitter des yeux Damen et son horrible gros machin. J'ai presque envie de remonter dans ma voiture et de prendre la fuite, quand il commence

153

à nous faire l'article de sa monstrueuse machine, ses superbes performances en crash test et ses vastes banquettes arrière. Dans mes souvenirs, il ne se préoccupait pas trop de sécurité à l'époque où il m'emmenait dans sa voiture qu'il conduisait à un train d'enfer.

Damen devine mes réticences.

– *Je te rappelle que tu es immortelle, Ever, ce qui n'est pas le cas des jumelles. Tant qu'elles sont sous ma responsabilité, il est de mon devoir de les protéger.*

Je me creuse la tête pour trouver une réplique cinglante, quand Haven interrompt le fil de mes pensées.

– Miles, tu as vu ? Ils recommencent avec leur prétendue télépathie !

Miles hausse les épaules.

– Aucune importance ! Il y a pire. Damen se balade au volant d'un tank ! Regarde derrière toi.

Haven se retourne pour observer l'horreur en question, garée à côté de ma petite décapotable.

– C'est un tank ou un minibus de mère de famille ? Ça fait très quadragénaire pépère, en tout cas !

Miles opine.

– Elle a raison. D'abord le gant, et maintenant ce truc-là ? Je ne sais pas ce qui t'arrive, mon vieux, mais tu files un mauvais coton. Je ne reconnais plus le beau ténébreux au look de rock star qui a débarqué dans cette école il y a quelques mois.

Je m'apprête à manifester mon approbation, lorsque Damen éclate de rire. Sa seule préoccupation, en bon père adoptif qu'il est devenu, c'est la sécurité et le bien-être des jumelles. Rien d'autre ne compte, pas même moi. Je dois admettre qu'il a raison, même si ça me laisse un goût amer dans la bouche.

Miles et Haven continuent à taquiner Damen sur son soudain manque de classe. Je les suis docilement sans mot dire.

Damen me prend la main.

– *Qu'y a-t-il, Ever ? Pourquoi es-tu fâchée ? C'est à cause du chat ? Je croyais que tu avais compris.*

Je soupire en évitant de le regarder.

– *Cela n'a rien à voir avec le chat. Cette histoire est réglée. Haven l'a ramené chez elle, et il va mourir sous son lit. Non. Je me torture les méninges à essayer de trouver une solution à notre problème, et pendant ce temps, tu ne penses qu'à produire des télés à écran plat et la voiture la plus horrible du monde pour pouvoir y trimballer les jumelles !*

Je m'interromps. Si je ne me contrôle pas, je risque de prononcer des paroles que je vais regretter.

– Tout est sens dessus dessous ! Je suis désolée si je me comporte comme une enfant gâtée, mais je ne supporte plus que nous ne soyons pas libres de nos mouvements. Tu me manques, Damen. Cette situation est intolérable. Entre les jumelles et mon job d'été qui commence bientôt, je me sens propulsée dans le monde des adultes responsables ! Ça vous donne un sacré coup de vieux ! Et de te voir au volant de ton mammouth n'arrange pas les choses !

Emportée par l'élan, je ne me suis pas rendu compte que je me suis exprimée à voix haute. Il me fixe avec une telle tendresse, une compassion si sincère que je me sens fondre.

– Je me faisais une telle joie de passer l'été avec toi ! J'espérais que nous passerions nos journées ensemble, à la plage ou ailleurs. Je commence à déchanter. Pour couronner le tout, Sabine a rendez-vous avec Monsieur Munoz, mon prof d'histoire ! Tu imagines ? Ils dînent ensemble vendredi soir !

J'ai la gorge serrée et des larmes me piquent les yeux. Quelle ironie : j'ai bientôt dix-sept ans, je suis immortelle, je possède des pouvoirs incroyables, et je suis coincée dans cette petite existence minable !

Damen me dévisage.

– Tu as trouvé du travail ?

Sa remarque me fait rire malgré moi.

– C'est tout ce que tu trouves à dire ?

Mais Damen est très sérieux.

– Où ? insiste-t-il.

J'observe Miles et Haven disparaître dans leur salle de classe.

– Chez Magie et Rayons de lune.

– Pour y faire quoi ?

– Je vais surtout m'occuper de la vente : tenir la caisse, gérer les stocks, ranger les rayons, lire l'avenir aux clients. Ce genre de choses, quoi.

Damen s'immobilise devant notre salle de classe.

– *Tu vas leur lire l'avenir ?*

Je hoche la tête. J'ai encore manqué l'occasion de me taire. Je regarde mes camarades entrer. Je donnerais n'importe quoi pour leur emboîter le pas plutôt que poursuivre cette conversation.

– Tu crois vraiment que c'est une bonne idée d'attirer l'attention sur tes talents ? reprend Damen dès que nous sommes seuls.

– Peut-être pas. Mais Sabine prétend que la discipline qu'impose un travail stable me fera du bien. Je crois surtout qu'elle veut garder un œil sur moi, connaître mon emploi du temps. Tu la connais, si je la laissais faire, elle installerait une caméra de surveillance dans ma chambre, comme pour un bébé. Alors j'ai pris les devants pour la tranquilliser. D'autant qu'elle a même essayé de me trouver un stage dans son cabinet. Tu imagines ? Enfermée de neuf heures à dix-sept heures dans un bureau, à classer de la paperasse ? Franchement ! Alors, quand Jude m'a annoncé qu'il avait besoin de quelqu'un pour la librairie, j'ai accepté immédiatement. Je n'avais pas le choix…

Damen a une drôle d'expression, distante, presque méfiante.

– Jude ? Je croyais que la boutique appartenait à une certaine Lina !

– Oui, c'est exact. Jude est son petit-fils. Enfin, pas exactement. Bref, Lina s'est occupée de lui. Elle l'a recueilli quand il a fui sa maison d'accueil. Une histoire de ce genre…

Je n'ai pas vraiment envie de m'étendre sur ce sujet. Surtout maintenant que Damen a des soupçons.

– Et puis je pensais que ce serait pratique d'avoir accès à certains livres. Cela augmenterait nos chances de trouver l'antidote. Ne t'inquiète pas, je ne vais pas exercer sous mon propre nom. J'ai un pseudonyme.

– Voyons voir, réfléchit Damen. Avalon ? C'est joli. Mais tu sais comment ça marche ? Ce n'est pas comme dans un confessionnal où tu protèges ton anonymat derrière une grille. Les clients qui payent pour des séances de voyance voudront savoir à qui ils ont affaire. C'est une question de confiance. Comment comptes-tu t'y prendre si tu te retrouves devant quelqu'un que tu connais ? Tu y as pensé ?

J'esquisse une moue contrariée. Je pensais avoir contourné la difficulté : faire plaisir à Sabine et rechercher en même temps l'antidote. Et voilà que Damen flanque tout par terre. J'ai envie de lui décocher une remarque acide, du style : « Je suis voyante, au cas où tu l'aurais oublié ! Si des gens de ma connaissance prennent un rendez-vous, je le saurai à l'avance, tu ne crois pas ? »

L'arrivée de Roman me coupe le sifflet.

À ses côtés, un certain Marco. Celui qui avait débarqué de sa Jaguar au moment où je sortais de chez Roman, l'autre nuit.

Ils marchent d'un pas vif, les yeux fixés sur moi. Roman me provoque de son regard moqueur, impitoyable. Il se prépare à exploiter notre petit secret, aucun doute.

Damen s'interpose aussitôt.

– *Contrôle-toi, Ever. Ne réagis pas. Je m'en occupe.*

Par-dessus son épaule, j'aperçois les deux garçons marcher droit sur nous, comme un train en marche. Le visage de Roman devient soudain flou, et je ne vois plus que ses yeux d'un bleu surnaturel, son sourire narquois, son tatouage ondoyant.

J'ai à peine le temps de penser que c'est entièrement ma faute. Si j'avais tenu ma promesse, je ne me trouverais pas dans un tel pétrin. Je me sens happée par l'énergie de Roman, aspirée dans une spirale infernale où se mêlent des images de Damen, l'antidote empoisonné, mon imprudente visite, Haven, Miles, Florence, les jumelles… Leurs traits se brouillent, mais je comprends que Roman veut me montrer un tableau d'ensemble. Dont il tire les ficelles. Un jeu macabre où nous ne sommes que de vulgaires pions entre ses mains.

Soudain, il relâche son emprise et lance :

– Salut les amis !

Je vacille. Damen me soutient et m'entraîne dans la salle de classe, loin de Roman. Il me murmure des mots d'apaisement et de réconfort, convaincu que le pire est passé. Mais je sais que ce n'est que le début.

Le pire est à venir.

Aucun doute là-dessus.

Et la cible à abattre, c'est moi.

vingt

Après le déjeuner, je me suis dispensée des cours de l'après-midi pour me rendre chez Magie et Rayons de lune. Je suis impatiente de commencer. J'espère que le travail m'apportera une distraction salutaire pour oublier la tournure catastrophique que prend ma vie.

Profitant des interclasses, Damen a passé la matinée à faire des allers-retours éclairs chez lui pour vérifier que les jumelles allaient bien. Finalement, j'ai réussi à le convaincre de rester à la maison. Il s'inquiétait pour moi, mais je lui ai promis de me débrouiller pour tenir Roman à distance. En arrivant à notre table habituelle, j'ai eu une mauvaise surprise : Haven ne tarissait pas d'éloges sur Roman. Sans lui, elle n'aurait jamais décroché un poste de vendeuse dans la boutique de fripes et accessoires vintage qui vient d'ouvrir en ville, surtout en arrivant avec dix minutes de retard, etc. Excitée comme une puce, elle en a oublié son gâteau à la vanille, qu'elle s'est contentée de réduire en miettes sans y penser.

J'ai bien essayé de la prévenir, mais elle n'a pas apprécié que je critique son héros. Alors, quand elle m'a sommé pour la énième fois de « me détendre », j'ai balancé mon sandwich intact dans la première poubelle venue et je suis partie. Me voilà avec une mission impossible de plus sur les bras (la liste s'allonge !) : empêcher Haven de fréquenter Roman, et vice versa.

Arrivée devant la librairie, je me gare sur l'une des deux places réservées derrière la boutique. Le temps est magnifique et les vagues, superbes, par conséquent je m'attends à trouver porte close. À ma grande surprise, elle est ouverte. Jude se tient derrière la caisse, en grande conversation avec une cliente.

— Ah, voilà Avalon ! lance-t-il en me voyant. Tu tombes à pic. Je disais à Susan que nous avions trouvé une remplaçante pour Ava.

Ladite Susan me toise de la tête aux pieds d'un air hautain.

— N'êtes-vous pas un peu jeune ?

J'esquisse un sourire incertain. Je ne sais pas trop quelle réponse Jude attend de ma part, et le regard méprisant de Susan me met mal à l'aise.

— La voyance est un don, vous savez, je rétorque. On le possède ou pas. L'âge n'a rien à voir.

Dire qu'il y a quelques mois à peine, j'aurais volontiers étranglé Ava quand elle parlait de mon « don » ! Mon manque de conviction doit être visible : l'aura de Susan prend un aspect hostile. Loin de la rassurer, j'ai réussi à la vexer.

— Alors, Susan ? propose Jude avec un sourire irrésistible. Voulez-vous un rendez-vous pour une séance ?

Susan ne mord pas à l'hameçon. Elle agrippe son sac et tourne les talons.

— Appelez-moi quand Ava reviendra !

La porte claque bruyamment. Je regarde Jude fermer sa caisse en soupirant.

– Eh bien, j'ai déjà une fan, on dirait… Penses-tu que mon âge risque de poser un problème ?

Jude me détaille du regard.

– Tu as seize ans ?

– Bientôt dix-sept.

– Alors tout va bien. Susan est accro. Je lui donne une semaine pour revenir, tu verras.

– Accro à quoi, exactement ?

Je l'accompagne dans le bureau en remarquant qu'il porte la même combinaison roulée sur les hanches et le même tee-shirt que lors de ma dernière visite.

– Elle ne fait pas un pas sans consulter les cartes ou les étoiles. Tu as déjà dû rencontrer des énergumènes comme elle, vu ta longue expérience, non ?

Il me lance un coup d'œil lourd de sous-entendus.

Autant lui dire la vérité, puisqu'il la soupçonne déjà.

– Eh bien… justement… euh…

Il lève le bras.

– Non, pas la peine. Évite-moi les confessions, je t'en prie. Et puis, si je veux profiter des grosses vagues que j'ai vues dehors, je ne peux pas me payer le luxe de regretter ma décision. Quant à ton fameux don, je ne suis pas convaincu, réfléchis-y…

Je suis surprise de l'entendre. Les extralucides que je connais – Ava est la seule, en fait – semblent considérer que c'est inné.

– J'ai le projet d'organiser des conférences en plus des séances de voyance. Développement psychique, et même un peu de magie blanche. Une fois que les clients auront compris qu'ils peuvent y parvenir par eux-mêmes, ils se bousculeront pour y assister, j'en suis certain.

– Mais ont-ils vraiment une chance d'y arriver ?

162

Il se met à fourrager sur le bureau croulant sous la paperasse.

– Bien sûr. Chacun en a le potentiel, il suffit de le développer. Pour certains, cela s'impose comme une évidence, sans qu'ils fassent le moindre effort. Les autres ont besoin de creuser un peu, c'est tout. Et toi ? À quel moment l'as-tu su ?

Il plonge ses yeux bleu-vert dans les miens. Je ne sais plus où j'en suis. Il y a une seconde, il était absorbé par ses papiers et bavardait d'un air distrait. À présent, quand il se retourne pour me regarder, le temps s'arrête et mon cœur s'affole.

Je déglutis. J'ai envie de me confier à lui. Je suis sûre qu'il comprendrait. Non. Seul Damen connaît mon histoire. J'aurais l'impression de le trahir.

Je hausse les épaules.

– Depuis toute petite, je crois.

Ma voix sonne horriblement faux. Je me dépêche de changer de sujet.

– Et pour ces conférences ? Tu connais quelqu'un ?

Jude se passe une main sur le front, dévoilant la cicatrice dissimulée sous ses dreadlocks.

– Je vais m'en charger. J'en ai envie depuis longtemps, mais Lina y est farouchement opposée. Je vais profiter de son absence pour voir si cela attire du monde.

– Pourquoi n'est-elle pas d'accord ?

Il se pose en équilibre sur une chaise, les pieds sur le bureau.

– Elle n'aime pas se compliquer la vie. Des livres, des CD, des statuettes, et quelques séances de voyance de temps en temps. C'est simple, bon enfant. Le mysticisme sans risque.

Jude m'intimide, sans que je sache pourquoi.

– Parce que avec toi, il y aurait des risques ?

– Aucun. Mon but est d'aider les gens à s'épanouir, à être maîtres de leur sort, à vivre pleinement leur vie. Tout en leur apprenant à se fier à leur intuition.

Son regard vert m'envoie une onde de choc droit dans le ventre.

– Lina est contre l'épanouissement personnel ?

– La connaissance est synonyme de pouvoir. Et comme le pouvoir a tendance à monter à la tête, elle considère que c'est un trop grand risque. Tu imagines bien que je n'enseignerai jamais la magie noire. Or, elle est convaincue que le côté sombre s'infiltre partout. Une fois que j'aurai commencé à initier le public à la magie, je ne contrôlerai plus l'usage qu'ils en feront.

En songeant à Roman et Drina, je ne peux qu'approuver la sagesse de Lina. Le pouvoir entre de mauvaises mains est une terrible menace.

Jude me sourit.

– Pourquoi, ça t'intéresse ?

Je ne vois pas bien où il veut en venir.

– De jouer les professeurs, je veux dire.

Je frémis d'horreur. Il n'a pas l'air de plaisanter.

– Oh non ! Je ne connais rien à la magie blanche. Je ne sais même pas comment cela fonctionne. Je crois que je vais me contenter de la voyance et de ranger un peu ce bureau.

Il suit mon regard. Le fouillis est indescriptible. Il éclate de rire et attrape sa planche de surf.

– J'attendais que tu me le proposes ! Si on me demande, je suis parti chasser la vague. Je ne m'attends pas à retrouver cette pièce impeccable, ce serait trop te demander.

Mais si tu arrives à organiser un peu le désordre, tu auras droit à une médaille.

Je prends un air sérieux.

– Je préférerais une plaque, pour mettre sur le mur de ma chambre. Ou une statuette... Un trophée, tiens ! J'aimerais bien un trophée !

Il sourit.

– Et une place de parking en prime ?

– C'est déjà fait.

– Non, je parle d'une vraie, avec ton nom et tout. Personne n'aura le droit de s'y garer, même en pleine nuit. J'apposerai un grand panneau : « Attention ! Place réservée à Avalon. Risque d'enlèvement en fourrière. »

J'éclate de rire.

– Tu es sérieux ?

Il soulève sa planche et la cale sous son bras.

– Si tu réussis à ranger ce bureau, ma gratitude sera sans limites. Tu auras la médaille de l'« Employée du mois » dès le premier jour !

Il secoue la tête pour écarter ses dreadlocks de son beau visage. Nos regards se soudent. Je me demande ce qui le rend si séduisant... Pour me donner une contenance, je baisse les yeux, me frotte le bras, tripote le bas de mon tee-shirt – n'importe quoi pour surmonter le malaise.

Jude indique un angle de la pièce.

– Il y a une caméra là-bas. Avec ça et la sonnette de l'entrée, tu peux surveiller la boutique depuis le bureau.

J'essaie d'adopter un ton badin, mais ma voix tremble encore un peu sous le coup de l'émotion.

– Sans compter que je suis voyante.

– L'autre jour, pourtant, tu ne m'as pas entendu arriver.

Son sourire est franc, mais je n'arrive pas à décrypter l'expression de son regard.

Je hausse les épaules.

– C'était de la triche. Tu sais masquer ton champ magnétique. Rares sont ceux qui y parviennent.

Il incline la tête, le regard légèrement fixé sur ma droite.

– Quant à toi, tu caches ton aura. J'espère que tu m'expliqueras un jour.

J'essaie de ne pas montrer que j'ai vu son aura jaune vif se franger de rose.

– Au fond... ça n'a rien de compliqué, ajoute-t-il. Il suffit de ranger les dossiers par ordre alphabétique, et si possible par sujet. Ne perds pas ton temps avec les herbes et les cristaux, si tu ne les connais pas. Je n'ai pas envie de les retrouver pêle-mêle. En revanche, si tu sais les identifier, ne te gêne pas...

Il m'adresse un sourire qui me donne derechef envie de rentrer sous terre.

J'inspecte le tas de pierres sur la table. J'en reconnais certaines, celles que j'ai utilisées pour l'élixir ou que je porte autour du cou. Mais la plupart me sont totalement inconnues.

– Tu n'aurais pas un manuel qui les répertorie ? Comme ça, je pourrais...

Trouver enfin le moyen de toucher mon immortel petit ami.

– ... les étiqueter correctement, tu comprends ?

Avec un peu de chance, il va croire que je cherche à faire du zèle. Alors que je ne pense qu'à effectuer mes petites recherches personnelles, sur mon temps de travail, en prime. Il appuie sa planche contre le mur et soulève quelques livres avant d'extraire du dessous de la pile un petit volume tout usé.

Il déchiffre le titre et me le tend.

– Tiens, ce bouquin est une mine. Si une pierre ne se trouve pas là-dedans, c'est qu'elle n'existe pas. Il y a aussi des illustrations. Cela devrait t'aider.

Il me lance le livre, que je rattrape au vol. Aussitôt les pages s'animent entre mes doigts. En quelques secondes, leur contenu s'est imprimé dans ma mémoire.

– J'en suis sûre. Merci.

vingt et un

Un œil sur l'écran de surveillance, j'attends le départ de Jude pour m'installer derrière le bureau où s'entassent des cristaux de toutes sortes. Quelque chose me dit que le livre qu'il m'a prêté ne suffira pas à les identifier. J'ai l'intuition qu'il me faut les palper pour en comprendre les propriétés. En allongeant le bras pour attraper une pierre rouge striée de jaune, je me cogne le genou contre le coin de la table. Je ressens aussitôt une curieuse chaleur et un picotement familier, signe qu'il y a là quelque chose à ne pas négliger.

Je recule ma chaise et inspecte sous le bureau. La sensation est plus forte à mesure que je me baisse. Je me laisse glisser sur le sol. À genoux devant les tiroirs, je cherche à tâtons la source de cette énergie, et les doigts me brûlent presque lorsque j'effleure le tiroir du bas.

Accroupie sur mes talons, j'examine la grosse serrure de bronze, un moyen de dissuasion destiné à convaincre les honnêtes gens de rester honnêtes et à décourager ceux qui, contrairement à moi, ne savent pas manipuler l'énergie de la matière. Les yeux clos, je me concentre pour ouvrir le tiroir. Déception : je n'y trouve qu'une pile de dossiers suspendus (qui ont cessé de l'être depuis belle lurette), une calculatrice hors d'âge, et des tickets de caisse jaunis par le temps. Je m'apprête à refermer le tiroir quand, soudain, je sens qu'il y a un double-fond.

Je rassemble les papiers et les pose par terre à côté de moi avant de soulever une mince planche qui dissimule un volume ancien au cuir élimé, aux pages défraîchies et écornées comme un vieux parchemin. *Le Livre des Ombres*, indique le titre sur la couverture. Je me redresse et pose l'ouvrage sur le bureau avant de me rasseoir pour l'examiner. Ma découverte me laisse perplexe. Que peut-il contenir pour que l'on prenne un si grand soin à le cacher ? Et surtout, à qui ?

Lina ne veut pas que Jude le découvre, ou l'inverse ?

Il n'y a qu'une manière de le savoir : je ferme les yeux et plaque la main sur la couverture, ma technique de lecture favorite. Et là, je reçois une décharge d'énergie si violente qu'elle manque de me fracasser les vertèbres.

Je suis projetée en arrière, ma chaise heurte le mur avec une telle force que la peinture s'écaille. Des bribes d'images tourbillonnent dans ma tête, et je comprends mieux pourquoi ce livre était dissimulé. C'est un recueil de sorcellerie, regorgeant d'enchantements, d'incantations et de divination en tout genre. Si les pouvoirs qu'il renferme venaient à tomber entre des mains mal intentionnées, les conséquences en seraient désastreuses.

Les yeux rivés sur la couverture, je m'efforce de retrouver mon souffle et mes esprits avant d'entreprendre une nouvelle tentative. Cette fois, je feuillette du bout des doigts les pages rédigées en pattes de mouche, presque illisibles. La plupart sont couvertes de symboles qui me rappellent vaguement les carnets où le père de Damen notait ses expériences alchimiques dans un code secret, pour les protéger des regards indiscrets.

Au milieu du volume, je tombe en arrêt devant un croquis très précis représentant des danseurs sous la pleine lune. Dans les pages suivantes, d'autres groupes semblables s'adonnent à des rituels complexes et étranges. Et tandis que mes doigts survolent le papier parcheminé, je comprends que cette découverte n'était pas fortuite. Au plus profond de moi, j'ai la certitude que je devais découvrir ce livre.

De même que Roman est parvenu à hypnotiser et manipuler tout le lycée, je pourrais dénicher la bonne formule ou le convaincre de me révéler l'information dont j'ai si grand besoin !

Je tourne une autre page, impatiente de trouver enfin la bonne, lorsque, entendant tinter le carillon de la porte, je lève les yeux vers l'écran de surveillance. Avant de me déplacer, je veux vérifier que le visiteur n'est pas entré par simple curiosité et ne va pas tourner les talons et repartir comme il est venu. J'observe la silhouette menue s'avancer dans la boutique en regardant nerveusement par-dessus son épaule, comme si elle s'attendait à voir surgir quelqu'un. J'espère que, ne trouvant personne, elle va repartir en vitesse, mais à ma grande déception, elle se dirige vers le comptoir et s'y accoude, visiblement décidée à patienter.

Génial. Je me lève en grommelant. Le moment ne pouvait être plus mal choisi !

– Bonjour, puis-je vous aider ? dis-je en émergeant du bureau.

Et là, horreur ! Je me rends compte que ma première cliente n'est autre que Honor, la meilleure amie de Stacia.

Elle me regarde bouche bée, le souffle coupé, les yeux ronds comme des soucoupes. Elle a l'air terrifiée de me voir là. Nous restons plantées face à face, sans trop savoir que dire.

Mon regard glisse sur ses longs cheveux bruns rehaussés de mèches cuivrées qui capturent la lumière, et je m'avise alors que c'est la première fois que nous nous retrouvons seules, sans Craig ou Stacia comme chaperons.

Je repense au livre laissé ouvert sur le bureau que je dois absolument remettre à sa place, et je croise mentalement les doigts pour que Honor ne s'attarde pas trop longtemps.

– Euh… tu désirais quelque chose en particulier ?

Elle rougit et rentre les épaules d'un air penaud, en tripotant sa bague en argent avec nervosité. Elle louche vers la porte et esquisse un geste de la main en toussotant.

– Je crois que… j'ai dû me tromper, bredouille-t-elle. Bon, alors… salut !

Je la regarde s'éloigner, nimbée d'une aura grise de petite souris effarouchée. Malgré moi, et en dépit du grimoire où m'attend peut-être la solution de mes problèmes, je la rappelle :

– Non, non, tu ne t'es pas trompée, Honor ! Je suis sûre que tu avais l'intention de venir ici. Je peux peut-être te renseigner, qui sait ?

Elle s'immobilise, la tête rentrée dans les épaules, frêle et chétive sans sa sadique de meilleure amie.

Elle se mordille les lèvres en jouant avec l'ourlet de son short sans rien dire. Je suis sur le point d'ajouter quelque chose, quand elle s'enhardit :

– Le garçon qui est là, d'habitude…

– Jude.

Pas besoin de lire dans ses pensées ni de la toucher pour deviner, la réponse s'impose d'elle-même quand je croise son regard.

– Euh… oui, peut-être… Enfin, je me demandais s'il était là. Il m'a donné ça.

Elle sort de sa poche un bout de papier chiffonné et le pose sur le comptoir où elle le défroisse du plat de la main.

Jude n'a pas perdu de temps, à ce que je vois. Le dépliant fait la promotion d'un « cours de développement psychique pour débutants ».

– Il n'est pas là, il vient de sortir. Mais je peux lui laisser un message, ou même t'inscrire au cours, si tu préfères.

Honor se dandine et triture sa bague en jetant des coups d'œil furtifs autour d'elle. Je ne l'ai jamais vue aussi mal à l'aise, et je sais que c'est ma présence qui l'intimide.

Elle hausse les épaules, les yeux rivés sur le comptoir, comme fascinée par les bijoux exposés dans la vitrine.

– Non, pas la peine, merci. Je repasserai.

Elle inspire à fond et redresse les épaules, comme pour retrouver le mépris hautain dont elle me gratifie d'habitude.

Peine perdue.

J'ai envie de la rassurer, la persuader qu'elle n'a aucune raison de réagir de cette manière, mais je n'en fais rien. Je la regarde s'éloigner et m'assure que la porte est bien fermée avant de retourner dans le bureau.

vingt-deux

– **Alors, ta première journée de travail** s'est bien passée ?

Je m'écroule sur le canapé, balance mes chaussures par terre et pose les pieds sur la table basse avec un gros soupir.

– Plus facile que prévu, figure-toi.

Damen éclate de rire et s'affale à mes côtés.

– Alors, pourquoi feins-tu la grosse fatigue ?

Je hausse les épaules, ferme les yeux et me laisse glisser avec délices au fond du canapé moelleux.

– Je ne sais pas, peut-être à cause d'un livre que j'ai déniché dans un tiroir. Après l'avoir lu, je me suis sentie comme... broyée. C'est peut-être aussi à cause de la visite surprise de...

Le visage enfoui au creux de mon cou, il effleure ma peau de ses lèvres. J'en frissonne de plaisir.

– Tu as vraiment lu un livre ? À la manière traditionnelle ?

– Moque-toi, va ! J'ai bien essayé le raccourci habituel, mais c'était... je ne sais pas expliquer... une drôle d'expérience. Comme si le message était trop puissant pour être déchiffré de cette manière, tu comprends ? J'ai reçu une méchante décharge quand je m'y suis hasardée. Je ne me

173

suis pas découragée pour autant, tu t'en doutes, seulement je ne suis pas allée très loin dans ma lecture.

Damen sourit.

– Tu as perdu l'habitude ?

– Non, je n'ai pratiquement rien compris. Il était essentiellement rédigé en code, et le reste en vieil anglais. Comme celui que tu parlais quand tu étais jeune.

Il s'écarte et me lance un regard faussement outré qui me fait sourire.

– Bref, en plus, c'était écrit très petit avec plein de croquis et de symboles à chaque page. Des sorts ou des incantations, je suppose.

Je sens Damen se raidir à mes côtés.

– Qu'y a-t-il ? Pourquoi me regardes-tu de cette façon ? je m'écrie, alarmée.

– Quel était le titre du livre ? insiste Damen.

Je fronce les sourcils, m'efforçant de visualiser les lettres dorées sur la tranche.

– *Le Livre des…* quelque chose, je ne sais plus.

Je me sens lasse, mais préfère ne pas le montrer pour ne pas inquiéter Damen. Trop tard. Il a vraiment l'air secoué.

– Ce ne serait pas *Le Livre des Ombres*, par hasard ?

– Oui, c'est ça ! Tu connais ?

Il ne répond pas tout de suite, comme s'il hésitait à se confier.

– J'en ai entendu parler, je ne l'ai jamais lu. Si c'est bien le livre auquel je pense, Ever, il contient une magie extrêmement puissante. C'est un ouvrage à manipuler avec précaution. On ne plaisante pas avec ça, tu comprends ?

J'essaie de détendre l'atmosphère.

– Tu veux dire qu'elle fonctionne ?

Damen reste de marbre.

– Cela n'a rien à voir avec la magie que toi et moi pratiquons. Il y a effectivement des ressemblances, et j'imagine que les principes fondamentaux sont les mêmes. Mais alors que nous faisons appel à l'énergie universelle pour lui donner forme, nous n'utilisons que le côté lumineux et pur de la force. Même si la plupart des sorcières et magiciens sont animés des meilleures intentions, il en est toujours qui se laissent entraîner par le côté sombre et invoquent les forces maléfiques pour parvenir à leurs fins.

Je suis estomaquée. J'ignorais que la magie avait un côté sombre.

– Nous ne faisons appel à la magie que pour le bien, le nôtre ou celui d'autrui. Nous ne faisons jamais de tort à personne.

Je repense à toutes les fois où j'ai réussi à coincer Stacia à son propre jeu.

– Jamais, tu n'exagères pas un peu ?

Damen lit dans mes pensées.

– Je ne parle pas des disputes de cour d'école. Ce que je veux dire, c'est que nous manipulons la matière, pas les êtres humains. En revanche, jeter des sorts pour son usage personnel... Demande à Romy et Rayne.

Je lève un sourcil interrogateur.

– Ce sont de vraies sorcières. Très douées, même. Elles ont reçu une excellente éducation en la matière, bien que tragiquement abrégée. Roman, lui, incarne ce qui arrive quand l'ego, la cupidité, ou la volonté de pouvoir et de revanche entraînent un individu vers le côté sombre. Son utilisation de l'hypnose ces dernières semaines en est le parfait exemple. Ne me dis pas que ce livre était sur une étagère à la portée de n'importe qui ? s'écrie-t-il tout à coup, les yeux agrandis d'horreur.

– Non, au contraire. C'était un vieil exemplaire. Il avait l'air très fragile. On aurait dit une antiquité, une pièce de musée. Et il était bien caché, ne t'inquiète pas. À mon avis, son ou sa propriétaire tient à le garder secret. Mais comme tu le sais, il en faut plus pour me décourager.

Je souris, dans l'espoir de voir Damen se dérider un peu. Peine perdue.

– À ton avis, à qui appartient-il ? À Jude ou à Lina ?

– Quelle importance ?

Il me fixe un long moment avant de détourner les yeux. Il semble perdu dans ses pensées, absorbé dans un souvenir lointain dont je suis exclue.

– Si j'ai bien compris, reprend-il, il t'a suffi de tenir *Le Livre des Ombres* entre les mains pendant quelques minutes pour être complètement raplapla ?

J'adore quand il utilise les expressions de sa jeunesse.

– « Raplapla » ?

Il esquisse un sourire.

– La formule est vieillotte, peut-être ?

J'éclate de rire.

– Un peu, oui !

Il me saisit gentiment le menton.

– On ne t'a pas appris le respect envers tes aînés ?

– Pardon, monsieur.

Ses doigts glissent le long de ma joue, mon cou, plus bas… Je n'ai plus envie de rire. Je renverse la tête sur le canapé. Damen me caresse à travers mes vêtements. C'est frustrant, mais nous devons nous en contenter pour l'instant.

– Et à part *Le Livre des Ombres*, qu'as-tu fait de beau à la librairie ?

– Rien de très excitant. J'ai rangé des dossiers, trié des pierres… Oh, et puis Honor est passée.

Damen se redresse. Son regard semble dire : « Je t'avais prévenue. » Une précision s'impose :

– Ce n'était pas pour une séance de voyance. Enfin, je ne crois pas.

– Que voulait-elle alors ?

Je glisse une main sous son tee-shirt et caresse sa peau douce.

– Elle cherchait Jude. C'était bizarre de la voir seule, sans Stacia ni Craig. Elle était différente, plutôt coincée, je dirais. Bref, elle n'était pas elle-même.

– Tu crois qu'elle a un faible pour lui ?

Je reçois comme un coup à l'estomac. Curieusement, je n'aime pas l'idée que Jude plaise à Honor. Quoi qu'il en soit, je préfère ne pas y penser.

Je hausse les épaules, le visage dans son cou, savourant son odeur délicatement épicée.

– Pourquoi ? Je devrais le mettre en garde, tu crois ? Lui dire que c'est une peste ?

Damen se redresse. Sa voix prend un ton mesuré que je ne lui connais pas.

– S'il est aussi doué que tu le penses, il finira par s'en rendre compte par lui-même. D'un autre côté, es-tu vraiment sûre qu'Honor est si horrible que tu la dépeins ? Elle est sous l'influence de Stacia, c'est la seule chose que nous savons. C'est peut-être quelqu'un de très bien, au fond.

Je plisse les paupières, essayant vainement d'imaginer Honor en petite fille modèle.

– C'est possible. Mais j'en doute. De toute façon, Jude a le chic pour tomber sur les filles qui ne lui conviennent pas.

Le regard de Damen m'intime silence. Bien que ne sachant pas ce qui a pu le contrarier, je préfère changer de sujet et me penche pour déposer un baiser sur sa joue.

– Tu sais quoi ? On s'en fiche. Ce ne sont pas nos affaires, et les ragots ne m'intéressent pas. Si on parlait de quelque chose qui n'a rien à voir avec mon travail, les jumelles ou ta grosse voiture moche ? J'ai l'impression d'être devenue vieille et assommante.

Damen a l'air sincèrement surpris.

– Tu t'ennuies ?

J'hésite. Je ne veux pas le blesser. À quoi bon mentir ?

– Un peu. Désolée, les câlins sur le canapé pendant que les enfants dorment à l'étage, très peu pour moi... Surtout qu'il ne s'agit pas de baby-sitting. Les jumelles sont à notre charge, maintenant, c'est un peu angoissant. Je sais qu'il faut du temps pour s'y habituer... J'ai l'impression d'être prisonnière d'un rôle qui ne me convient pas du tout.

Voilà, c'est dit. Je redoute sa réaction, mais il saute sur ses pieds, les yeux brillants.

Je retrouve le Damen dont je suis tombée amoureuse. Drôle, plein de vie, imprévisible.

Il me prend la main en riant.

– La seule chose à faire quand on se sent acculé, c'est de s'échapper. Viens.

vingt-trois

Je suis Damen jusqu'au garage. Je me demande où il a l'intention de m'emmener. Pas besoin de bouger du canapé pour se rendre dans l'Été perpétuel, au cas où il en aurait eu l'idée.

– Et si les jumelles se réveillaient en notre absence ?

Damen me lance un coup d'œil par-dessus son épaule avec un grand sourire.

– Ne t'inquiète pas. Elles dorment à poings fermés, et j'ai comme l'impression qu'elles ne sont pas prêtes de se réveiller.

– Y serais-tu pour quelque chose, par hasard ?

Je me souviens encore du jour où il a endormi tout le lycée – administration, professeurs et élèves. Je me demande comment il s'y est pris.

Il éclate de rire et m'ouvre la portière. Je fais non de la tête. Je refuse de monter dans sa grosse berline familiale, qui symbolise précisément la routine que je veux briser.

Il me lance un regard amusé, ferme les yeux et fait apparaître une Lamborghini rouge, le modèle dans lequel j'avais embarqué les jumelles, justement.

Je ferme les yeux à mon tour et la remplace par la copie conforme de l'ancienne BMW noire de Damen.

Il m'adresse un sourire malicieux.

– Message reçu.

Et nous voilà en route, le long de l'océan.

Je l'observe à la dérobée pour essayer de deviner où il compte nous conduire, mais il s'empresse de masquer ses pensées. Il veut me faire la surprise.

Sur l'autoroute, il allume la radio et éclate de rire quand il reconnaît les Beatles.

– *The White Album* ? C'est ton idée ?

Il m'a plusieurs fois raconté son séjour en Inde, quand il étudiait la méditation transcendantale avec le groupe, à l'époque où John et Paul avaient écrit la plupart des chansons.

– Je suis prête à tout pour que tu gardes cette voiture. Si je n'ai pas trop cafouillé, la radio ne devrait passer que des tubes des Beatles.

– Comment veux-tu que je m'adapte au vingt et unième siècle si tu as la nostalgie du passé ?

Je regarde défiler le paysage.

– En fait, je préférerais que tu ne t'adaptes pas trop. Le changement n'est pas forcément synonyme de progrès. J'en veux pour preuve tes récentes métamorphoses… Alors, qu'en dis-tu ? C'est quand même mieux que l'autre mastodonte, la mémé-mobile, non ?

Le sourire aux lèvres, il quitte l'autoroute, négocie une série de virages en épingle avant de faire halte sur une hauteur, devant une immense bâtisse en calcaire.

Je sais que nous sommes quelque part à Los Angeles, mais où exactement ?

– C'est quoi, ça ?

Damen serre le frein à main et descend de voiture pour m'ouvrir la portière.

– Le musée Getty. Tu connais ?

Je fais signe que non en évitant son regard pour dissimuler ma déception. Une escapade en amoureux dans un musée, je n'y aurais jamais pensé !

L'endroit paraît désert. Mais je suis sûre qu'il y a des gardiens à l'intérieur.

– C'est fermé ?

Damen passe un bras autour de ma taille et m'entraîne vers l'entrée.

– Voyons, Ever, crois-tu que ce genre de détail puisse nous arrêter ? Tu es un peu déçue, je sais, tu t'attendais à autre chose. Mais tu vas apprendre quelque chose d'une grande importance, je te le promets.

– Que tu es expert en art et que je n'y connais rien ?

Il s'immobilise en haut de l'escalier, la mine grave.

– Non, je veux te prouver que le monde nous appartient, Ever. Nous pouvons y faire ce que nous voulons, quand cela nous chante. L'ennui, la routine n'existent pas, et les lois de la nature ne nous concernent pas davantage. Pourquoi te sentir coincée dans un rôle donné quand tu peux jouer tous les rôles que tu veux ? Rien ni personne ne t'en empêche.

Ce n'est pas tout à fait vrai, je raisonne intérieurement. Il y a un sérieux interdit qui pèse sur nos têtes, et nous empêche justement d'accomplir ce dont nous mourons d'envie depuis quatre siècles.

Damen sourit et plaque un baiser sur mon front avant de m'entraîner vers les portes du musée.

– En plus, il y a en ce moment une exposition que je rêvais de voir. Sans la foule, cela ne devrait pas nous prendre très longtemps. Après, nous irons où tu voudras. Promis.

Je contemple les imposantes portes, sans doute blindées et reliées à un système de sécurité ultrasophistiqué et des alarmes en série, avec au bout de la chaîne des gardiens armés jusqu'aux dents, le doigt sur la détente. Il doit y avoir aussi une caméra braquée sur nous à cet instant même, et encore un autre garde qui nous observe depuis sa cabine, prêt à déclencher l'alarme.

J'ai les paumes moites et le cœur palpitant.

— Tu vas vraiment tenter de t'y introduire par effraction ? C'est sérieux ?

— Non, je ne vais pas essayer, mais y arriver. Encore que, pour cela, j'aurais besoin de ton aide. Ferme les yeux, nous allons combiner nos énergies. Nous ne risquons rien, Ever, je t'assure. Croix de bois, croix de fer…

Je réfléchis une seconde. Après tout, en six cents ans, il a dû se dépêtrer de plus d'une situation délicate. Je ferme les yeux et l'aide mentalement à déverrouiller la porte, désactiver le signal d'alarme et plonger les gardiens dans un sommeil profond. Enfin, espérons-le.

Damen me considère avec un petit sourire en coin.

— Tu es prête ?

J'hésite. Je tremble comme une feuille. Je commence à regretter notre soirée pépère sur le canapé. Je respire un bon coup et franchis le seuil. Mes semelles en caoutchouc crissent avec un bruit assourdissant sur le sol en pierre polie.

Damen, qui m'a précédée, jette un regard circulaire, l'air visiblement ravi.

— Alors, ça te plaît ? J'avais d'abord pensé à l'Été perpétuel, et puis je me suis dit que cela manquait un peu d'imprévu. À la place, j'ai décidé de te prouver que la magie existe aussi sur notre bonne vieille Terre.

J'acquiesce sans grand enthousiasme. Le spectacle est impressionnant, j'en conviens. La salle est gigantesque, bordée de hautes baies vitrées. En plein jour, la pièce doit être lumineuse et accueillante, mais l'obscurité lui confère une atmosphère vaguement inquiétante.

– C'est immense ! Tu es déjà venu ici ?

– Une seule fois, avant l'ouverture au public. La collection permanente est magnifique, mais je voulais te montrer une galerie en particulier.

Il se dirige vers l'accueil, un bureau circulaire situé au milieu du hall, s'empare d'un plan du musée et y place la main pour repérer l'endroit qu'il cherche. Après quoi, il remet le dépliant en place et me montre le chemin. Nous traversons une succession de galeries, puis gravissons un escalier éclairé par la lune.

Damen s'immobilise devant un tableau intitulé *Vierge à l'enfant et saint Matthieu*. Il reste planté là, subjugué, rayonnant.

Il reprend ses esprits avant de se retourner vers moi.

– J'ai beaucoup voyagé, comme tu le sais. Et quand j'ai décidé de quitter l'Italie, il y a quatre siècles, je me suis juré de ne jamais y remettre les pieds. C'était la fin de la Renaissance, j'avais besoin de connaître autre chose. Avant mon départ, j'avais entendu parler de cette nouvelle école de peinture fondée par la famille Carrache, à Bologne. Ils avaient étudié auprès des grands maîtres, dont mon ami Raphaël. Leur peinture a influencé toute la génération suivante.

D'un geste, il désigne le portrait, l'air fasciné.

– Tu remarques la douceur du trait ? Ces textures, ces couleurs ! Cette lumière ! C'est... c'est incroyable !

J'examine tour à tour Damen et le tableau. J'aimerais

voir à travers ses yeux. Ne plus m'arrêter à une toile vénérable – et probablement hors de prix – mais en discerner la vraie beauté, la grâce miraculeuse.

Damen me prend par la main et m'entraîne vers une représentation du martyre de saint Sébastien. Côte à côte, nous contemplons le corps blafard, transpercé de flèches. L'impression est si réelle que je tressaille de douleur.

Brusquement, je comprends. Pour la première fois, je vois ce que voit Damen. L'art ne se contente pas de dépeindre ni d'interpréter une expérience, mais de la faire partager à chacun, par-delà les âges.

Je cherche les mots pour exprimer mes émotions.

– Tu dois te sentir tellement... Je ne sais pas... ce doit être grisant d'être capable de créer des œuvres aussi remarquables que celles-ci.

L'ayant déjà vu au travail, je sais de quoi je parle.

Damen hausse les épaules et s'avance vers la toile suivante.

– Oh, tu sais, excepté en cours de dessin, je n'ai pas vraiment peint depuis l'Italie. Je me considère plutôt comme un simple amateur, rien de plus.

– Pourquoi renoncer à un pareil don ? Il s'agit bien d'un don, non ? Ce n'est pas l'apanage de l'immortalité, n'est-ce pas ? La preuve, tu as vu ce que ça donne quand j'essaie de peindre.

Il sourit et m'entraîne dans une autre salle, devant une toile intitulée *Joseph et la femme de Putiphar* dont il scrute chaque détail.

– « Grisant » n'est pas un mot assez fort pour décrire ce que je ressens face à une toile vierge, un pinceau et une palette à la main. J'ai hérité de l'élixir que les hommes convoitaient depuis toujours. Voilà six siècles que je suis immortel, invincible. Pourtant, rien ne rivalise avec l'extase de la création, la réalisation d'une œuvre destinée à laisser une trace dans le monde. Du moins, c'est ce que je croyais avant de te rencontrer, ajoute-t-il en me caressant la joue. Quand je t'ai rencontrée – le premier regard... C'était incomparable.

Une idée glaçante me traverse l'esprit.

– Tu n'aurais quand même pas arrêté de peindre à cause de moi ?

Son regard se perd dans la toile.

– Absolument pas. J'ai fini par comprendre les conséquences désastreuses de ma situation. J'aurais dû t'en parler plus tôt.

Il pousse un gros soupir sans me quitter des yeux.

Je ne suis pas certaine de vouloir en apprendre davantage.

– Que veux-tu dire ?

Damen hésite avant de répondre.

– Cela peut paraître formidable de vivre éternellement – on a l'impression de posséder des pouvoirs infinis, d'avoir le monde à nos pieds. Et puis la cruelle vérité se fait jour : nous voyons nos amis vieillir et mourir, alors que nous ne changeons pas. En outre, nous sommes condamnés à l'errance. En effet, dès que cette inégalité entre eux et nous devient manifeste, il nous faut partir. Recommencer à zéro ailleurs. Et ainsi de suite, éternellement. Il nous est impossible d'établir des liens durables avec les mortels. Et – ironie suprême – malgré nos pouvoirs surnaturels, nous devons résister à la tentation de changer le monde ou d'avoir un impact trop direct. C'est le seul moyen de vivre incognito en préservant notre secret.

J'attends une explication un peu moins cryptique, mais il n'ajoute rien. Mon malaise grandit.

– C'est-à-dire… ?

– C'est-à-dire que si tu attires l'attention, tu es sûre que ton nom et ton visage passeront à la postérité, et nous ne pouvons pas nous le permettre. Haven, Miles, Sabine, Stacia, Craig ou Honor finiront par vieillir et mourir, quand nous, nous resterons semblables à nous-mêmes. Crois-moi sur parole, il ne leur faudra pas longtemps pour remarquer que nous n'avons pas pris une ride depuis notre première rencontre. Imagine un peu le désastre si, dans cinquante ans, une Haven de presque soixante-dix ans te reconnaissait à la télévision ! Nous ne pouvons prendre un tel risque.

Il me saisit les poignets et me regarde avec une telle intensité que j'ai l'impression de sentir le poids des siècles qu'il a traversés.

– Imagine que Sabine, Haven ou Miles découvrent la vérité. Que penseraient-ils, que feraient-ils, à ton avis ? C'est ce qui rend des individus comme Drina ou Roman si dangereux. Ils s'affichent sans vergogne, sans aucun respect du cours naturel des choses. Le cycle de la vie est primordial, Ever, ne l'oublie jamais. Ne commets pas la même erreur que moi. Dans ma jeunesse, j'étais très fier d'y avoir échappé. J'étais d'une arrogance folle. C'est bel et bien fini. J'ai compris que quoi qu'il arrive, le karma a toujours le dernier mot. Que l'on se réincarne ou que l'on reste pareil à soi-même, on n'y échappe pas. Depuis mon passage au pays des Ombres, je suis persuadé que la vie humaine, la normalité, est la seule vérité.

J'ai la chair de poule, en dépit de la tiédeur de ses mains.

– Dans ce cas, qu'allons-nous devenir ? Si j'ai bien

compris, nous devons vivre comme deux loups solitaires et garder profil bas ? Ne surtout pas utiliser nos pouvoirs pour faire évoluer le monde ? Comment améliorer notre karma, si nous gardons égoïstement notre magie pour nous-mêmes au lieu d'en faire profiter les autres ? Nous pourrions œuvrer pour le bien général tout en gardant notre anonymat, non ?

Je pense à Haven, que j'aimerais tellement aider dans la mauvaise passe qu'elle traverse.

Damen secoue la tête avec tristesse.

— En ce qui nous concerne, rien ne change. Nous resterons ensemble pour toujours. Enfin, si nous ne baissons jamais la garde et conservons notre précieux talisman. Quant à nos pouvoirs, nous ne pouvons pas jouer les redresseurs de torts. Ce n'est pas si simple. Nous avons une certaine notion du bien et du mal, mais le karma, lui, ne juge pas. Il rétablit l'équilibre, la justice ultime. Ni plus ni moins. Si tu décides d'intervenir chaque fois qu'une personne te paraîtra vivre une situation injuste ou déplaisante, tu l'empêcheras de régler ses propres problèmes et d'en tirer les leçons. Tout événement – même douloureux – a sa raison d'être. Laquelle risque de t'échapper, si tu ne connais pas en détail le passé d'autrui. Se mêler de la vie de quelqu'un, même avec les meilleures intentions du monde, revient à le déposséder de son cheminement individuel. Ce dont il faut s'abstenir à tout prix.

— Récapitulons, dis-je, passablement agacée. Quand Haven m'a dit que son chat allait mourir, j'aurais pu le sauver, mais je ne l'ai pas fait parce que cela aurait soulevé trop de problèmes que je n'aurais pas su résoudre. Cela, je peux encore le comprendre. Mais quand elle m'annonce que ses parents divorcent, qu'elle risque de déménager et a l'impression que le ciel lui tombe sur la tête... C'est notre amie, et là encore tu prétends que je ne dois rien faire sous prétexte que cela contrarierait son apprentissage de la vie ou son karma ? Mais alors, en quoi cela aidera-t-il mon karma à moi si je ne peux pas partager mes talents ?

– Je te conseille de ne pas t'en mêler, Ever, vraiment. Les parents de Haven ne s'entendent plus, tu ne peux rien y changer. Quant à sa maison, que comptes-tu faire ? Rembourser miraculeusement leur emprunt pour que l'argent ne soit plus un sujet de discorde ?

Il a deviné mes intentions, bien entendu.

– Qui te dit qu'ils n'en profiteraient pas pour la revendre et se partager ensuite les bénéfices ? Haven n'en serait pas plus avancée. Je suis désolé, Ever. Je n'aime pas jouer les vieillards blasés, mais c'est peut-être ce que je suis, au fond. Tu n'imagines pas tout ce que j'ai pu voir, ni les innombrables erreurs que j'ai pu commettre. Il m'a fallu pas mal d'années pour comprendre. Chaque chose en son temps, comme on dit. Seul notre temps à nous est infini, mais personne ne doit le savoir.

Je refuse de m'avouer vaincue.

– Rappelle-moi combien d'artistes célèbres ont peint ton portrait. Les cadeaux que tu as reçus de Marie-Antoinette. Je ne peux pas croire que ces toiles se soient évaporées ! Quelqu'un a dû parler de toi dans ses mémoires au fil des siècles, tu ne crois pas ? Et ta carrière de mannequin à New York, tu l'as oubliée ?

– Oh, j'étais d'une vanité insupportable et d'un narcissisme exacerbé, je ne le nie pas. J'étais un parfait cabotin – mais je m'amusais comme un fou !

Il éclate de rire, et je retrouve le Damen drôle, imprévisible et sexy que j'aime tant. Rien à voir avec l'oiseau de mauvais augure de ces derniers jours.

– Sache que ces portraits étaient des commandes privées, explique-t-il. J'avais compris qu'il ne fallait pas les exposer en public. Et puis, je n'ai pas fait carrière dans la mode – seulement une campagne de publicité pour une marque de moindre importance. J'y ai mis fin immédiatement après.

Une question me turlupine :

– Pourquoi as-tu arrêté de peindre ? C'était le moyen idéal de tenir la chronique de ta longue existence, non ?

– Oui, mais très vite, mes œuvres ont connu un certain succès. J'étais sur un petit nuage. Je travaillais comme un forcené. C'était une véritable obsession, rien d'autre ne m'intéressait. J'ai rapidement amassé une collection impressionnante qui a fini par attirer l'attention. Je n'avais pas mesuré le risque. Et puis...

Mon cœur se serre quand je vois les images qu'il me transmet mentalement – des flammes rougeoyantes sur fond de ciel d'encre.

– Il y a eu un incendie ?

– Mon atelier a été détruit. Et officiellement, moi avec.

Je frissonne d'horreur.

– Je m'étais esquivé avant que l'incendie ne soit maîtrisé. J'ai erré à travers l'Europe comme un nomade, un gitan, un vagabond. J'ai changé de nom à de multiples reprises. Le temps a passé, on m'a oublié. J'ai fini par m'installer à Paris, où je t'ai rencontrée. Tu connais le reste.

Il marque une pause. Je pressens la suite, et me doute à quel point ce doit être difficile pour lui.

— Ever, je t'ai raconté cette histoire parce que nous allons devoir partir un jour. Dans peu de temps.

Naturellement. Pourquoi n'y ai-je pas pensé plus tôt ? C'est pourtant évident, mais j'avais réussi à occulter la question. C'est fou ce que l'on peut être myope lorsqu'on veut se voiler la face.

Damen me caresse tendrement la joue.

— Tu vas peut-être vieillir encore un peu, mais pas beaucoup. Nos amis le remarqueront.

Je souris dans l'espoir d'alléger l'atmosphère.

— Voyons, Damen, nous vivons à Laguna Beach, le royaume de la chirurgie esthétique ! Personne ne vieillit jamais ici ! Nous pourrions y rester une bonne centaine d'années sans qu'on ne remarque la différence.

Son regard reste grave. Ma plaisanterie tombe à l'eau.

Je m'écroule sur le banc au centre de la salle, la tête dans les mains.

— Que vais-je bien pouvoir dire à Sabine ? Je ne peux pas simuler ma propre mort. La police a des techniques un peu plus pointues qu'à ton époque.

Damen vient s'asseoir à côté de moi et passe un bras autour de mes épaules.

— Ne t'inquiète pas. Nous aviserons en temps voulu. Je suis désolé, Ever, j'aurais dû t'en parler depuis longtemps.

Au fond de moi, je sais que cela n'aurait rien changé. Je n'ai pas oublié le jour où il m'avait expliqué les enjeux de l'immortalité. Il avait été très clair : je ne pourrais jamais traverser le pont, ni revoir ma famille. Or, j'ai choisi de demeurer avec lui. J'espérais sans doute découvrir la faille, le moyen de contourner cette clause. J'étais prête à prendre ce risque pour ne jamais plus le quitter.

Et je ne regrette rien.

J'ignore quel prétexte j'inventerai pour expliquer notre départ à Sabine et à nos amis. Quoi qu'il en soit, une chose est sûre, ma vie est avec Damen.

– Je te promets que nous serons heureux, Ever. Tu ne manqueras de rien et tu ne t'ennuieras plus jamais, une fois que tu auras mesuré l'éventail des possibilités qu'offre le monde. Bien sûr, tu ne pourras nouer que de brèves amitiés. C'est inévitable. Et contrairement à ce que tu penses, il n'y a pas de faille.

Je hoche la tête. Je me rappelle les premiers temps, quand Damen m'avouait haïr les adieux. Il devine ma question muette :

– Tu te demandes si on finit par s'habituer ? Pas vraiment. Je préfère disparaître sans un mot. C'est plus simple.

– Pour toi, peut-être. Certainement pas pour ceux que tu abandonnes.

– Tu as raison. Que veux-tu, je suis un égoïste endurci !

– Non, ce n'est pas ce que je voulais dire.

– C'est la vérité. En tout cas, ça l'était.

Il se remet debout et me tend la main, comme pour m'entraîner vers la sortie. Je ne veux pas partir. Pas encore. Il a renoncé à sa passion de la peinture pour pouvoir vivre tranquille. Il mérite une seconde chance.

Je lâche sa main et me concentre, les yeux clos. Une grande toile vierge, des pinceaux et des couleurs apparaissent devant ses yeux ébahis.

– C'est quoi, tout ça ?

Je souris.

– Tu ne reconnais pas les outils de l'artiste ?

Il me dévisage sans répondre.

– J'ai pensé que cela te ferait plaisir de peindre en compagnie de tes vieux amis d'antan. Tu as bien dit que nous pouvons faire ce qui nous chante, non ? Que les règles du monde ne s'appliquent pas à nous ? N'est-ce pas pour cela que nous sommes venus dans ce musée ?

Son regard s'adoucit. Il s'empare d'un pinceau et joue un moment avec. J'insiste :

— Je pense que tu devrais peindre quelque chose. Créer une œuvre magistrale, qui passera à la postérité. Et quand tu auras fini, on l'accrochera à côté de ces toiles vénérables. Sans signature, évidemment.

Le visage de Damen s'illumine.

— Je n'ai pas besoin de notoriété.

— Tant mieux. Ce n'est pas ton ego que je veux voir, mais ton génie. Allez, au travail ! Contrairement à nous, la nuit ne durera pas indéfiniment.

vingt-quatre

J'observe tour à tour la toile et Damen. J'en suis bouche bée. Les mots me manquent pour décrire ce que je vois. Je me sens toute petite, indigne d'un tel spectacle.

– Damen… c'est… magnifique ! Sublime ! Ce ne peut pas être moi !

Il éclate de rire.

– Bien sûr que si. La combinaison de toutes tes incarnations. Une sorte de collage des différents « toi » à travers les siècles. Ta chevelure rousse et ta peau laiteuse de Hollandaise, la confiance et la foi de ta période puritaine, l'humilité et la détermination de ta dure existence à Paris, cette somptueuse robe et ce sourire charmeur appartiennent à la jeune Londonienne choyée. Quant aux yeux, ce sont les tiens. Ils restent identiques, immuables, quelle que soit ton apparence.

Je contemple la femme ailée qu'il a imaginée – radieuse, lumineuse, incroyablement belle. Une déesse descendue des cieux pour prodiguer ses largesses à la Terre. Je n'avais jamais rien vu d'aussi magnifique. Je suis incapable d'imaginer que cette merveille puisse me représenter.

– Et aujourd'hui ? À part les yeux, qu'est-ce qui évoque ma vie présente ?

Damen sourit.

– Les ailes diaphanes, bien sûr.

Je crois qu'il plaisante. Mais son regard est grave.

– Elles sont invisibles, mais elles sont bien là. Ta présence dans ma vie est un cadeau du ciel. Un don que je ne mérite pas, et pour lequel je rends grâce tous les jours que Dieu fait.

– Damen, je ne suis un modèle ni de bonté ni de gentillesse. Tu le sais très bien. Et je ne suis pas particulièrement angélique non plus, surtout ces derniers temps.

Je ne peux détacher mon regard du tableau. J'aimerais l'accrocher dans ma chambre pour le contempler à loisir. Mais il est préférable qu'il demeure ici.

Damen a lu dans mes pensées.

– Tu es sûre ?

– Certaine. Imagine le choc quand on le découvrira dûment encadré et accroché dans cette salle. Un joyeux chaos, c'est sûr. Une cohorte d'experts accourront l'étudier et essayer de déterminer son origine et son auteur.

Il acquiesce et jette un dernier coup d'œil à son œuvre avant de tourner les talons.

– Attends ! dis-je. Tu ne crois pas que nous devrions lui donner un nom ? Ajouter un cartouche en cuivre, comme pour les autres tableaux ?

Damen consulte sa montre.

– Je n'ai jamais été très doué pour les titres. Je restais très terre à terre : *Bol de fruits* ou *Tulipes rouges dans un vase bleu*, tu vois le genre ?

– D'accord. Je pense qu'il vaut mieux éviter de l'intituler *Ever ailée* ou *Ever l'angélique*, au cas où quelqu'un me reconnaîtrait. Mais on peut trouver quelque chose de plus… romanesque ? Moins littéral, plus métaphorique.

– Tu as une idée ?

– *Enchantement…* enfin, quelque chose dans ce goût-là.

– *Enchantement* ?

J'éclate de rire.

– Dans le sens où tu dois être ensorcelé si tu trouves qu'elle me ressemble.

Il s'esclaffe à son tour.

– Va pour *Enchantement*. Mais il ne faut pas tarder. J'ai peur que…

Je ferme les yeux, visualise la petite plaque et murmure :

– Tu préfères quoi pour le nom de l'artiste – « anonyme » ou « inconnu » ?

– N'importe, dépêche-toi.

Je choisis « inconnu », ça fait plus mystérieux. Je me penche pour observer le résultat.

– Qu'est-ce que tu en dis ?

– J'en dis qu'il est temps de filer !

Il me prend par la main et m'entraîne dans une course folle. Mes pieds ne touchent plus terre. Nous traversons les salles en trombe et dévalons les escaliers quatre à quatre. La porte n'est plus qu'à quelques mètres lorsque le hall s'éclaire en même temps que retentit une sirène.

La panique me paralyse.

– Oh non !

– Je ne pensais pas m'attarder si longtemps, balbutie Damen. Je…

Le rideau de fer commence à descendre. Je suis en nage, le cœur en cavale. J'entends des éclats de voix et des pas résonner derrière nous. Les yeux clos, Damen essaie de désactiver l'alarme.

Trop tard. Les gardiens sont tout près. Je lève les mains pour me rendre, quand la grille remonte et me voilà entraînée au-dehors, vers l'Été perpétuel.

Enfin, moi, j'ai visualisé l'Été perpétuel.

Damen, lui, nous voyait dans sa voiture, sur le chemin du retour.

Résultat, nous nous retrouvons sur une autoroute. Nous nous précipitons sur le bas-côté au milieu des crissements de pneus et des Klaxon, jetant des regards éperdus alentour pour nous repérer.

Je reprends mon souffle et remarque judicieusement :

– Tiens, ça ne ressemble pas à l'Été perpétuel !

Damen part d'un fou rire contagieux, et nous voilà pliés en deux sur le bord d'une route inconnue, au milieu des canettes et des papiers gras.

– Tu voulais échapper à la routine, non ? glisse-t-il entre deux hoquets.

Nous repartons d'un fou rire.

– J'ai failli avoir une crise cardiaque tout à l'heure, dis-je en reprenant mon souffle. J'ai cru que nous étions faits comme des rats.

Damen me serre contre lui.

– Mais non. Je t'ai promis de veiller sur toi quoi qu'il arrive. L'aurais-tu oublié ?

Bien sûr que non, mais je ne risque pas d'oublier non plus ces quelques minutes de panique.

– Et si tu nous dénichais un véhicule ? Ce serait pratique, tu ne crois pas ?

Damen obtempère et transporte mentalement la BMW du musée jusqu'à nous. À moins qu'il ne s'agisse d'une autre, rigoureusement identique.

– Imagine un peu la tête des gardiens en nous voyant disparaître, nous et la voiture ! commente-t-il en m'ouvrant galamment la portière. Oups, j'ai oublié les

196

caméras de surveillance ! Une seconde, je m'en occupe ! ajoute-t-il en fermant les yeux.

Nous démarrons enfin. Je l'examine du coin de l'œil. Il affiche un sourire ravi. Il s'amuse comme un gamin, savourant autant le danger que la peinture, on dirait.

— Voilà longtemps que je n'avais pas repoussé les limites aussi loin, observe-t-il. Au fond, c'est ta faute si nous avons failli nous faire pincer, nous n'aurions pas dû nous attarder à ce point.

Je ne le quitte pas des yeux. Sa gaieté, son insouciance, sa témérité m'avaient manqué. Je retrouve enfin le Damen des premiers jours, celui qui m'a séduite. Mon pauvre petit cœur ne se remettra peut-être jamais de cette expérience, mais cela m'est parfaitement égal.

Il pose une main sur mon genou.

— Et maintenant, on fait quoi ?

— On rentre à la maison ?

J'ai eu mon content d'émotions, mais Damen n'a pas l'air convaincu.

— Tu es sûre ? Je ne voudrais pas que tu t'ennuies. Plus jamais.

— À la réflexion, je crois que j'avais sous-estimé l'ennui !

Damen se penche pour m'embrasser, et manque d'emboutir la voiture qui nous précède. Je le repousse en riant.

— Arrête, nous avons eu beaucoup de chance ce soir. Il ne faudrait pas abuser…

Damen se concentre sur la route, un sourire aux lèvres.

— Comme tu voudras.

vingt-cinq

Le lendemain, je pense faire un saut à la maison et repartir avant que M. Munoz ne vienne chercher Sabine. Je tourne dans l'allée et – horreur – j'aperçois sa voiture derrière moi dans le rétroviseur.

Il est en avance.

De dix minutes.

Les dix minutes sur lesquelles je comptais pour rentrer de la librairie, me changer et repartir chez Haven. Mascotte n'est plus de ce monde, et Haven a organisé une petite cérémonie d'adieu dans son jardin.

M. Munoz sort de sa décapotable en jouant nonchalamment avec ses clés qu'il fait tourner autour de l'index. Les effluves de son after-shave radioactif flottent à dix kilomètres à la ronde.

– Ever ? Que faites-vous ici ?

Je cale mon sac sur mon épaule et claque ma portière un peu plus fort que nécessaire.

– Eh bien, euh… j'habite ici !

Il m'observe fixement, au point que je me demande s'il a entendu.

– Vous habitez vraiment ici ? répète-t-il, incrédule.

Je hoche la tête.

– Mais…

Il examine la façade de pierre, les marches du perron, la pelouse fraîchement tondue, les massifs de fleurs en boutons.

– Je suis bien chez Sabine, n'est-ce pas ?

J'ai envie de lui dire qu'il s'est trompé. Que cette villa cossue de faux style toscan typique de Laguna Beach n'appartient pas à Sabine et qu'il a atterri chez moi par erreur.

Trop tard ! Sabine survient dans l'intervalle. Elle saute de sa voiture avec un enthousiasme forcé et lui adresse un sourire que je trouve carrément inconvenant pour un premier rendez-vous.

– Paul ! Vous êtes déjà là ! Désolée pour le retard. C'était la folie au cabinet – chaque fois que j'essayais de partir, quelqu'un m'en empêchait pour une raison ou une autre. Vous voulez bien m'accorder une minute ? Je monte me changer, je reviens tout de suite.

« Paul » ?

Je reconnais à peine le ton enjoué de Sabine. Je n'aime pas ça. C'est beaucoup trop intime. Pourquoi ne l'appellet-elle pas « M. Munoz », comme nous en classe ? Seulement pour cette soirée, bien sûr. Après quoi, ils décideront d'un commun accord de ne plus se voir…

M. Munoz se passe une main dans les cheveux avec un grand sourire. Il se croit dans une pub pour du shampoing, ma parole ! Je veux bien admettre que pour un prof, il a de beaux cheveux bruns mi-longs. Mais ça ne l'autorise pas à crâner devant ma tante !

– Prenez votre temps, Sabine. C'est moi qui suis en avance. Ever va me tenir compagnie.

Sabine pose son lourd attaché-case et nous dévisage avec perplexité.

— Vous avez déjà fait connaissance ?

— Non !

Le cri m'a échappé. J'ignore si je dis « non » à sa question ou si je refuse la situation. Tant pis, je l'ai dit, et je n'en démordrai pas.

— Enfin, si, je bredouille. Nous venons de faire connaissance. À l'instant.

Ils lèvent vers moi un regard sceptique.

— Ce que je veux dire, c'est que nous ne nous étions jamais rencontrés auparavant.

Ils semblent se demander quelle mouche m'a piquée.

— Bon, bref. Il a raison, Sabine, monte te préparer, et...

Je désigne M. Munoz du pouce. Pas question que je l'appelle « Paul ». Je préfère ne pas l'appeler du tout. Et j'aimerais pouvoir l'empêcher d'entrer chez moi, dans mon salon.

— Et nous t'attendons sagement ici, d'accord ?

Mais Sabine a de bonnes manières, elle. Elle me laisse à peine finir.

— C'est ridicule, voyons ! Installez-vous dans le salon, vous y serez beaucoup mieux. Ever, tu veux commander une pizza pour le dîner ? Je n'ai pas eu le temps de faire les courses.

Je leur emboîte le pas à une allure d'escargot. Pas question de frôler l'un ou l'autre par inadvertance et d'avoir un avant-goût de leur soirée.

Sabine ouvre la porte et se retourne.

— Ever ? Une pizza, ça te convient ?

Je repense aux deux parts de la végétarienne que Jude m'a laissées en partant. Je les ai découpées en petits morceaux et jetées dans les toilettes. C'est peut-être l'occasion rêvée de lui annoncer que j'ai un emploi. Elle n'osera pas me faire une scène devant M. Munoz (Paul !).

— Non, merci. J'ai mangé un morceau au travail.

— Tu as déjà trouvé du travail ? s'exclame-t-elle, médusée.

Je regarde ailleurs avec une désinvolture que je suis loin d'éprouver.

— Oui. Je te l'ai dit, non ?

Son regard ne laisse rien présager de bon.

— Non, Ever. Je suis certaine que tu ne m'en as pas parlé.

— Ah bon ? Désolée. Eh bien voilà, ça y est, je fais officiellement partie de la population active ! je conclus avec un rire forcé.

— Et où travailles-tu exactement ? questionne ma tante en suivant des yeux M. Munoz qui, désireux de fuir l'ambiance glaciale que j'ai réussi à instaurer, nous a précédées au salon.

— Au centre-ville, dans une boutique qui vend des livres et… d'autres choses.

Ma tante lève un sourcil interrogateur.

— Écoute, Sabine, je ne voudrais surtout pas vous retarder, je plaide en désespoir de cause. Cette discussion peut attendre, non ?

Elle jette un coup d'œil vers M. Munoz installé sur le canapé.

— Je suis ravie que tu aies trouvé du travail, Ever, vraiment. Mais tu aurais quand même pu m'avertir. Tu m'obliges à trouver quelqu'un pour te remplacer au cabinet et… Bon, nous en discuterons ce soir, à mon retour.

Je suis infiniment soulagée d'apprendre qu'elle n'a pas l'intention de faire durer leur soirée jusqu'au petit déjeuner demain matin.

– Non, impossible. Le chat de Haven est mort, et elle organise une petite cérémonie ce soir en sa mémoire. Elle est très triste, et donc je pensais rester un peu avec elle, pour la consoler...

– Bon, alors demain. En attendant, va donc tenir compagnie à Paul pendant que je me prépare, s'il te plaît.

Elle monte précipitamment l'escalier, tandis que je prends mon courage à deux mains, entre au salon et m'installe dans un gros fauteuil de cuir.

M. Munoz prend ses aises sur le canapé. Il porte une chemise blanche, un jean griffé, une montre de frimeur et des chaussures bien trop stylées pour un simple professeur.

– Je vous préviens, il est hors de question que je vous appelle « Paul », je déclare tout de go.

Il sourit avec gentillesse.

– Vous me rassurez. Voilà qui ne serait pas passé inaperçu au lycée.

Je me force à sourire. Que dire ? Ma vie a beau être d'une effarante complexité, faire la conversation à mon professeur d'histoire, qui en plus connaît l'un de mes secrets les mieux gardés, dépasse les bornes.

M. Munoz croise les jambes et étend un bras sur le dossier du canapé avec une totale décontraction.

– Quelle est votre relation avec Sabine, exactement ?

– C'est ma tante.

Moi qui espérais déstabiliser l'adversaire, j'en suis pour mes frais. Il me regarde avec un intérêt croissant.

– Et ma tutrice légale depuis le décès de mes parents, j'ajoute aussitôt.

– Oh, je suis désolé. Je l'ignorais.

Un silence pesant s'abat dans le salon.

Je continue sur ma lancée.

– Ma sœur est morte dans le même accident, ainsi que Caramel, notre chien.

– Ever, je...

Je ne veux pas entendre ses condoléances maladroites. De toute façon, il n'a aucune chance de trouver les mots justes. Ils n'existent pas.

– D'ailleurs, moi aussi, je suis morte, je précise pour enfoncer le clou. L'espace de quelques secondes. Et puis...

Et puis Damen m'a ramenée à la vie et m'a donné à boire l'élixir d'immortalité.

– ... Je me suis réveillée.

Ma confession terminée, je me demande ce qui m'a pris de lui raconter ma vie.

– C'est à ce moment-là que vous êtes devenue extralucide, n'est-ce pas ?

Je jette un coup d'œil vers l'escalier. Pas de Sabine en vue. Je hoche la tête.

M. Munoz ne me juge pas, et n'a même pas l'air surpris.

– Ce n'est pas inhabituel, vous savez. J'ai lu plusieurs articles à ce sujet.

Je suis soulagée de l'apprendre, même si je ne sais pas quoi répondre.

– À vous voir lorgner l'escalier toutes les cinq secondes, j'en conclus que votre tante n'en sait rien, je me trompe ?

J'esquisse une ébauche de sourire, qui ressemble davantage à une grimace.

– On dirait que je ne suis pas la seule extralucide dans cette pièce !

Il me jette un regard compréhensif. Je préfère cela à la pitié.

Un ange passe.

– Sabine ne comprendrait pas. Elle... elle est loin d'être stupide, au contraire. C'est une fille formidable, brillante, très compétente dans son métier. Disons qu'elle envisage les choses en noir et blanc. Le gris l'effraie plutôt.

Je me mords les lèvres. J'en ai trop dit, pourtant je n'ai pas fini. Je veux clarifier les choses.

– Vous ne lui direz rien, n'est-ce pas ? S'il vous plaît...

Il réfléchit. Je retiens mon souffle. Les pas de Sabine résonnent dans l'escalier. M. Munoz prend son temps.

– Je vous propose un marché, reprend-il *in extremis*. Je tiens ma langue, à condition que vous ne séchiez plus les cours, d'accord ?

D'accord ? Il plaisante ! C'est du chantage !

Il profite de la situation. Il n'a pas les mêmes états d'âme, lui.

J'observe du coin de l'œil Sabine qui s'immobilise devant le miroir, le temps de vérifier son maquillage.

– Pour quoi faire ? Il ne reste plus qu'une semaine avant les vacances ! Et vous savez très bien que j'ai d'excellentes notes partout.

Il hoche la tête, se lève et sourit à Sabine.

– Donc, rien ne vous empêche d'y aller, lâche-t-il.

– Aller où ? demande Sabine.

Ma tante est ravissante, beaucoup trop, même. Son maquillage lui va à ravir, et Stacia Miller se damnerait pour porter la même robe, si elle avait vingt ans de plus.

M. Munoz me devance.

– Je disais à Ever d'aller rejoindre ses amis. Je ne voudrais pas la mettre en retard.

Sabine sourit. C'est agréable de la voir aussi heureuse et détendue. « Paul » place une main au bas de son dos et l'entraîne vers la porte, pendant que moi, j'ai envie de hurler.

vingt-six

Quand j'arrive chez Haven, tout le monde est massé autour de la fenêtre où Mascotte a surgi la première fois. Une petite urne serrée contre son cœur, mon amie prononce quelques mots à la mémoire de son chat.

Je me glisse à côté de Damen et des jumelles.

– Bonsoir. J'ai raté quelque chose ?

Il me sourit.

– *Des ruisseaux de larmes, un ou deux poèmes... Je suis sûr qu'elle te pardonnera ton retard – un de ces jours.*

Je déroule mentalement le film des derniers événements, pendant que Haven répand les cendres de Mascotte au pied de la fenêtre.

Damen passe un bras autour de ma taille, me procurant le réconfort dont j'ai besoin. Il ajoute un gros bouquet de tulipes rouges qu'il se hâte d'escamoter avant qu'on ne le remarque.

Haven passe l'urne à son petit frère, Austin, qui inspecte l'intérieur en fronçant le nez.

– *C'était si terrible ?*

– *Pire !*

La tête au creux de l'épaule de Damen, je me demande encore pourquoi je me suis confiée à M. Munoz.

– *Et les jumelles ? Je croyais qu'elles étaient terrifiées de mettre le nez dehors ?*

Les deux petites entourent Haven. Leurs visages sont toujours identiques, grands yeux noirs et franges sévères. Leur ressemblance s'arrête là. Elles ont troqué leur uniforme de collégienne pour des tenues différentes. Romy a choisi le style petite fille sage – jean propret, chemise rose et pull beige. Quant à Rayne, elle exhibe une minirobe en coton noir, un legging noir troué et des chaussures vernies à semelle compensée. Je doute fort qu'elles soient allées courir les magasins, puisque Damen est là pour combler leurs moindres désirs.

Il me serre contre lui et répond à mes pensées.

– *Eh bien figure-toi qu'elles se risquent hors de la maison. La télévision et les magazines ne leur suffisent plus, apparemment, elles veulent explorer le monde. Crois-le si tu veux, elles sont allées elles-mêmes choisir ces vêtements. Elles ont même payé toutes seules comme des grandes. Avec mon argent, bien sûr. Elles s'adaptent vite, on dirait. Hier le centre commercial, aujourd'hui l'enterrement d'un chat, et demain... qui sait ?*

Il sourit et son visage s'illumine. Haven termine son discours à la mémoire d'un animal qu'aucun d'entre nous, ou presque, n'a jamais vu.

– Nous aurions peut-être dû apporter quelque chose, des fleurs, par exemple, je chuchote à l'oreille de Damen.

Damen désigne un bouquet géant.

– J'y ai pensé, regarde. Et nous avons aussi versé un don généreux – anonyme, comme il se doit – à la SPA de Californie en l'honneur de Mascotte. J'ai pensé que Haven apprécierait.

– Un don anonyme, tiens donc ! Moi qui croyais que tu étais contre.

Damen fronce les sourcils sans comprendre la plaisanterie. Josh m'interrompt avant que je n'aie le temps de m'expliquer.

– J'ai besoin de votre aide, nous confie-t-il en aparté. J'ai fait une gaffe.

– Ah ?

Il fourre les mains dans ses poches et baisse la tête. Ses cheveux noirs lui masquent le visage.

– J'ai offert un chaton à Haven. Un musicien de mon groupe, vous savez ? La chatte de sa petite amie a eu une portée. Il y en avait un tout noir. J'ai cru aider Haven à oublier Mascotte. Maintenant, elle refuse de me parler. Elle dit que je n'y comprends rien. Elle déraille, si vous voulez mon avis.

– Ne t'inquiète pas. Elle finira par…

– Tu veux rire ? Tu as entendu ce qu'elle vient de raconter ? Voilà dix minutes qu'elle nous rabâche que Mascotte était unique, irremplaçable, etc. J'en ai pris pour mon grade.

– C'est normal quand on vient de perdre un animal auquel on tenait. Je suis sûre que…

– Non, c'est fichu. Elle est anéantie à cause de Mascotte, et je n'ai fait qu'empirer les choses. Je me retrouve avec un chaton sur la banquette arrière de ma voiture. Je ne sais pas quoi en faire. Ma mère me tuera si je le ramène à la maison, et Miles ne peut pas le prendre à cause de son prochain départ en Italie.

Il nous implore du regard.

– Vous ne voulez pas l'adopter, par hasard ?

Les jumelles adoreraient avoir un petit chat, je n'ai pas oublié leur réaction avec Mascotte. Mais qu'arrivera-t-il si elles retrouvent leurs pouvoirs et retournent dans l'Été perpétuel ? Pourront-elles emmener le chat avec elles, ou nous restera-t-il sur les bras ?

Elles sentent mon regard. Romy me sourit gentiment, et Rayne fait la moue. Je vais avoir besoin d'arguments si je veux gagner leur confiance. Un petit chaton me semble un bon début.

– Allons voir la bestiole ! lance Damen avec un clin d'œil complice.

Romy serre la petite chatte sur son cœur.

– Elle est à nous ? Pour de vrai ?

Damen sourit.

– Absolument. C'est Ever qu'il faut remercier. C'est son idée.

Romy me décoche un grand sourire, tandis que Rayne pince les lèvres avec méfiance.

– Comment allons-nous l'appeler ? poursuit Romy en regardant sa sœur. Pas Sortilège au carré, ou Sortilège au cube, hein ? Ce petit amour mérite un nom bien à lui. Et j'espère qu'elle connaîtra un destin moins tragique que celui de Sortilège.

Elle plante un baiser sur la petite tête noire.

Je brûle de demander ce qui est arrivé à Sortilège, quand Rayne intervient.

– C'est du passé. Tu as raison, Romy. Il faut lui trouver un joli nom. Quelque chose de fort, de mystique.

Nous nous trouvons tous les quatre dans le salon de Damen. Le silence retombe pendant que nous passons en revue les diverses possibilités.

– Que diriez-vous de Luna ? je suggère. Cela signifie « lune » en latin.

Rayne s'esclaffe.

– Sans blague ! Pas besoin d'être un génie pour savoir que *luna* veut dire « lune ». Et puis d'abord, je suis sûre qu'on connaît plus de latin que toi.

Je me force à sourire, à garder un ton aimable et posé.

– Sûrement. Mais il paraît que les chats ont un lien particulier avec la lune, alors…

Inutile de continuer. Rayne est farouchement contre, c'est évident.

Damen vole à mon secours. Il veut leur faire comprendre une bonne fois qu'elles me doivent le respect.

– C'est vrai. Autrefois, on pensait que les chats étaient les enfants de la lune parce que, comme elle, ils sortent le soir.

– Et si on l'appelait « Fille de lune » ? propose Rayne. C'est mignon, non ? Mieux que Luna, en tout cas.

Romy caresse le petit animal endormi sur ses genoux.

– Beurk ! Fille de lune, c'est moche. Trop long. Personnellement, je vote pour Luna. Adjugé ?

Nous hochons la tête, sauf Rayne qui refuse de me concéder ce plaisir.

Damen me prend la main.

– Désolé, Rayne. La majorité l'emporte.

Il ferme les yeux. Un joli collier de velours violet apparaît autour du cou de Luna, tandis qu'un petit couffin assorti se matérialise à nos pieds.

Les jumelles ont les yeux brillants de plaisir.

– Et si on l'installait dans son lit, maintenant ?

Romy proteste.

– Pourquoi ? Elle est très bien sur mes genoux !

– Oui, mais c'est l'heure de notre leçon.

Romy se lève docilement et dépose Luna dans son

couffin. Les jumelles vont ensuite s'asseoir en face de Damen, les mains sur les genoux, prêtes à commencer.

Je ne les ai jamais vues aussi sages.

– De quoi s'agit-il ?

– De magie, précise Damen. Elles doivent s'entraîner tous les jours si elles veulent récupérer leurs pouvoirs.

Je me demande si c'est le genre de cours que Jude projette d'organiser.

– Cela consiste en quoi, exactement ? Des exercices et des tests, comme à l'école ?

– Non, plutôt de la méditation. Un peu comme je t'avais montré lors de notre premier voyage dans l'Été perpétuel, en plus intense. Tu n'avais pas besoin de beaucoup d'entraînement. Les jumelles, en revanche, bien qu'issues d'une longue lignée de sorcières très puissantes, sont revenues à la case départ. J'espère que ces séances vont les aider à retrouver rapidement leurs facultés.

– « Rapidement », c'est-à-dire ?

En fait, ma vraie question est : *Quand allons-nous enfin avoir une vie normale ?*

– Quelques mois. Peut-être plus.

– *Le Livre des Ombres* pourrait t'aider, peut-être ?

J'aurais mieux fait de me taire. Damen fronce les sourcils. Les jumelles se sont redressées sur leurs chaises, stupéfaites.

– Tu as *Le Livre des Ombres* ? s'écrie Rayne.

Damen me jette un regard noir. Pourtant, ce vieux bouquin pourrait les aider autant que moi.

– Pas exactement. Mais je sais où il se trouve.

Rayne a l'air sceptique.

– Pas possible ?

– Je ne l'ai pas vu, intervient Damen, mais d'après la description que m'en a faite Ever, je suis sûr qu'elle dit vrai. C'est un livre puissant. Trop puissant pour vous. Peut-être qu'après quelques séances de méditation, nous pourrons…

Les filles ne l'écoutent plus et se lèvent comme un seul homme.

– Nous voulons le voir. Conduis-nous là-bas, Ever, d'accord ?

vingt-sept

– **Comment allons-nous entrer** ? demande Romy.

– Tu es bête ! réplique Rayne. C'est facile pour eux. Il leur suffit de se concentrer pour ouvrir le verrou.

Je souris.

– C'est vrai. Mais c'est encore plus simple avec la clé.

Je la tire de ma poche et déverrouille la porte. J'évite de croiser le regard de Damen qui, je le sais, désapprouve cette équipée.

Romy entre sur la pointe des pieds.

– Tu travailles ici ?

Je hoche la tête en posant un doigt sur mes lèvres et entraîne la petite troupe vers la pièce du fond.

Une voix haut perchée claironne derrière moi.

– Pourquoi chuchoter, puisque c'est fermé et qu'il n'y a personne ?

Le message est clair : Rayne est contente que je leur montre *Le Livre des Ombres,* mais ses bonnes dispositions à mon égard s'arrêtent là.

J'ouvre la porte de l'arrière-boutique et les invite à s'asseoir, pendant que Damen et moi discutons dans le couloir.

– Je n'aime pas ça, Ever.

Je soutiens son regard.

– Je sais.

– Je suis sérieux. Tu ne sais pas dans quoi tu t'embarques. Ce livre est très puissant, dangereux même.

– Oui, mais c'est une branche de la magie que les jumelles connaissent mieux que nous. Et elles n'ont pas l'air de s'inquiéter.

– Il existe d'autres moyens.

– À t'entendre, je vais les initier à des maléfices terribles et les transformer en méchantes sorcières avec verrues et chapeaux pointus, alors que, comme toi, je veux seulement leur rendre leurs pouvoirs.

Je préfère taire la vraie raison. J'ai passé des heures à essayer de lire ce bouquin, sans succès. J'ai besoin d'aide pour trouver le moyen de forcer Roman à me donner l'antidote. Or, je sais pertinemment que Damen ne l'entend pas de cette oreille.

– Il y a des façons plus sûres de les aider à retrouver leurs pouvoirs. Les séances de méditation, par exemple. Avec un peu de temps…

– Combien ? Des semaines, des mois, un an ? Nous ne pouvons pas nous permettre d'attendre si longtemps !

Damen fronce les sourcils, une lueur de compréhension traverse son regard.

– « Nous » ?

– Nous, elles, c'est pareil. Laisse-moi au moins leur montrer le livre. Elles ne risquent rien, et elles sauront nous dire si c'est l'original. Allez, Damen, s'il te plaît.

Il n'a pas l'air de croire qu'elles ne courent aucun danger. J'insiste :

– Un simple coup d'œil. Ensuite, on rentre à la maison et tu pourras leur donner toutes les leçons que tu voudras.

Damen m'invite à entrer sans mot dire.

Je m'installe derrière la table et me penche vers le tiroir.

– Nous avons l'ouïe fine, déclare Rayne. À l'avenir, vous devriez peut-être vous en tenir à la télépathie.

Je ne relève pas et place la main sur le verrou pour l'ouvrir mentalement. Puis j'ouvre le tiroir et le vide de son contenu – dossiers, calculatrice, papiers – afin de dégager le double-fond et le volume qu'il dissimule. Je le pose sur le bureau. Les doigts me brûlent après ce bref contact.

Les jumelles se ruent dessus et l'examinent avec une révérence infinie.

Je retiens mon souffle.

– Alors ?

Romy fronce les sourcils. Rayne l'ouvre à la première page. Toutes deux laissent échapper un cri, les yeux exorbités.

Rayne se perche sur un coin du bureau et incline le livre vers sa sœur, qui se penche et suit du doigt les signes incompréhensibles. Ses lèvres remuent en silence. Elle a l'air de comprendre parfaitement.

Je louche vers Damen, posté derrière elles. Impassible, il observe les jumelles marmonner et glousser en tournant les pages.

Je n'y tiens plus. Il me faut une réponse.

– Bon, alors, c'est le bon ?

– Ce bouquin est on ne peut plus authentique, confirme Rayne sans relever la tête. Ceux qui l'ont rédigé connaissaient leur sujet.

– Il en existe d'autres ?

– Bien sûr, des tas, répond Romy. « Le Livre des Ombres » est un terme générique pour désigner n'importe quel recueil de sorts. On leur a donné ce nom parce qu'ils devaient rester cachés à cause de leur contenu, paraît-il. Des livres de l'ombre, en quelque sorte.

Rayne renchérit :

– Pour d'autres, c'est parce que ces livres se lisent la nuit, à la chandelle, dont la flamme jette des ombres sur les pages.

– Quoi qu'il en soit, c'est écrit en code, au cas où il tomberait entre de mauvaises mains, poursuit Romy. Mais les livres des ombres aussi puissants que celui-ci sont rares et généralement très bien cachés.

J'ai besoin d'une dernière confirmation.

– Vous êtes bien sûres qu'il est authentique ? Et puissant ?

Rayne me regarde comme si j'étais complètement débile.

– Aucun doute, affirme sa sœur. L'énergie qui émane des mots est palpable.

– Vous pensez qu'il peut nous, euh, vous aider ?

– Ce n'est pas garanti. Notre magie est un peu rouillée.

– Parle pour toi ! s'exclame Rayne.

Elle se penche, tourne quelques pages et se met à réciter des mots que je ne comprends pas, mais qui lui semblent familiers. Ensuite, la main vers le plafond, elle s'écrie :

– Vous voyez ! Je ne suis pas rouillée, moi !

La lampe s'éteint et se rallume alternativement.

Romy croise les bras.

– Oui, enfin. Elle était sensée partir en fumée, ta lampe. N'exagère pas.

– Partir en fumée ?

Je jette un regard horrifié à Damen. Il avait raison. Entre de mauvaises mains – leurs mains à elles – ce livre est un danger ambulant.

Romy et Rayne éclatent de rire.

– Ha, ha ! On vous a bien eus, hein !

Rayne saute sur l'occasion de me ridiculiser.

– Tu es vraiment trop nouille, Ever ! On te ferait gober n'importe quoi !

– Et vous, vous regardez beaucoup trop la télévision !

Je referme le livre pour le remettre en place, mais quatre mains essaient de m'en empêcher.

– Non ! Attends ! Laisse-le-nous ! Nous en avons besoin !

Je lève le bras pour le mettre à l'abri.

– Il n'est pas à moi. Nous ne pouvons pas le ramener à la maison.

Romy fait la moue.

– Nous ne récupérerons jamais nos pouvoirs autrement !

Rayne ajoute son grain de sel.

– C'est vrai. D'abord tu nous éjectes de l'Été perpétuel, et maintenant...

Damen lève la main pour leur intimer silence.

– Ever, range ce livre immédiatement ! m'enjoint-il, les mâchoires serrées.

De toute façon, il est temps de rentrer, maintenant que les jumelles ont confirmé l'authenticité du livre. C'est alors que, levant machinalement les yeux, je distingue une vague silhouette sur l'écran de contrôle.

vingt-huit

J'ouvre le tiroir et y fourre le livre en vitesse, tandis que des pas résonnent dans le couloir.

Je referme le tiroir au moment où Jude passe la tête dans le bureau.

– Encore là ?

Il entre et tend la main à Damen, qui hésite une seconde avant de la serrer. Il ne le quitte pas des yeux, l'air concentré, le visage fermé.

Jude sourit, mais ses yeux sont dénués de gaieté.

– Que se passe-t-il ici ? Tu as décidé de faire des heures supplémentaires en famille ?

– Pas du tout, nous sommes venus...

Je ne sais quoi inventer. Je croise son regard perspicace et baisse les yeux.

– Nous sommes venus pour ton *Livre des Ombres,* intervient Rayne. On se demandait où tu l'avais trouvé.

Jude la considère d'un air amusé.

– À qui ai-je l'honneur ?

Je prends les devant.

– Romy et Rayne. Mes...

Damen me coupe la parole, les yeux fixés sur Jude.

– Mes nièces. Elles sont venus passer quelques jours chez moi.

Jude le gratifie d'un bref regard avant de s'approcher de moi.

– Évidemment. Toi seule pouvais le trouver.

Damen observe Jude avec une expression que je ne lui connais pas. Il a le visage figé, les traits crispés, les paupières plissées...

– Je suis virée ?

Jude sourit.

– Non, voyons ! Ce serait idiot de renvoyer ma meilleure voyante ! La seule et unique... C'est curieux, ce livre est caché là depuis l'été dernier, mais tu es la première à t'y intéresser ! Je croyais que tu ne raffolais pas de magie.

Je m'agite dans mon fauteuil. L'attitude de Damen me rend terriblement mal à l'aise.

– C'est vrai. Mais les jumelles s'intéressent beaucoup à...

– La magie blanche, explique Damen, une main sur l'épaule de chaque petite. Elles aimeraient en savoir plus sur la Wicca. Ever pensait que ce livre leur apprendrait quelque chose. Apparemment, il est trop complexe pour elles.

– On dirait que j'ai deux élèves de plus sur ma liste, lance Jude en riant.

– Il y a d'autres inscrits ?

Trop tard. Je jette un coup d'œil à Damen et rougis.

– Oui, une. Enfin, si elle vient. Elle avait l'air motivée.

Honor ! Je n'ai pas besoin de lire dans ses pensées pour le savoir. Elle s'est inscrite au cours de magie, et elle viendra. Je n'en doute pas une seconde.

– Tu organises des conférences ? questionne Damen.

– Initiation au développement psychique. Je compte mettre l'accent sur l'épanouissement personnel, avec une pointe de magie. J'ai hâte de commencer. Pourquoi pas demain ?

Romy et Rayne sautent de joie.

— Non ! tranche Damen.

Jude n'a pas l'air vexé pour un sou.

— Pas de quoi fouetter un chat, tu sais. Je suis novice dans ce domaine, je ne fais même pas payer. C'est l'occasion pour moi d'expérimenter ce qui existe, voir ce qui marche et ce qui ne marche pas. Et puis, ce n'est qu'une initiation. Rien de bien méchant.

Ils se toisent du regard. Je sens que ces séances de magie inquiètent Damen. Mais ce n'est pas tout…

Sa nervosité soudaine, ses manières brusques ont quelque chose à voir avec Jude.

Et avec moi.

Si je ne le connaissais pas aussi bien, je dirais qu'il est jaloux. Or, ce n'est pas le cas. La jalousie est mon pire défaut, pas le sien.

— S'il te plaît, Damen, plaident les jumelles. On a très, très, très envie de suivre ces cours !

Romy le tire par la manche.

— Et puis cela pourrait nous aider, tu sais.

— Et nous donner une raison de sortir de la maison, ajoute Rayne qui ne rate pas une occasion de m'égratigner au passage. Ever ne pourra plus se plaindre que vous n'êtes jamais tranquilles !

Jude me décoche un sourire amusé, mais je m'empresse de détourner la tête.

— Nous n'en avons pas besoin, tranche Damen sur un ton sans réplique. C'est une question de patience.

Jude fourre les mains dans les poches.

— Pas de problème. Si tu changes d'avis, ou si tu veux

assister à un cours, tu es le bienvenu. Qui sait ? Tu apprendras peut-être quelque chose.

Je me décide à intervenir. Je me lève, contourne la table et saisit le bras de Damen.

– Nous devons partir. Veux-tu que je fasse l'ouverture demain ?

Jude s'installe dans le fauteuil que je viens de libérer.

– Oui, j'arriverai en début d'après-midi. Si cette fille passe…

– Honor.

Damen écarquille les yeux et Jude éclate de rire.

– Tu es voyante, il n'y a pas de doute ! Bref, si tu la vois, dis-lui que les séances commenceront la semaine prochaine, s'il te plaît.

vingt-neuf

Jude s'adosse au comptoir, un café à la main.

– Il a l'air sympathique, ton ami.

Je consulte les rendez-vous du jour – j'en ai un à quatorze heures, puis à quinze et à seize heures –, soulagée de ne reconnaître aucun des noms figurant sur la liste.

– Oui.

Jude boit une gorgée et m'observe par-dessus le bord de sa tasse.

– C'est bien ton petit ami ? Je n'en étais pas très sûr. Il a l'air plus âgé que toi.

Je referme l'agenda et bois une gorgée d'eau. Je préférerais l'élixir, mais j'évite d'en boire en public.

– Nous sommes dans la même classe. Donc nous avons le même âge, non ?

– Pas forcément.

Aurait-il deviné quelque chose ? Compris qui nous sommes vraiment ?

Ses yeux verts pétillent quand il sourit.

– Je ne sais pas. Il aurait pu redoubler – une bonne dizaine d'années au moins ?

Je ne relève pas l'insulte, si c'en est une. Jude n'est pas seulement mon patron – c'est aussi le propriétaire du *Livre des Ombres*. Dont j'ai désespérément besoin.

Je me penche sur la vitrine à bijoux et entreprends de disposer les chaînes d'argent et les étiquettes bien en évidence.

– Au fait, comment as-tu rencontré Honor ? je demande avec une indifférence feinte.

Jude pose sa tasse à côté de la caisse et s'en va dans l'arrière-boutique insérer un CD dans le lecteur. Un concert de criquets sous la pluie. Toujours le même.

– Dans un café où j'étais entré déposer des prospectus, répond-il à son retour.

– Elle était seule ?

J'imagine Stacia la poussant à aborder Jude.

Jude ne me quitte pas des yeux. Je me détourne et, pour me donner une contenance, dispose les bagues dans la vitrine par couleur et par taille.

– Je crois bien. Elle m'a demandé en quoi consistaient les cours, alors je lui ai donné un dépliant.

Je ne peux cacher ma curiosité.

– Vous avez discuté ? Elle t'a dit pour quelle raison elle était intéressée ?

– Elle a des problèmes avec son petit ami et aimerait un sortilège approprié.

Jude éclate de rire en remarquant mon air abasourdi.

– Mais non ! Je plaisante. Pourquoi t'intéresses-tu autant à elle ? Aurait-elle essayé de te voler ton amoureux ?

Je referme la vitrine.

– Pas elle. Sa meilleure amie.

– Elle y est parvenue ?

Les joues en feu, je réponds beaucoup trop vite.

– Non ! Mais elle ne se décourage pas.

– Tu en parles au présent. Elle s'obstine ?

J'essaie de calmer les battements de mon cœur.

Jude lève un sourcil, l'air très sérieux.

– Alors toi aussi, tu as besoin d'un sortilège ? Quelque chose pour empêcher les filles de tourner autour de Damen ?

L'intensité de son regard me rend mal à l'aise, de même qu'entendre le nom de Damen dans sa bouche.

– Voilà qui expliquerait ton intérêt pour *Le Livre des Ombres* ?

Je lui tourne le dos. Tant pis pour l'impertinence. En ce qui me concerne, le sujet est clos.

– Est-ce que cela risque de poser un problème ?

De quoi parle-t-il ?

Je pivote sur mes talons, mais son aura jaune vif reste indéchiffrable.

– Tu préfères travailler incognito, non ? Or, une de tes camarades de classe s'est inscrite à un cours et...

Il me laisse achever son raisonnement toute seule.

Mes talents psychiques sont un secret de polichinelle, on dirait. D'abord M. Munoz, ensuite Jude, bientôt Honor, et par conséquent Stacia (laquelle nourrit déjà des soupçons) – sans parler de Haven, qui a juré de « nous tenir à l'œil ». Tout le monde ou presque est au courant, grâce à ma maladresse abyssale.

Je m'éclaircis la gorge.

– Honor n'est pas...

Je m'arrête, à court d'inspiration. Elle n'est pas quoi ? Gentille, sincère, honnête ? Il s'agit plutôt du portrait de Stacia. Quant à Honor, cette fille est un mystère.

Jude attend patiemment la suite.

– Ce n'est pas une amie, en fait, je la connais très mal... je bredouille.

– Dans ce cas, nous sommes deux.

Il sourit, termine son café, et va déposer sa tasse dans l'évier où elle atterrit avec un bruit sec.

– Elle avait l'air perdue, pas très sûre d'elle, ajoute-t-il. Exactement le public que je veux cibler.

À dix-huit heures, mon dernier client s'en va – une consultation imprévue. J'ôte ma perruque noire et me passe la main dans les cheveux pour tenter de les recoiffer.

Jude lève les yeux de son ordinateur.

– Je te préfère en blonde. Le noir te donne l'air sévère.

– Je sais. On dirait Blanche-Neige avec une méchante anémie.

Jude éclate de rire.

– Alors, tes premières impressions ?

Je me juche sur le bord du bureau, tandis que Jude tape sur son clavier à une vitesse hallucinante.

– J'aime bien. Malgré certains côtés un peu déprimants, c'est agréable de pouvoir aider les gens. J'avais des doutes. Mais je crois que tout s'est bien passé. Personne ne s'est plaint, au moins ?

Jude fouille dans une pile de papiers.

– Bien sûr que non. Au fait, as-tu pensé à te protéger ?

Je ne comprends pas sa question. La seule protection que je connaisse bloquerait toutes les énergies qui m'entourent, m'empêchant de lire quoi que ce soit.

Jude referme son ordinateur portable et relève les yeux.

– Il faut se protéger. Avant et après une séance. On ne t'a jamais appris à refouler les éléments négatifs ?

Je fais non de la tête. J'ignore d'ailleurs si j'en ai besoin, en tant qu'immortelle. Aucune énergie ne devrait être assez puissante pour m'affecter, détail que je ne peux lui avouer.

– Veux-tu que je t'apprenne ?

Je jette un coup d'œil vers l'horloge.

Jude saisit l'allusion.

– Ce ne sera pas long. Et c'est très important. Un peu comme se laver les mains, tu vois ? Histoire de te débarrasser des ondes négatives émises par tes clients et d'éviter la contamination, tu comprends ?

Il me désigne une chaise et prend place en vis-à-vis.

– J'aurais bien commencé par une technique de méditation qui renforce ton aura, mais comme la tienne est invisible, je ne suis pas sûr que ce soit nécessaire.

Je croise les jambes et regarde ailleurs.

– Un de ces jours, il faudra que tu m'expliques comment tu te débrouilles pour la masquer. J'aimerais connaître la technique.

Je souris sans répondre.

– Ferme les yeux et détends-toi, poursuit-il d'une voix douce, à peine audible. Respire à fond. À chaque inspiration, essaie de visualiser un flux d'énergie dorée, et une fumée noire avec chaque expiration. Imagine que tu inspires une onde bienfaisante et expires de l'eau souillée. Continue jusqu'à ne plus avoir en toi que de l'énergie pure. Tu te sentiras comme nettoyée, régénérée.

J'obtempère. On dirait ma première séance de méditation avec Ava. Au début, j'ai du mal à me concentrer. Je sens le regard insistant de Jude peser sur moi. Il profite de ce que j'aie les yeux fermés pour m'examiner à loisir. Au bout d'un moment, je me laisse aller au rythme de ma respiration. Mon cœur s'apaise et mes idées se clarifient.

– Bien. Maintenant, si tu es prête, imagine un cône de lumière blanche qui descend du ciel et t'enveloppe tout entière. Cette clarté repousse l'énergie négative et l'empêche de te polluer.

J'ouvre un œil. Je n'aurais jamais pensé que l'on puisse me voler mon *chi*, ma force vitale.

Jude m'enjoint de refermer les yeux.

– Fais-moi confiance. Considère cette lumière un peu comme une forteresse.

Je m'imagine assise sur ma chaise, éclairée de la tête aux pieds par un faisceau de lumière. On dirait un cocon de douceur et de sérénité.

La voix de Jude est toute proche.

– Comment te sens-tu ?

– Merveilleusement bien.

Inutile de se creuser la tête pour chercher les mots justes.

– Recommence l'exercice chaque jour. Une fois que tu auras cette image en tête, ce sera beaucoup plus facile, tu verras. Et n'hésite pas à le pratiquer entre deux séances. Mon petit doigt me dit que tu vas vite fidéliser une clientèle d'habitués.

Il pose une main à plat sur mon épaule dans un geste amical. Le choc est d'une violence inouïe, insupportable. Je bondis sur mes pieds.

– Damen !

Du seuil de la porte, Damen m'observe. Il nous observe.

Derrière la douceur habituelle, l'immense tendresse de son regard, je perçois quelque chose de sombre, de troublant. Quelque chose qu'il refuse de révéler.

Je le rejoins en deux enjambées et saisis la main qu'il me tend.

Jude fronce les sourcils. Distinguerait-il le voile d'énergie qui vibre entre nous ?

Damen m'enlace et me serre contre lui.

– Désolé de vous interrompre. Ever et moi sommes pris ce soir.

Jude se lève à son tour et nous raccompagne à la porte.

– Non, c'est moi qui m'excuse, je ne voulais pas vous retarder.

Il lève la main, comme pour la reposer sur mon épaule, mais la laisse retomber.

– Oh, j'allais oublier ! Le livre ! Prends-le si tu veux. Je n'en ai pas besoin.

Il retourne au bureau et ouvre le tiroir.

Je meurs d'envie de m'en emparer et de détaler en vitesse.

Damen se raidit à mes côtés, et l'aura de Jude brille de mille feux.

J'ai l'impression qu'il s'agit d'un test.

– Merci, mais pas ce soir. De toute façon, je n'aurai pas le temps.

Damen se détend.

Jude hausse les épaules.

– D'accord. Un autre jour, alors.

Je sens son regard dans mon dos, tandis que je franchis la porte et gagne la rue.

Comment parviendrai-je à oublier les pensées et les images qu'il m'a involontairement révélées ?

trente

Je monte dans la BMW de Damen avec délectation.

– Fini le tank ?

– Tu avais raison. J'ai un peu exagéré le côté sécuritaire. Et puis, c'est quand même autre chose à conduire.

Je regarde par la fenêtre. J'ignore notre destination. Encore une surprise, apparemment !

Damen accélère dès que nous sortons de la ville. Quelques minutes plus tard, il s'arrête, coupe le contact et descend m'ouvrir la portière.

– Où sommes-nous ?

– J'étais sûr que tu ne connaissais pas.

Le paysage est plutôt sauvage. Des montagnes au loin, quelques buissons et des centaines, des milliers d'éoliennes blanches. Gigantesques.

Damen se juche sur le capot de la voiture.

– C'est un champ d'éoliennes. En une heure, elles fournissent un mois d'électricité à une famille moyenne.

Je me perche à côté de lui.

– Pourquoi m'as-tu amenée ici ? Je ne comprends pas.

Il soupire, le regard perdu, l'air mélancolique.

– Cet endroit m'attire. J'ai assisté à tant de changements au cours des siècles. Apprivoiser le vent est une idée vieille comme le monde. La technologie a beau avancer à une vitesse incroyable, certaines choses sont immuables.

Il cherche à me communiquer un message que je ne saisis pas.

– Les innovations sont spectaculaires, ce qui nous était familier un jour est obsolète le lendemain, précise-t-il. Y compris la mode, par exemple. Ce que l'on croit être une évolution n'est qu'illusion. C'est un cycle, un rebrassage constant de conceptions anciennes. Pourtant, malgré ce flux qui nous entoure, nous ne changeons pas vraiment. Nos besoins fondamentaux restent identiques depuis l'aube de l'humanité – logement, nourriture, amour et connaissance.

Je me perds dans son regard sombre. Une fois de plus, je me demande ce qu'il doit éprouver d'avoir tant vu, tant vécu, tant appris. Pourtant, quoi qu'il dise, il n'est pas blasé. Il sait toujours rêver.

– Une fois ces exigences satisfaites – abri et nourriture –, nous nous lançons dans une quête d'amour désespérée.

Il se penche vers moi. Je sens ses lèvres sur ma joue, légères comme la brise. Il redresse la tête et observe les éoliennes.

– Les Pays-Bas sont célèbres pour leurs moulins à vent. Comme tu y as passé l'une de tes existences, j'ai pensé que tu aimerais peut-être y retourner.

Je n'en reviens pas. Nous n'avons pas le temps d'accomplir un tel voyage, si ?

Il sourit.

– On y va ! Ferme les yeux et suis-moi.

trente et un

Nous atterrissons main dans la main. Je jette un regard circulaire.

– Ce n'est pas possible ! C'est…

– Amsterdam. Enfin, version Été perpétuel. C'était plus près que l'original.

J'admire les canaux, les ponts, les moulins et les champs de tulipes rouges.

Damen plonge son regard dans le mien.

– Tu ne reconnais pas ? La mémoire va te revenir. Je l'ai recréée de toutes pièces. C'est Amsterdam au dix-neuvième siècle, à l'époque où nous nous y sommes rencontrés. Sans me flatter, je suis assez fier de moi, c'est une excellente reproduction.

Il me prend par la main et m'entraîne dans un dédale de rues. Nous nous arrêtons pour laisser passer un fiacre, et poursuivons notre chemin jusqu'à un vaste porche béant. Une foule sans visage se presse à l'intérieur. Nous y pénétrons à notre tour. Damen ne me quitte pas des yeux, guettant une réaction, un souvenir. Je préfère m'iso-ler un peu pour m'imprégner de l'atmosphère du lieu, m'imaginer à cette époque – une grande perche rousse aux yeux verts – foulant le parquet de la vaste salle aux murs blancs, ornés de tableaux que Damen a reproduits à l'identique.

Nous sommes probablement dans la réplique de la galerie où nous avons fait connaissance. Je suis un peu déçue de ne pas retrouver de repères. Brusquement, les visiteurs et les tableaux s'estompent. Tout devient flou, sauf une seule toile.

Je m'approche. La chevelure est digne du Titien – une débauche de roux, d'or et de brun, contrastant merveilleusement avec la peau crémeuse. La peinture est si nette et lisse qu'on croirait presque pouvoir plonger dans la toile.

Je détaille le corps de la jeune fille. Elle est nue, quoique sa pudeur soit préservée. Sa longue et opulente chevelure retombe en grosses boucles sur ses épaules, jusqu'à la taille. Ses mains sont croisées sur sa cuisse, légèrement protubérante. Ses yeux me captivent. Le regard vert émeraude est aguicheur, comme si elle exhibait sa nudité devant son amant.

Mon cœur s'emballe, mon estomac se noue et j'en oublie la présence de Damen à mes côtés. Une idée me trotte dans la tête. Je sais ! La jeune fille du portrait, c'est moi !

Le moi d'avant !

La muse qui inspira l'artiste et s'éprit de Damen dans cette même galerie !

Mon malaise grandit. Je ne peux plus parler, ni bouger. Je viens de comprendre. L'amant invisible qu'elle provoque du regard n'est pas Damen.

C'est un autre.

Un inconnu.

– Tu la reconnais, n'est-ce pas ? interroge Damen à mi-voix. Ce sont les mêmes yeux. La couleur change, mais leur essence subsiste.

Il se tient tout près de moi. Ses longs cils masquent à peine la tristesse de son regard. Je détourne la tête.

– J'avais quel âge ? je questionne d'une voix étranglée.

– Dix-huit ans.

Dix-huit ans. Le visage lisse et juvénile, mais déjà la maturité d'une femme.

Damen m'implore mentalement de rompre le silence, de verbaliser ce qui le fait tant souffrir.

– Tu étais superbe. Et il est parvenu à capter ta beauté à la perfection.

Il.

Nous y sommes.

Le ton de sa voix m'en apprend davantage que les mots. Il connaît l'identité de l'artiste. Il sait devant qui je m'étais dévêtue sans vergogne.

Je m'efforce de déchiffrer la signature au bas du tableau – une série de consonnes et de voyelles qui ne me parlent pas.

– Bastiaan de Kool, souffle Damen.

Je le dévisage, muette comme une carpe.

– C'est le nom de l'artiste qui a réalisé ce portrait. Qui t'a peinte, toi.

J'ai les jambes en coton et suis prise de vertige. Mes certitudes s'effondrent. Ce que je croyais savoir sur moi, sur nous – les fondations de notre relation – me paraît soudain bien fragile.

Damen m'observe sans rien dire. Inutile d'en rajouter. Nous sommes conscients de la vérité qui se déploie devant nous.

– Si tu veux le savoir, c'était fini entre vous avant même que la peinture n'ait séché. Du moins, j'avais réussi à m'en convaincre. Je commence à avoir des doutes.

Je ne comprends pas. Qu'est-ce que cette peinture – ce portrait d'une autre vie – a à voir avec notre vie actuelle ?

Ses yeux se voilent, son regard devient distant, indéchiffrable.

– Veux-tu le rencontrer ?

– Qui ça ? Bastiaan ?

Le nom sonne naturellement dans ma bouche.

Damen hoche la tête. Il est prêt à le faire apparaître devant moi, à condition que je le veuille. J'ai envie de refuser, mais il insiste.

– Je crois que tu devrais. Ce n'est que justice.

Il ferme les yeux, fait surgir un grand type dégingandé et s'éloigne pour me laisser l'examiner à loisir.

Je m'approche et tourne autour de cet inconnu immatériel.

Sa haute taille accentue sa minceur, mais sa fine musculature se dessine sous ses vêtements de bonne coupe. Il a le teint pâle, presque autant que moi. Ses cheveux bruns sont un peu ébouriffés. Une frange épaisse souligne son extraordinaire regard.

L'image s'efface et je me souviens de respirer.

– Veux-tu le revoir ?

J'observe les derniers pixels s'effacer devant mes yeux.

Inutile. Je connais son identité.

Jude.

L'artiste hollandais du dix-neuvième siècle s'est réincarné au vingt et unième. Bastiaan de Kool et Jude ne font qu'un !

Le sol se dérobe. Je cherche quelque chose à quoi me retenir, mais la galerie est vide.

– Ever !

La voix de Damen résonne dans tout mon être. Il me serre dans ses bras et je m'abandonne contre lui. Sa présence me rassure, me réconforte. Il matérialise une banquette de velours et m'aide à m'y installer.

Il ne pensait pas me voir bouleversée à ce point, je le devine sur son visage.

Je redoute de croiser son regard. Je crains d'y lire quelque chose de différent, de changé, maintenant que nous savons tous les deux qu'il n'est pas l'unique amour de ma vie.

Que j'ai aimé un autre homme.

Que j'ai retrouvé aujourd'hui.

Je me sens coupable, comme si j'avais trahi Damen avec Jude, même inconsciemment.

– Je… je ne sais pas quoi dire. Je…

Damen me serre plus étroitement contre lui.

– Chut. Tu n'y es pour rien. Ce n'est pas ta faute, tu m'entends ? C'est le karma… j'ai encore des comptes à régler.

Je suis son raisonnement, mais refuse de le pousser jusqu'au bout.

– Je ne vois pas de quoi tu parles ! Plus d'un siècle s'est écoulé ! Et tu m'as dit que c'était de l'histoire ancienne, avant même que la peinture n'ait fini de…

– Je n'en suis plus si sûr !

Je résiste à l'envie de prendre mes jambes à mon cou. J'aimerais partir. Cet endroit m'oppresse.

Damen a le visage fermé, inflexible.

– Je crois que j'ai perturbé le cours des choses. À chacune de tes incarnations, j'ai débarqué dans ta vie sans crier gare. Je t'ai forcé la main, en quelque sorte. J'ai décidé de ton destin à ta place…

Il observe une pause et déglutit avec peine.

– Un destin qui n'aurait jamais dû être le tien, conclut-il d'une voix tremblante.

Ses propos m'effraient. Le pire est à venir, je le sens.

– De quoi parles-tu ?

– C'est évident, non ?

Il bondit souplement sur ses pieds et vient se camper devant moi. Je lui coupe la parole.

– Cette histoire est ridicule ! C'est le destin qui nous a permis de nous retrouver à chacune de nos réincarnations. Nous sommes des âmes sœurs, tu l'as dit toi-même ! Et c'est toi encore qui m'as appris que les âmes sœurs finissent toujours par se retrouver, quoi qu'il arrive !

Je tends la main vers lui, mais il s'écarte et se met à faire les cent pas dans la pièce.

Son regard est dur, sa voix glaciale. Il est furieux contre lui-même, visiblement.

– Le destin, Ever ? Si le destin voulait que l'on se retrouve, pourquoi ai-je passé des siècles à arpenter la Terre entière à ta recherche, hein ?

Il s'immobilise devant moi.

– Tu penses vraiment que c'est le destin, toi ? Tu ne crois pas que je l'ai un peu aidé ?

J'ouvre la bouche pour répondre, mais les mots me manquent.

Damen se précipite vers le mur, où trône la jeune fille rousse. Fière de sa nudité, elle ne lui accorde même pas l'aumône d'un regard – elle n'a d'yeux que pour l'autre.

– Pendant quatre siècles, j'ai réussi à ignorer ce détail. Je m'étais mis dans la tête que nous étions faits l'un pour l'autre, que j'étais prédestiné à te retrouver. L'autre jour, quand tu es rentrée de la librairie, j'ai senti un changement dans ton énergie. Et hier soir à la boutique, j'ai compris.

Il me tourne le dos. Sa mince silhouette se découpe sur la toile.

Je repense à son attitude étrange – presque hostile – envers Jude. À présent, j'y vois plus clair.

Damen pivote vers moi.

– À la seconde où j'ai croisé son regard, j'ai deviné que c'était lui, poursuit-il. Et toi, Ever ? Tu n'as pas éprouvé une impression de déjà-vu, la première fois ?

Je voudrais détourner la tête, mais je ne peux pas. Il ne comprendrait pas. Je me rappelle l'instant où Jude m'a surprise dans le magasin – mon cœur qui s'emballait, mes joues en feu, mon estomac dansant la gigue. La minute d'avant, je me sentais parfaitement bien, et au plus mal la minute d'après. Jude s'était contenté de poser son regard vert sur moi...

Cela ne voulait pas dire...

Impossible...

À moins que... ?

Je me lève à mon tour et m'approche de Damen. Je voudrais le tranquilliser. Me tranquilliser. L'assurer que je n'y attache aucune importance.

Or, nous sommes dans l'Été perpétuel, où tout n'est qu'énergie. Damen peut lire dans mes pensées, même masquées.

Je plonge les mains dans mes poches, piètre tentative pour me remettre d'aplomb dans ce monde qui chavire.

– Tu n'y es pour rien, Ever. Ne culpabilise pas, je t'en prie. Je suis profondément désolé, si tu savais. Enfin, « désolé » n'est pas le mot. Il n'est pas assez fort. Tu mérites tellement mieux ! Il n'y a qu'une chose à faire pour me racheter...

Sa voix se brise. Nos deux visages sont proches à se toucher. Il recule d'un pas, la mine sombre, déterminée.

– J'ai décidé de m'éloigner, Ever. C'est tout ce qui est en mon pouvoir pour l'instant. À partir d'aujourd'hui, je ne me mêlerai plus de ton destin. Toi seule décideras de ta vie.

Ma vue se trouble. J'ai dû mal entendre.

Ce n'est pas possible.

Si ?

Il est là, devant moi. Mon âme sœur, l'amour de toutes mes existences. Le seul être au monde sur qui je pensais toujours pouvoir compter. Et il me quitte ?

– Je n'ai pas le droit d'envahir ta vie comme je l'ai fait par le passé. Je ne t'ai jamais laissé la liberté de décider. Tu veux savoir le pire ? Je n'avais même pas la décence de me battre à armes égales. J'ai utilisé mes pouvoirs, toutes les tactiques possibles pour supplanter mon rival. Je ne peux plus revenir sur ces quatre cents dernières années. Ni te priver de l'immortalité que je t'ai donnée. J'espère qu'en prenant mes distances aujourd'hui, je vais enfin te permettre de choisir librement.

– Entre Jude et toi ?

Ma voix est à la limite de l'hystérie. Je voudrais qu'il arrête de tourner autour du pot et s'explique clairement.

Nos regards se soudent.

– Il n'y a pas à choisir ! C'est ridicule ! Jude n'est que mon patron, il ne m'intéresse pas ! Et il ne s'intéresse pas davantage à moi !

– Quelque chose t'a échappé, on dirait.

– Mais non ! Pourquoi ne veux-tu pas comprendre qu'il n'y a que toi ?

Pour toute réponse, Damen ravive les couleurs de la toile. Malgré moi, mon regard est attiré vers cette fille magnifique. Ce n'est qu'une étrangère. Mon âme a peut-être habité son corps un jour, mais ce n'est plus moi.

Je voudrais l'expliquer à Damen, je ne trouve pas les mots. Seule une plainte muette, un cri inexprimé s'échappe de mes lèvres : « Non, ne t'en va pas, je t'en prie ! »

– Je ne serai pas loin. Je resterai toujours près de toi, à veiller sur toi. Seulement nous ne nous verrons plus. Je ne peux plus… C'est la seule chose à…

Je ne le laisse pas terminer :

– J'ai déjà tenté de vivre sans toi, de remonter dans le temps et de t'oublier, tu te rappelles ? Et tu as vu le résultat ? Le destin m'a renvoyée ici, près de toi !

Les larmes me brouillent la vue, mais je ne les refoule pas. Pour qu'il se rende compte du mal que sa générosité inconsidérée me cause.

– Ever, rien ne prouve que tu sois revenue pour moi. Le destin t'a peut-être ramenée ici pour Jude. Et maintenant que…

– D'accord. Alors parlons de ce courant qui passe entre nous : tu m'avais dit qu'il s'agissait de l'énergie que partagent deux âmes sœurs. Tu ne le pensais pas ? Tu vas encore me dire que tu t'es trompé, peut-être ?

Il se passe une main lasse sur le visage.

– Ever, je…

– Tu es aveugle ? Tu n'as pas encore compris que je ne veux que toi !

Il me caresse doucement la joue – un geste dont je vais bientôt être privée. Il ne dit rien, mais je lis dans ses pensées.

– Ne crois pas que c'est facile. Je ne m'étais jamais rendu compte à quel point il est dur d'être désintéressé. Manque d'expérience, comme tu le sais. Par ma faute, tu ne reverras jamais ta famille, et tu risques même de perdre ton âme au pays des Ombres. Écoute, il n'est peut-être pas encore trop tard pour que tu prennes tes propres décisions – sans mon influence !

Cette discussion m'épuise. Je tranche :

– J'ai déjà choisi. C'est toi que je veux, point final. J'ai connu Jude il y a un siècle, dans un pays où je ne suis d'ailleurs jamais retournée. La belle affaire ! C'était dans l'une de mes nombreuses vies ! Pourquoi en faire un tel drame ?

Il ferme les yeux avec un soupir.

– Il n'y en a pas eu qu'une, Ever.

Amsterdam disparaît, et je vois défiler Paris, Londres, Boston. Chaque ville a gardé l'architecture et l'aspect de l'époque où j'y ai vécu. Seules trois personnes peuplent ces lieux déserts.

Moi, en pauvre servante parisienne, en enfant gâtée londonienne et en fille de puritain. Et Jude, toujours à mes côtés : garçon d'écurie à Paris, duc à Londres, simple paroissien à Boston. Différent, mais le même regard.

Une saynète se déroule dans chaque tableau. Damen apparaît, somptueux, magnifique, comme toujours. Il use de mille artifices pour me conquérir, et je me désintéresse aussitôt de Jude.

Je reste muette d'étonnement. Et même si je comprends mieux ce que Damen cherche à me dire, cela ne change rien à mes sentiments.

– Tu as pris ta décision et je la respecte. Cela ne

m'enchante pas, mais tant pis. Ce que j'aimerais savoir, c'est combien de temps tu comptes disparaître. Deux jours ? Une semaine ? Quand comprendras-tu que rien de tout cela ne compte ? Je me moque de tes histoires de karma, de culpabilité et de séduction déloyale ! C'est toi que je veux. Toi et personne d'autre.

– Je ne peux pas te donner de date précise. Tu as besoin de temps pour... te détacher de moi.

– Ah bon ? Tu parles de me laisser choisir, et puis tu m'imposes un jeu dont tu as inventé les règles tout seul ! Je ne marche pas dans ces conditions. La limite est ce soir. C'est mon dernier mot.

Il fait non de la tête, mais je distingue un certain soulagement dans son regard.

Il déteste cette situation autant que moi. Lui aussi veut en voir la fin. L'étau qui m'étreint le cœur se desserre, tandis que se rallume une étincelle d'espoir.

Damen serre les mâchoires. Il a décidé de jouer les altruistes. C'est ridicule !

– Jusqu'à la fin de l'année, décrète-t-il. Cela te laisse largement le temps.

– Non, demain soir. J'aurai pris ma décision demain en fin de journée.

– Ever, nous avons la vie devant nous. Pourquoi nous presser ?

– D'accord, alors jusqu'à la fin de la semaine prochaine.

– La fin de l'été.

Il ne changera pas d'avis.

Je reste sans voix. Moi qui nous imaginais passer trois mois à nous prélasser sous le soleil de Laguna Beach, je tombe de haut. L'été promet d'être lugubre et solitaire.

Je tourne les talons, esquivant la main que Damen me tend.

Il veut que je choisisse ma voie en toute indépendance ? Alors, autant commencer immédiatement.

Je quitte la galerie et traverse Amsterdam, Paris, Londres et la Nouvelle-Angleterre sans un regard en arrière.

trente-deux

Au coin de la rue, je me mets à courir comme une dératée. Mes pieds ne touchent plus terre. Je veux tout laisser derrière moi – Damen, la galerie et le reste… Les pavés cèdent la place au bitume, et le bitume à l'herbe. Je galope sans m'arrêter devant nos repaires favoris. Cette fois, je veux un endroit pour moi seule, où Damen ne puisse me rejoindre.

J'escalade les gradins du terrain de football de mon ancien lycée et m'installe à la meilleure place, tout en haut à droite. Là, je me souviens, j'avais fumé ma première (et dernière) cigarette et Brandon m'avait embrassée pour la première fois. De là-haut, Rachel et moi nous pavanions dans nos uniformes de pom-pom girls. La vie était si simple !

Je pose les pieds sur le banc devant moi, le front enfoui au creux de mes genoux, les épaules secouées de sanglots. Le temps de retrouver mon souffle, je me mouche bruyamment, m'essuie les yeux et observe des joueurs sans visage crâner à l'entraînement devant leurs petites amies, cheveux au vent, occupées à colporter les ragots du jour. J'espérais que cette scène familière me rassérénerait, or c'est le contraire.

Du coup, je décide de la faire disparaître.

Ma vie présente n'a plus rien à voir avec cela.

Ma vie future non plus.

Je n'envisage pas mon avenir sans Damen, aucun doute possible. Je reconnais être un peu nerveuse et gênée en présence de Jude. Le courant passe entre nous, mais c'est probablement l'effet de nos rencontres antérieures. Une reconnaissance inconsciente, disons. Mon âme sœur, ce n'est pas lui.

Jude a sans doute exercé une certaine influence au cours de mes existences passées, et après ? Son rôle dans ma vie actuelle se limite à celui de patron. Et encore, je n'aurais jamais cherché un job d'été si Sabine ne m'y avait forcée. Il n'y a là qu'une curieuse succession de coïncidences, des bribes de vies qui refusent de se dissiper.

Je n'ai pas contribué à générer cette situation.

Je n'y suis pour rien.

Pourtant, je brûle de savoir quelle a pu être notre relation. Ai-je vraiment posé nue pour lui ou ce portrait n'était-il que le fruit de son imagination ?

Quoi qu'il en soit, ces questions en appellent d'autres.

Ne serais-je pas restée vierge pendant quatre cents ans, comme je le croyais ?

Ai-je fait l'amour avec Jude, et pas avec Damen ?

Est-ce la raison de ma maladresse en sa présence ?

Je contemple le stade à mes pieds, qui se change tour à tour en Colisée romain, pyramides égyptiennes, Acropole d'Athènes, Grand Bazar d'Istanbul, place Saint-Marc à Venise, médina de Marrakech – toutes ces merveilles que j'adorerais visiter un jour.

Je visionne ce diaporama, obsédée par une pensée atroce.

Trois mois sans Damen.

Trois mois à le savoir tout proche, et hors de portée.

Trois mois à apprendre assez de magie pour résoudre nos problèmes et le rassurer sur notre avenir. Parce que mon avenir, c'est lui, et lui seul.

Devant moi, le Grand Canyon devient le Machu Picchu, puis la Grande Muraille de Chine.

Cela peut attendre.

Je dois rentrer.

Revenir sur terre.

Retourner à la librairie avant la fermeture. Jude doit m'apprendre à déchiffrer le livre une bonne fois pour toutes.

trente-trois

J'ai évité Sabine toute la semaine. Je croyais devoir déployer des ruses de Sioux, mais entre le lycée, mon travail et la dernière représentation de *Hairspray*, je n'ai pas eu besoin d'inventer des prétextes. Jusqu'à ce dimanche matin, à l'instant où je m'apprête à jeter mes céréales dans l'évier.

Sabine entre dans la cuisine en tenue de sport, ruisselante de sueur et débordante de vitalité.

– Bonjour, Ever ! Il faut qu'on parle, non ? Tu as assez repoussé cette conversation.

J'attrape mon jus d'orange et hausse les épaules sans répondre.

– Tout se passe bien à ta librairie ?

Je hoche la tête, le nez dans mon verre.

– Autrement, je peux toujours te trouver un stage de dernière minute au cabinet, si tu veux.

Je finis mon verre en deux gorgées, le rince et vais le mettre dans le lave-vaisselle.

– Pas besoin. Ça va très bien.

Elle plonge son regard dans le mien.

– Ever, pourquoi ne m'as-tu pas dit que Paul était ton professeur ?

J'accuse le coup et feins de m'intéresser à mon bol de céréales, le temps d'imaginer une réponse.

– Parce que Paul, avec son jean de marque et sa belle montre, n'est pas mon prof. Mon prof, c'est Monsieur Munoz, un type à lunettes et pantalons à pinces.

Je porte une cuillerée de céréales à ma bouche pour éviter son regard.

– Et ça t'ennuie que je sorte avec ton professeur ?

J'avale mes céréales – effort surhumain, étant donné les circonstances.

– Non, tant que vous ne vous mêlez pas de mes affaires.

Elle se dandine d'un pied sur l'autre.

– Sabine, vous n'avez quand même pas parlé de moi ? Si ?

Elle écarte ma question d'un joyeux éclat de rire, les joues roses de bonheur.

– Rassure-toi, Paul et moi avons un tas d'autres choses en commun !

Je joue avec mes céréales. Mon muesli est en train de virer à la bouillie. J'hésite à interrompre cette conversation en lui révélant que son flirt avec Paul ne peut pas durer, puisqu'elle doit rencontrer le beau et séduisant jeune homme qui travaille dans le même immeuble qu'elle.

Je décide d'attendre encore un peu.

– Ah ? Quoi, par exemple ?

– Eh bien, pour commencer, nous sommes tous les deux fascinés par la Renaissance italienne.

Je dissimule un sourire. En un an, enfin presque, je ne l'avais encore jamais entendu mentionner cette « passion ».

– Nous adorons la cuisine italienne.

Ça alors, c'est un signe du destin ! Les deux seules personnes au monde qui aiment les pâtes et les pizzas !

– Et il se trouve qu'à partir de vendredi, il va passer une bonne partie de son temps dans l'immeuble où je travaille.

Je me fige, bouche bée. J'en oublie de respirer.

– Il a accepté d'intervenir en tant qu'expert dans une affaire de…

Je vois ses lèvres et ses mains bouger, mais le choc a coupé le son. Je n'entends que le hurlement silencieux qui résonne dans mon crâne.

NON !

Ce n'est pas possible !

Pas. Possible.

Pas possible ?

Je me rappelle la vision qui m'était apparue – Sabine dînant au restaurant avec quelqu'un travaillant dans son immeuble. M. Munoz. Dire que je ne l'avais pas reconnu sans ses lunettes et son uniforme de professeur ! L'avenir de ma tante est avec M. Munoz !

Sabine tend la main vers moi d'un air inquiet.

– Ever ? Ça va ?

Je recule pour éviter son contact et me force à sourire. Sabine mérite d'être heureuse – et après tout, M. Munoz aussi ! Mais pourquoi faut-il qu'ils soient heureux ensemble ? Pourquoi faut-il que, parmi tous les beaux célibataires de Californie, elle choisisse justement celui qui connaît mon secret ? Mon professeur d'histoire, par-dessus le marché !

Je pose en vitesse mon bol dans l'évier et me dirige vers la porte.

– Mais oui, bien sûr que ça va. Je me sauve. Je vais être en retard.

trente-quatre

Jude appuie sa planche de surf contre le mur.

– Ever, nous sommes dimanche. On ouvre à onze heures, tu te rappelles ?

Je hoche la tête, sans relever les yeux du *Livre des Ombres* dans lequel je suis plongée. Il jette sa serviette sur le dossier d'une chaise et vient se poster derrière moi.

– Tu veux un coup de main ?

J'indique une feuille de papier à côté de moi.

– Si tu veux parler d'une autre liste de méditations ou de codes, non merci. Celle-ci me suffit amplement. En revanche, si tu as enfin l'intention de m'apprendre comment lire ce truc sans effectuer le lotus ou le grand écart avec un cône de lumière au-dessus de la tête, alors oui, je suis d'accord.

Je fais glisser le livre vers lui du bout des doigts. J'évite de regarder ses yeux, son sourire, ses fossettes.

Il pose une main sur le bureau et se penche sur le livre. Je sens son énergie entrer en contact avec mon champ magnétique.

– Avec des pouvoirs comme les tiens, il y a peut-être un autre moyen. Au fait, j'ai remarqué que tu effleures le livre sans jamais le toucher. Il t'effraie ?

Sa voix m'apaise. Je laisse son énergie m'envahir sans la

bloquer. Je veux pouvoir dire à Damen qu'il avait tort, que j'ai testé mes réactions devant Jude et ne ressens aucune chaleur quand il s'approche. Jude est amoureux de moi – je l'ai compris quand il a posé la main sur moi l'autre jour. Mais c'est un amour à sens unique. Je ne suis pas sur la même longueur d'onde. Je n'éprouve à son contact qu'une sorte de sérénité languide qui dissipe mes angoisses et me détend les nerfs.

Il me tapote l'épaule et me tire de ma rêverie. Puis il me fait signe de le rejoindre sur le canapé, dans un coin de la pièce. Il installe le livre en équilibre sur ses genoux et m'invite à fermer les yeux, faire le vide, placer ma main sur la page et en absorber le contenu.

Rien ne se passe. Je résiste de toutes mes forces. Je n'ai pas oublié le terrible choc qui m'a secouée la dernière fois. Et au moment où je me dispose à accueillir le flot d'informations, je suis assaillie par une énergie presque trop confidentielle à mon goût.

Jude m'observe avec attention.

– Tu ressens quelque chose ?

– C'est curieux, j'ai l'impression de lire un journal intime. Et toi ?

– Aussi.

– Je pensais que ce serait, je ne sais pas, moi, un recueil de sortilèges répertoriés d'après un système de classification précis, un par page par exemple.

Il sourit, dévoilant deux adorables fossettes et une dentition inégale mais craquante.

– Comme dans un grimoire ?

La signification précise du mot m'échappe.

– Disons que ce serait plutôt un livre de recettes, précise-t-il. On y trouve les ingrédients et les rituels nécessaires à tel ou tel sort, y compris les dates propices ou les conditions météo à éviter. C'est très factuel, en un sens.

— Et ce livre, alors, c'est quoi ?

— Tu viens de le dire : un journal intime. Le compte-rendu quotidien des expériences et des progrès d'une sorcière. Ce qu'elle a fait, pourquoi, comment, avec quel résultat, etc. Ce qui nécessite l'usage d'un code, ou d'une langue magique, ici, le thébain.

Mes épaules s'affaissent. Je recule chaque fois que je crois faire un pas en avant.

— Tu cherchais quelque chose en particulier ? Un philtre d'amour ?

Je fronce les sourcils, étonnée.

Son regard s'attarde sur mes lèvres.

— Tu excuseras mon indiscrétion, mais on dirait qu'il y a de l'eau dans le gaz entre Damen et toi. Je ne l'ai pas vu depuis une semaine.

J'éprouve un pincement au cœur. Une semaine sans Damen, sans message télépathique, sans le réconfort de ses bras.

Seul indice de sa présence : les bouteilles d'élixir rangées dans le réfrigérateur ce matin. Il a dû les apporter pendant mon sommeil, en veillant à ne pas me réveiller.

Le temps s'étire en longueur. La solitude me pèse. Je me demande comment passer l'été sans lui.

Je remarque alors que l'énergie de Jude se rétracte, son aura se frange d'un bleu délicat. Ses dreadlocks lui masquent le visage et la bouche.

— Bref, quoi que tu recherches, tu devrais le trouver là-dedans. Il suffit de prendre le temps de t'en imprégner. C'est très fouillé, très précis.

— Où as-tu déniché ce livre ? Tu l'as depuis longtemps ?

Il détourne le regard d'un air gêné.

– Je l'ai trouvé quelque part, chez une de mes connaissances. Il y a un bail…

– C'est plutôt vague ! Tu n'as que dix-neuf ans, cela ne doit pas faire si longtemps.

Je me rappelle avoir posé la même question à Damen, avant d'apprendre sa véritable identité.

Un frisson me glace la peau. J'étudie Jude, sa dentition anarchique, sa cicatrice à l'arcade sourcilière, ses dreadlocks et ses yeux si familiers.

Non, il est différent de Damen et moi. C'est un garçon que j'ai souvent croisé dans le passé, ni plus ni moins.

Il se force à rire.

– Je ne suis pas très doué pour les dates. Je préfère vivre dans le présent. Il y a peut-être quatre ans, cinq au maximum. Je commençais à m'intéresser à la magie.

– Et Lina l'a découvert ? C'est pour cela que tu l'as caché ?

Il pique un fard.

– Pas exactement. Elle est tombée par hasard sur un mangeur de chagrin que j'avais fabriqué, et elle a pété les plombs. Elle a cru que c'était une poupée vaudoue.

Je le dévisage sans comprendre.

– Un mangeur de chagrins ?

– Une sorte de poupée magique. Que veux-tu que je te dise ? J'étais très jeune, et je pensais l'utiliser pour séduire une fille.

Mon estomac se révulse.

– Ça a marché ?

– Lina a détruit la poupée avant que j'aie pu essayer. Heureusement, d'ailleurs. Cette fille était un vrai poison.

– Tu fais toujours le mauvais choix, on dirait.

Jude me jette un regard malicieux.

– Les vieilles habitudes ont la peau dure.

Nous retenons notre souffle, nos regards se soudent. Le temps s'arrête, et au prix d'un immense effort je parviens à me dominer et reprendre le livre.

– Ever, j'aimerais pouvoir t'aider, seulement j'ai l'impression que ta quête ne concerne que toi.

Je relève la tête pour protester, mais il poursuit :

– Ne te tracasse pas, je comprends. Si tu cherches un sort spécifique, il y a deux ou trois choses que tu dois savoir. D'abord, il ne faut les utiliser qu'en dernier recours, quand les autres solutions ont échoué. Deuxio, les sorts ne sont que des tentatives visant à transformer les choses. Tu dois avoir les idées claires pour que cela fonctionne. Il faut visualiser l'objectif escompté et diriger ton énergie dans ce sens.

– Comme pour matérialiser un objet ?

Son regard me fait aussitôt regretter mes paroles.

– Matérialiser quelque chose prend du temps. La magie, au contraire, a un effet immédiat. Enfin, généralement.

Je me garde de le détromper en précisant que l'on peut faire surgir des objets de façon instantanée, à condition de comprendre le fonctionnement de l'Univers. Cela dit, on ne peut matérialiser que ce que l'on connaît. Sinon, je pourrais recréer l'antidote en deux temps trois mouvements, ce qui serait bien trop simple, n'est-ce pas ?

– Considère ce livre comme un cahier de recettes avec des notes en bas de page. Rien n'est immuable. Tu peux modifier les recettes selon tes besoins et choisir les ingrédients en conséquence.

– Les ingrédients ?

– Des pierres, des herbes, des bougies, les phases de la Lune…

Je repense aux élixirs que je concoctais avant de remonter dans le temps. À l'époque, je considérais cela comme de l'alchimie, mais j'imagine que c'est plus ou moins la même chose.

– Cela pourrait t'aider si tu parviens à formuler ton souhait en rimes.

– Comme un poème ?

Un écueil de plus : je suis nulle en poésie.

– Pas besoin d'être Keats ou Byron. Il suffit que cela rime et que le sens soit clair.

Je suis découragée avant même d'avoir commencé.

– Ever… Réfléchis bien avant de te lancer. Je crois que Lina avait raison. Si tu ne parviens pas à convaincre quelqu'un d'adopter ton point de vue par des moyens, disons, ordinaires, cela signifie sans doute que c'est mission impossible.

Je hoche la tête.

Mon cas à moi est différent.

Il est unique.

trente-cinq

Assise en face de moi, Haven m'examine des chaussures au sommet du crâne, s'attardant au passage sur le cordon qui retient mon amulette.

– Je suis passée te voir au travail, hier.

– Ah oui ?

J'écoute d'une oreille distraite. J'observe Honor qui bavarde entre deux éclats de rire avec Stacia, Craig et le reste de la bande. Tout a l'air normal, mais je sais que les apparences sont trompeuses. Honor n'est plus vraiment le petit toutou de Stacia. C'est une nouvelle adepte des « arts magiques », comme dit Jude. Ce que Stacia ignore.

Haven démolit le glaçage de son gâteau sans me quitter des yeux sous ses faux cils, sa dernière lubie.

– Oui, je voulais t'inviter à déjeuner, mais le superbe garçon derrière la caisse m'a dit que tu n'étais pas disponible.

Miles abandonne son téléphone pour se mêler à la conversation.

– Un garçon superbe ? Qui est-ce ? Pourquoi ne me dit-on jamais rien ?

J'ouvre de grands yeux.

Elle est venue me voir à la librairie ! Comment a-t-elle appris où je travaille ? Et que sait-elle encore ?

– Il travaille avec Ever, explique obligeamment Haven. Il est vraiment trop mignon. Si tu le voyais ! Ever s'est abstenue de nous en parler. Elle veut le garder pour elle seule.

J'affecte un air nonchalant pour masquer ma panique.

– Qui t'a dit où je travaille ?

– Les jumelles.

De mieux en mieux !

– Je les ai croisées à la plage. Damen leur apprend à surfer.

Je souris du bout des lèvres.

Miles ajoute son grain de sel.

– Je comprends mieux pourquoi tu faisais le black-out sur ton nouveau job. Tu ne voulais pas que tes deux meilleurs amis rencontrent ton séduisant collègue, hein ?

– Pas mon collègue, mon patron. Et puis, ce n'est pas un secret. Je n'ai pas encore eu l'occasion d'aborder le sujet, c'est tout.

Haven s'esclaffe.

– C'est vrai que nos conversations sont tellement brillantes que tu n'as pas eu le temps de mentionner la question ! Tu crois que je vais avaler la couleuvre ?

Miles intervient.

– Je veux une description !

Haven pose son gâteau, époussetant les miettes de son jean noir avec un grand sourire.

– Imagine l'archétype du surfeur zen : musclé juste ce qu'il faut, bronzage californien, des dreadlocks blondes qui lui arrivent à la taille, des yeux turquoise à se damner, sans oublier deux adorables fossettes. Tu vois le tableau ? Multiplie par dix et tu auras une petite idée.

– Ever, c'est vrai ?

J'éprouve un intérêt soudain pour mon sandwich. Haven reprend.

— Les mots sont insuffisants pour le décrire dans toute sa splendeur, ajoute Haven. Je ne vois que Damen et Roman pour rivaliser avec lui. Mais ils sont hors catégorie et ne comptent pas. Quel âge a-t-il, au fait ? Il a l'air bien jeune pour être ton patron.

— Dix-neuf ans.

Je n'ai pas la moindre envie de m'étendre sur mon travail ni sur Jude. Damen m'avait avertie...

Aussi, je décide de changer de sujet au plus vite.

— En parlant de beau garçon, comment va Josh ?

L'aura de Haven se tortille.

— C'est fini, depuis l'histoire du chaton. Tu l'aurais vu avec son sourire triomphant, sûr d'avoir trouvé la panacée à tous mes problèmes. Comment peut-on être bête à ce point ?

— Arrête, Haven, intervient Miles. Il essayait de te remonter le moral et...

Elle l'interrompt abruptement.

— Tu parles ! S'il avait eu la moindre idée de ce que j'éprouvais, il n'aurait pas essayé de remplacer Mascotte. C'était du sadisme de m'offrir un adorable chaton auquel je me serais attachée et que j'aurais vu vieillir et mourir, comme l'autre.

Miles lève les yeux au ciel.

— Ce n'est pas toujours le cas... dis-je.

— Ah oui ? Nous en avons déjà parlé, Ever. Tu n'as pas été capable de me donner un seul exemple de quelque chose qui ne risque pas de disparaître. Tu peux faire le malin, Miles, avec tes ricanements et tes soupirs excédés. On va voir si tu trouves quoi que ce soit qui ne...

Miles lève les mains en signe de reddition. Il déteste la confrontation.

Haven savoure sa victoire amère.

– Croyez-moi, si je n'avais pas rompu, il l'aurait fait tôt ou tard. Je le voyais venir.

Miles se replonge dans ses textos.

– Peut-être, mais moi je l'aimais bien. Et je trouvais que vous formiez un joli couple.

Haven lui envoie une miette de gâteau d'une pichenette.

– Dans ce cas, tu n'as qu'à aller le consoler !

– Non, merci. Un peu trop maigre et mimi à mon goût. Le boss d'Ever, en revanche…

J'observe son aura. Il n'est pas sérieux. Enfin, pas vraiment.

Et nous voilà repartis pour un tour ! Quelle plaie !

– Il s'appelle Jude. Si j'ai bien compris, il a la fâcheuse manie de s'intéresser aux filles qui ne le remarquent même pas. Réflexion faite, rien ne t'empêche de tenter ta chance, Miles.

Je range mon déjeuner, intact à part le sandwich que j'ai mis en pièces.

Miles se passe une main dans les cheveux.

– Tu devrais l'inviter à ma soirée d'adieu, histoire de mettre un peu de sel.

– À propos, coupe Haven. Ma mère a entièrement vidé le salon. Je n'exagère pas : il n'y a plus de meubles, ni moquette ni murs, rien ! Tant mieux, car ils ne risquent pas de vendre la maison dans cet état. Alors impossible de préparer ta fête chez moi. J'ai pensé que…

– On pourrait l'organiser chez ma tante.

Deux paires d'yeux surpris me fixent. J'ai un peu honte. Nos soirées pizza le vendredi au bord du Jacuzzi ont cessé depuis que Damen est entré dans ma vie. Or, il n'est plus là, même si c'est temporaire, donc rien ne m'empêche de reprendre les bonnes vieilles habitudes.

– Tu es sûre que Sabine sera d'accord ? demande Miles avec des sentiments mêlés.

– Certaine. Mais ne t'étonne pas de voir débarquer M. Munoz.

J'ai la grande satisfaction de constater que leur réaction n'est pas très différente de la mienne quand j'ai appris la nouvelle : bouche bée, les yeux comme des soucoupes.

– Ils sortent ensemble.

Et voilà, c'est dit.

Haven repousse sa frange bleu vif et pose les coudes sur la table.

– Attends une seconde. Si j'ai bien suivi, ta tante Sabine sort avec notre mignon prof d'histoire ?

Miles éclate de rire.

– Tu trouves même les profs mignons, maintenant ?

– Oh, ça va. Comme si tu ne l'avais pas remarqué, toi aussi. Franchement, pour un vieux – surtout un prof à lunettes et pantalons moches – il est canon.

J'éclate de rire malgré moi.

– Pitié ! « Canon », c'est un peu fort, quand même ! Mais pour info, quand il sort du lycée, il porte des lentilles et un jean couture.

Haven se lève avec un sourire.

– Il faut absolument que je voie ça ! C'est décidé, on fait la fête chez toi !

Miles me jette un regard prudent.

– Damen a prévu de venir ?

– Euh… je ne sais pas. Peut-être. Il est assez pris, en ce moment, avec les jumelles et le reste…

Je me dandine comme un canard. Autant avoir « grosse menteuse » tatoué sur le front.

Haven s'en mêle.

– C'est pour ça qu'il a séché les cours toute la semaine ?

Je marmonne une vague histoire d'examens anticipés.

Ils font oui de la tête pour ne pas me contrarier. Je vois bien à leurs regards et leurs auras qu'ils n'en croient pas un mot.

– N'oublie pas d'inviter Jude, dit Miles.

Haven sourit.

– Oui ! Cela me fera un plan B, au cas où…

Miles et moi nous exclamons en chœur :

– C'est quoi, ton plan A ?

– Tu n'as pas traîné, dis donc !

Haven s'éloigne déjà avec un petit geste de la main.

– Vous verrez bien !

trente-six

Pour tenir la promesse faite à M. Munoz de ne plus sécher sa classe, j'assiste donc au cours d'histoire (de nous deux, je suis la seule à être mal à l'aise). En revanche, n'ayant rien garanti aux autres professeurs, je m'éclipse dès la sonnerie pour me rendre à la librairie.

Pendant le trajet, je pense si fort à Damen qu'il se matérialise à côté de moi, avec son regard sombre plein de douceur, un bouquet de tulipes rouges à la main. Je le fais disparaître aussitôt. La présence de son double m'est insupportable, alors qu'il m'est interdit de le voir en chair et en os pendant encore trois longs mois.

Je ne peux pas patienter si longtemps. Je refuse. Je veux le retrouver et combler ce vide affreux. Le seul moyen est de déjouer les ruses de Roman. Découvrir l'antidote et en finir une bonne fois.

Sauf que je ne sais pas où le trouver. Comme Damen, il semble jouer la fille de l'air depuis quelque temps. Et je ne tiens pas à remettre les pieds chez lui.

Je me gare dans la petite cour derrière la boutique, pousse la porte sans ménagement et me hâte de consulter l'agenda posé sur le comptoir.

— Si j'avais su que tu comptais sécher les cours, je

t'aurais pris d'autres rendez-vous, lance Jude, plutôt surpris.

– Je ne sèche pas les cours. Bon, d'accord, je sèche les cours. C'est la dernière semaine. Tu ne vas quand même pas appeler le secrétariat du lycée ?

– Bien sûr que non. Mais si tu m'avais prévenu, j'aurais apporté ma planche.

J'empoigne une pile de livres – de nouvelles acquisitions – et m'approche des étagères, histoire de prendre mes distances et d'éviter l'atmosphère de sérénité qui l'entoure.

– Tu peux aller la chercher, si tu veux. Je garde la boutique.

Il me fixe sans bouger.

– Ever…

Je devine la suite et préfère le rassurer tout de suite.

– Tu n'es pas obligé de me payer. Je ne suis pas venue faire des heures supplémentaires. D'ailleurs, que tu me payes ou non, pour moi, c'est pareil.

– Tu le penses vraiment ?

Je prends le temps de ranger quelques livres avant de répondre.

– Absolument.

– Pourquoi es-tu là alors ? C'est à cause du *Livre des Ombres*, c'est ça ?

Je me retourne et croise hardiment son regard.

– On ne peut rien te cacher !

Il sourit.

– Je ne dirai rien à Damen, n'aie pas peur.

Je lui lance un regard noir. De quoi se mêle-t-il ?

– Excuse-moi, mais j'ai bien vu qu'il n'apprécie pas l'idée que tu consultes ce livre.

262

Je ne réagis pas. Je préfère ne pas discuter de Damen avec Jude.

Une fois dans le bureau, j'entreprends de déverrouiller mentalement le tiroir, lorsque je m'aperçois trop tard de la présence de Jude.

– Oh ! Le tiroir est fermé à clé. J'avais oublié.

Je n'ai pas le moindre avenir au cinéma. Je suis la pire actrice du monde.

Jude s'appuie contre le mur. Son regard en dit long.

– Ce qui ne t'a pas empêchée de l'ouvrir, la dernière fois. Ni d'entrer dans la boutique en mon absence, le premier jour.

Je me mords les lèvres. Si j'admets qu'il a raison, je viole la règle numéro un de Damen.

– Je… je ne peux pas.

Jude ne cille pas. Inutile de mentir, c'est ridicule.

– Je ne peux pas si tu es là.

Il met les mains sur ses yeux avec un grand sourire.

– Et maintenant ?

Je m'assure qu'il ne triche pas, ferme les yeux à mon tour, débloque la serrure et pose le livre sur la table.

Jude s'installe en face de moi.

– Tu es vraiment spéciale, Ever.

Mes doigts se crispent sur le livre.

– Enfin, je veux dire… Tu possèdes des dons très particuliers. C'est incroyable. Tu parviens à absorber les informations d'un livre ou d'une personne en quelques secondes. Et pourtant…

Je n'aime pas la tournure de la conversation.

– Tu ne remarques même pas qui se trouve à côté de toi. Tout près.

Je crains une grande déclaration, mais il sourit, le regard

fixé sur ma droite, comme s'il y avait quelqu'un. Moi, je ne distingue rien.

– Quand tu as débarqué dans cette boutique, j'ai d'abord cru que tu allais devenir mon professeur. Tu sais que les coïncidences n'existent pas – l'Univers est bien trop précis. Tu n'es pas ici par hasard, même si tu...

– C'est Ava qui m'y a conduite la première fois. Je suis revenue voir Lina, pas toi.

– Je sais, mais il n'empêche que tu es arrivée en l'absence de Lina. Et que c'est sur moi que tu es tombée.

Je n'ose le regarder en face. Pas après ce qu'il vient d'énoncer. Je n'ai pas oublié ma visite à Amsterdam avec Damen.

– Tu connais l'expression : « Le maître apparaît quand le disciple est prêt » ?

Je hausse les épaules.

– Cela signifie qu'on ne rencontre pas n'importe qui n'importe quand. Nous ne nous sommes pas trouvés par hasard. Je suis sûr que j'ai beaucoup à apprendre de toi – et j'aimerais t'enseigner quelque chose en échange. Si tu veux.

Je n'ai pas vraiment le choix. J'acquiesce en silence.

Il incline la tête, les yeux toujours rivés sur ma droite.

– Quelqu'un voudrait te dire bonjour. Elle m'a prévenue que tu étais sceptique de nature et que tu me donnerais du fil à retordre.

Je n'ose ni bouger ni respirer. Si c'est une plaisanterie, s'il se moque de moi, je le...

– Le nom de « Riley » te dit quelque chose ?

J'essaie de dégeler mon cerveau pour me rappeler si je lui ai parlé de ma sœur un jour. Il attend patiemment et je finis par hocher la tête.

– Elle prétend être ta sœur. Ta petite sœur. Et elle n'est pas seule, il y a quelqu'un avec elle. Enfin… un chien.

– Un labrador, je précise malgré moi.

– Clarabelle.

Je fronce les sourcils.

Si Riley lui souffle les bonnes réponses, pourquoi se trompe-t-il ?

– Non, Caramel.

– Elle dit qu'elle ne peut pas s'attarder trop longtemps. Elle est très occupée en ce moment. Mais elle veut que tu saches qu'elle ne t'oublie pas, contrairement à ce que tu penses.

Je laisse échapper ma frustration.

– Ah oui ? Alors pourquoi ne se montre-t-elle pas ? Pourquoi se cache-t-elle ?

Jude a un sourire amusé.

– Elle a une assiette de gâteaux à la main… euh… des brownies, je crois. Elle demande s'ils étaient bons.

Ma gorge se serre. Je me rappelle les gâteaux de Sabine, il y a quelques semaines. La plus petite part portait mon initiale, et la plus grosse, celle de ma sœur. C'était le grand jeu de Riley, quand ma mère en confectionnait.

Je dévisage Jude, mais les mots restent bloqués au fond de ma gorge.

– Elle voudrait aussi savoir si tu as apprécié le film. Celui qu'elle t'a montré dans…

Dans l'Été perpétuel.

Je ferme les yeux pour refouler mes larmes. Je me demande si ma bavarde de sœur va lui révéler ce secret aussi. La phrase reste en suspens.

Je m'éclaircis la gorge.

– Oui… Réponds-lui oui à tout. Dis-lui aussi que je

l'aime, qu'elle me manque beaucoup. Et qu'elle embrasse les parents de ma part. Il faut absolument qu'elle trouve un moyen pour qu'on puisse se parler. J'ai besoin de…

– C'est là que j'interviens. Elle propose que je serve d'intermédiaire. Elle ne peut se manifester que dans tes rêves. Mais elle t'entend.

Ma méfiance redouble. Notre « intermédiaire » ? Est-ce vraiment le souhait de Riley ? Lui fait-elle vraiment confiance ? En quel honneur ? Est-elle au courant de notre passé ? Et cette histoire de rêves ? La dernière fois qu'elle m'est apparue, c'était plutôt dans un cauchemar ! Un piège infernal, truffé d'énigmes auxquelles je ne comprenais rien !

Je scrute Jude avec perplexité. Et s'il avait tout inventé ? Les jumelles lui ont peut-être parlé de Riley ? À moins qu'il n'ait trouvé des articles à propos de l'accident sur Google.

– Elle s'en va, déclare-t-il en faisant au revoir de la main à ma petite sœur invisible. As-tu quelque chose à ajouter avant qu'elle ne parte ?

J'agrippe les bords de ma chaise, la tête baissée. Je me sens suffoquée, oppressée, comme si le plafond et les murs rétrécissaient autour de moi. Je ne sais plus qui croire, ni à qui me fier. Damen, Jude, Riley… Le monde entier me paraît irréel.

Une chose est sûre.

Je dois sortir d'ici.

Prendre l'air.

Je saute sur mes pieds et m'enfuis en courant. La voix de Jude résonne derrière moi. Je ne sais pas où je vais. J'ai besoin d'espace. Et je veux mettre la plus grande distance possible entre lui et moi.

trente-sept

Je sors en trombe de la boutique et fonce à la plage. Ma tête menace d'exploser. Je laisse derrière moi un nuage de sable sans prêter attention aux gens qui secouent la tête, éberlués – ils ont dû rêver, personne ne court aussi vite.

Surtout pas une adolescente de seize ans.

J'abandonne mes tongs au bord et avance dans l'eau. Je me penche pour rouler le bas de mon jean avant de me raviser. À quoi bon ? Une vague déferle et me fouette les mollets. Enfin quelque chose de concret, de tangible – un problème simple, facile à résoudre, contrairement à ceux auxquels je suis régulièrement confrontée.

Moi qui croyais avoir apprivoisé la solitude, je me trompais. Jusqu'ici, j'avais toujours eu quelqu'un vers qui me tourner. Sabine, Riley, Damen et les autres… Mais Riley ne se montre plus, Sabine est accaparée par M. Munoz, Damen a décidé de prendre des « vacances », et je ne peux guère me confier à mes meilleurs amis !

Quel intérêt d'être dotée de pouvoirs surnaturels, d'être capable de contrôler l'énergie et de matérialiser ce qui me chante, si je ne peux pas obtenir la seule chose qui compte vraiment pour moi ?

À quoi bon être éternelle, si c'est pour mener ce genre d'existence ?

J'avance encore, jusqu'à avoir de l'eau à mi-cuisse. Jamais je ne me suis sentie aussi seule et misérable sur une plage bondée, par une belle journée ensoleillée. Soudain, Jude surgit de nulle part et, les mains plaquées sur mes épaules, il tente de me ramener vers la plage. Je résiste. J'aime la force des vagues contre mes jambes, la mer qui m'inspire l'appel du large.

Jude ne lâche pas prise.

— Et si on rentrait maintenant ? murmure-t-il d'une voix douce, comme si j'étais une petite chose fragile et incontrôlable.

Je garde les yeux fixés sur l'horizon.

— Si tu t'es moqué de moi, si c'était une mauvaise blague, je te préviens que…

Une vague approche. Il me sert plus fort contre lui.

— Bien sûr que non. Tu connais mon histoire et tu sais de quoi je suis capable. Ce n'est pas la première fois que je l'aperçois à ton côté. Elle est souvent là. Mais c'est la première fois qu'elle m'adressait la parole.

— Tu sais pourquoi ?

— Elle attendait peut-être de savoir si elle pouvait me faire confiance. Un peu comme toi.

Ses yeux verts ne me lâchent pas. Ils disent la vérité, il n'y a aucun doute. Il ne ment pas, ne joue pas. Il a vraiment vu Riley et ne cherche qu'à m'aider.

— Je suis persuadé que c'est pour cette raison que nous nous sommes rencontrés, ajoute-t-il à mi-voix. Ta sœur a dû s'en mêler.

Riley — ou quelque chose qui nous dépasse tous.

Je contemple l'océan. Je me demande si Jude m'a reconnue, lui aussi. S'il ressent les mêmes émotions bizarres que moi, la même attirance étrangement familière. Et si oui, que faut-il en penser ? Est-il vraiment question d'équilibrer nos karmas, de régler une bonne fois notre histoire commune ?

Ne pourrait-il s'agir d'une simple coïncidence ?

– Je peux t'apprendre à voir les fantômes, si tu veux, propose-t-il. Je ne garantis pas le résultat, mais je te promets de faire mon possible.

Je me dégage de son étreinte et avance encore. Peu m'importe si je suis trempée jusqu'à la taille.

– Chacun d'entre nous en est capable, Ever. Nous avons tous une intuition personnelle. La seule difficulté, c'est de surmonter ses réticences et d'accepter les possibles. Le reste vient naturellement. Et avec des dons comme les tiens, ce devrait être facile.

Au moment de tourner la tête vers lui, quelque chose attire mon regard.

– L'astuce consiste à élever la fréquence de vibration de ton énergie pour l'amener à hauteur de…

Il est trop tard quand nous repérons la vague. Elle se brise juste au-dessus de nous, et seuls les réflexes et la force de Jude m'évitent la noyade.

– Ever, ça va ?

Je cherche du regard la source de l'attirance que je ressens, cette emprise pleine de douceur qui n'appartient qu'à lui.

À quelques mètres de nous, Damen sort de l'eau, sa planche sous le bras. Le soleil fait miroiter les gouttes d'eau sur son torse mince et musclé. Rembrandt doit pleurer dans sa tombe de ne pouvoir le peindre. Il laisse derrière lui un sillage limpide, fluide, comme si la mer s'ouvrait en deux.

Je veux l'appeler, crier son nom. Nos yeux se croisent et je vois ce qu'il voit : moi, trempée de la tête aux pieds dans les bras de Jude, par un bel après-midi d'été.

Je me dégage. Trop tard.

Il passe son chemin.

Je le regarde partir, vidée, à bout de souffle.

Ni tulipes ni messages télépathiques. Un vide immense et triste.

trente-huit

Je sors de l'eau, Jude sur mes talons. Il s'égosille pour me convaincre de revenir et, de guerre lasse, finit par renoncer.

Je traverse la rue en direction de la boutique où travaille Haven. J'ai besoin de me confier à une amie, de tout lui raconter, quel qu'en soit le prix.

Mes vêtements trempés me collent à la peau et ne cachent plus grand-chose, mais je ne pense même pas à me changer. Devant la porte du magasin, je tombe sur Roman, qui m'accueille avec un sourire jusqu'aux oreilles.

– Désolé, interdiction d'entrer pieds nus. Oh, ne bouge surtout pas, que je me rince l'œil, le spectacle me plaît beaucoup !

Je suis son regard et croise les bras sur ma poitrine. J'essaie de l'éviter, mais il est trop rapide.

– J'aimerais parler à Haven.

– Voyons, Ever, ceci est un établissement de luxe. Je ne peux pas te laisser entrer dans cet état. Reviens quand tu seras un peu plus... euh... présentable.

Par-dessus son épaule, je discerne une vaste salle, une sorte de caverne d'Ali Baba. Des lustres en cristal sont suspendus aux poutres, des chandeliers de fer forgé et des cadres dorés ornent les murs, le sol est recouvert de tapis

multicolores. L'espace regorge de meubles anciens, de vêtements de marque sur des portants, de vitrines bourrées de
bijoux, babioles et autres colifichets.

Ma patience est à bout. J'essaie de me brancher sur
l'énergie de Haven, mais je ne la sens pas.

– Dis-moi au moins si elle est là.

– Peut-être que oui, peut-être que non.

Il tire de sa poche un paquet de cigarettes et m'en
propose une. J'esquisse une grimace exaspérée. Il l'allume
sans me quitter des yeux.

– Bon sang, Ever ! Décoince-toi un peu ! Ce que tu
peux être guindée pour une immortelle !

Je disperse la fumée d'un revers de la main.

– À qui appartient ce magasin ?

Je n'avais jamais encore remarqué son existence. Je me
demande quel est le rapport avec Roman.

Il me dévisage, paupières plissées, comme un félin.

– Je suis très sérieux, Ever. Nul immortel digne de ce
nom n'oserait se promener dans cet état. Enfin, je n'ai
rien contre les tee-shirts mouillés, au contraire. Mais le
reste…

– À qui appartient ce magasin ?

Une réponse commence à émerger dans ma tête. Il ne
s'agit pas d'une simple boutique de fripes et d'antiquités.
C'est la collection personnelle de Roman, amassée au cours
des siècles, dont il a décidé de tirer profit.

Il s'amuse à faire des ronds de fumée.

– À un ami. Ce ne sont pas tes oignons, de toute façon.

Je n'en crois rien. C'est lui, le propriétaire, l'employeur
de Haven, celui qui signe ses chèques. Je poursuis sans me
démonter :

– Tu as un ami ? Vraiment ? Je le plains !

Il écrase son mégot d'un coup de talon.

– Et pas qu'un seul ! Contrairement à toi, je ne repousse personne. Je ne garde pas mes dons pour moi. Je partage, Ever. Je donne aux gens ce qu'ils désirent.

Je ne sais pas pourquoi je reste plantée là, à grelotter dans mes vêtements dégoulinants d'eau. Une petite flaque s'est formée à mes pieds. Cette conversation est ridicule, mais on dirait que je suis clouée sur place.

– Ah oui ? Et tu leur donnes quoi, exactement ?

Le rire de Roman ressemble à un feulement de fauve. J'en ai la chair de poule.

– Ils veulent ce qu'ils veulent, et tout de suite. Allez, Ever, un petit effort. Je suis sûr que tu peux deviner !

Je perçois un mouvement derrière la vitrine. J'espère voir apparaître Haven. Non, il s'agit de la jeune fille qui se trouvait chez Roman, le jour où j'ai été assez folle pour frapper à sa porte. Nos regards se croisent quand elle s'immobilise sur le seuil.

Elle est d'une beauté à couper le souffle – chevelure noire et brillante, peau nacrée, yeux sombres en amande.

– J'adore discuter le bout de gras avec toi, Ever, seulement je vais te demander de partir. Désolé, ma cocotte, ce n'est pas bon pour les affaires d'avoir un épouvantail à moineaux devant la porte. Tu saisis ?

Il plonge la main dans sa poche et en sort quelques pièces.

– Tiens, je suis bon prince, je veux bien te payer ton ticket de bus. Je n'ai aucune idée du prix, il y a si longtemps que…

– Plus de six cents ans.

Il fait un signe à la fille, qui tourne les talons.

Je m'éloigne à mon tour.

– Il n'y avait pas de bus, à l'époque ! Il faut vraiment que tu révises ton histoire, ma pauvre ! crie-t-il dans mon dos.

Je fais la sourde oreille. Je suis presque arrivée au coin de la rue, quand son esprit agrippe le mien.

– *Réfléchis, Ever. Que veulent les gens à ton avis, hein ? Si tu trouves la réponse, l'antidote est à toi.*

Je trébuche et me rattrape au mur. La voix de Roman me vrille le cerveau.

– *Nous sommes pareils, toi et moi. Tu auras bientôt l'occasion de le vérifier, ma belle.*

Soudain, il relâche son emprise et je prends mes jambes à mon cou, son rire hideux résonnant dans mes oreilles.

trente-neuf

Le lendemain, je pars travailler comme si de rien n'était. Je veux oublier l'épisode de la plage, ainsi que notre passé commun, dont Jude n'a d'ailleurs aucun souvenir. Je suis persuadée que ce n'est pas un hasard si notre relation n'a jamais abouti. Il y a une raison.

Et cette raison se nomme Damen.

J'ai beau arriver en avance, Miles et Haven m'ont devancée. Accoudés au comptoir, ils flirtent avec Jude.

La panique me gagne pendant que je les dévisage : Haven triomphante, Miles surexcité, et Jude franchement amusé.

– Qu'est-ce que vous fabriquez ici ?

Miles m'adresse un clin d'œil.

– Nous ? On raconte tes secrets et on exagère tes défauts, voilà. Oh, et puis nous avons invité Jude à ma fête, au cas où tu aurais omis de le faire.

Je lance un regard à Jude, les joues en feu. Haven s'en mêle :

– Quelle chance ! Il est libre ce soir-là !

Le garçon que j'ai fréquenté au cours de mes vies successives, et avec qui mon âme sœur pense que j'ai des comptes à régler, va assister à une fête chez moi dans quelques jours ! Bon, ce n'est pas si grave. J'essaie du moins de m'en convaincre.

Haven s'empare d'un dépliant annonçant le cours de développement psychique de Jude et me l'agite sous le nez.

– Pourquoi ne m'en as-tu jamais parlé ? Tu sais pourtant que je suis à fond là-dedans !

– Ah ? Non, je n'étais pas au courant.

Je m'installe sur un tabouret à côté de Jude et ignore le sourire radieux qu'elle lui adresse. Elle n'avait jamais manifesté le moindre intérêt pour ce genre de choses jusqu'à aujourd'hui, mais je ne relève pas. Je cherche un moyen de les faire déguerpir.

Haven me lance un regard appuyé et insiste :

– Bien sûr que si ! Je te l'ai dit plusieurs fois ! Heureusement, Jude a promis de me trouver une place.

L'interpellé se lève sans mot dire. Il va chercher sa planche de surf dans la pièce du fond et esquisse un petit signe avant de sortir.

Miles siffle :

– Je n'arrive pas à croire que tu ne nous aies rien dit ! Quelle égoïste ! Tu sors déjà avec un beau garçon, il te les faut tous ou quoi ?

Haven n'a pas lâché le prospectus.

– Je ne comprends pas pourquoi tu ne nous as pas parlé de ces réunions, insiste-t-elle. Heureusement qu'il a accepté de m'inscrire !

Il ne manquerait plus que Haven développe des talents de voyance. Son intuition est déjà assez remarquable comme cela. Je commence mon travail de sape.

– Ne te fais pas trop d'illusions. Les conférences ont déjà commencé. Il t'a seulement promis d'essayer. Rien n'est sûr.

S'il ne tenait qu'à moi…

– Au fait, et ton nouveau job ? j'ajoute. Tu auras le temps, tu penses ?

Haven plisse les yeux. Mon manque d'enthousiasme attise sa curiosité.

– Oui, ils sont très souples avec mon emploi du temps. Pas de souci.

Alerte rouge. J'ouvre l'agenda pour consulter les rendez-vous, histoire de me donner une contenance.

– Qui ça, « ils » ?

Elle éclate de rire.

– Les grands de ce monde ! Mes patrons, voyons !

– Roman en fait partie ?

Miles et elle échangent un regard désabusé.

– Allô, Ever ? Ici la Terre ! Roman est encore au lycée, je te rappelle !

J'examine son aura, son énergie. J'hésite à m'introduire dans sa tête.

– Je sais. Mais je suis passée hier, et je suis tombée sur lui. Il m'a dit que tu n'étais pas là.

– Oui, il me l'a raconté. On a dû se croiser. Bon, n'essaie pas de changer de sujet. Tu as un problème avec ces conférences ? Pourquoi ne veux-tu pas que j'y assiste ? Parce que tu as un faible pour Jude, c'est ça ?

– Non ! Je sors avec Damen, je te rappelle !

Ce n'est plus exactement le cas, et je crains de leur mettre la puce à l'oreille. Comment en parler avec naturel, alors que j'ai moi-même du mal à l'accepter ? Je sors mon joker.

– En fait, c'est parce que Honor y assiste elle aussi. Je pensais que tu n'aurais pas très envie de la rencontrer.

Deux paires d'yeux noisette me fixent.

– C'est vrai ?

– Stacia aussi ? Et Craig ?

Haven a l'air prête à abandonner si le trio infernal s'est inscrit au grand complet. Je résiste à la tentation de lui mentir.

– Non, seulement Honor. C'est louche, hein ?

Haven cogite ferme, son aura s'agite. Je devine qu'elle pèse le pour et le contre. A-t-elle vraiment envie de suivre un cours de voyance en compagnie de cette peste de Honor ? Elle jette un regard circulaire.

– À propos, en quoi consiste ton travail ? questionne-t-elle. Tu donnes des cours, toi aussi ?

– Moi ? Non !

– C'est qui cette mystérieuse Avalon ? Elle est douée ?

Je me pétrifie sur place.

– Ever ! Je te parle ! Il y a une affiche derrière toi : « Vous voulez savoir ce que l'avenir vous réserve ? Une séance de voyance avec Avalon vous le révélera ! » Pfff... Tu planes complètement ! Je parie que Jude t'a embauchée uniquement parce que tu présentes bien !

Elle ne plaisante qu'à moitié.

Miles intervient :

– Je vais m'inscrire, tiens ! Peut-être que la fameuse Avalon pourra me renseigner sur les endroits branchés de la communauté gay à Florence !

– Oh oui ! Moi aussi ! J'ai toujours eu envie de me faire prédire l'avenir, et je crois que le moment est on ne peut mieux choisi, renchérit Haven. Elle est là, aujourd'hui ?

Je manque de m'étrangler. J'aurais dû m'en douter. Damen m'avait mise en garde.

Ils se regardent.

– Ever ! On te parle ! Tu travailles ici, ou tu fais semblant ?

Je referme le cahier et le range à sa place.

– Elle est prise toute la journée.

Haven ne se démonte pas.

– C'est ça, oui. Demain, alors ?

– Pareil.

– Après-demain ?

– Surbookée.

– La semaine prochaine ?

– Désolée.

– Et l'année prochaine ?

Je hausse les épaules.

– Non, mais c'est quoi, ton problème ?

Je ne sais pas s'ils soupçonnent un gros mensonge, une folie passagère – ou les deux. J'essaie de rectifier le tir.

– Écoutez, je ne voudrais pas que vous gaspilliez votre argent. Elle n'est pas très compétente, en fait. Plusieurs clients se sont plaints.

Miles ricane.

– Ever, ma choute, tu as le marketing dans le sang, on dirait !

Haven me considère pensivement.

– Comme tu voudras. Avalon n'est pas la seule voyante en ville. Tu m'as mis la puce à l'oreille et je suis bien décidée à essayer. Je trouverai un moyen, fais-moi confiance.

Elle ajuste son sac sur l'épaule et entraîne Miles derrière elle. À la porte, elle fait halte et se retourne à demi.

– Il y a vraiment quelque chose qui cloche chez toi, Ever. Écoute, si Jude te plaît, tu n'as qu'à le dire. À Damen au moins, c'est la moindre des choses.

J'affecte un air blasé.

– Mais non, tu racontes n'importe quoi. Il n'y a rien qui cloche. À part les examens de fin d'année et la soirée de Miles, il n'y a rien d'exceptionnel !

Peine perdue. Ils ne sont pas dupes. Tout le monde a l'air convaincu du contraire. Sauf moi.

– Alors, où est Damen ? Comment se fait-il qu'il ne se montre plus au lycée ? insiste Haven. Tu sais, Ever, l'amitié ne fonctionne pas à sens unique. C'est une question de confiance réciproque. Je ne sais pas pourquoi tu te sens obligée de nous faire croire que tout va pour le mieux dans ton parfait petit monde, que rien ne peut t'atteindre ni te blesser. Crois-le ou non, Miles et moi t'aimons. Tu peux compter sur nous, même en cas de coup dur. Et pour info, on n'y croit pas une seconde, à ton univers admirable où tout va pour le mieux.

Je hoche la tête, incapable d'articuler un mot. Je sais qu'ils attendent une réponse, des confidences, un peu de franchise pour une fois.

Je ne peux pas. Je redoute leur réaction. Et j'ai déjà assez de problèmes comme cela, inutile d'en rajouter.

Je souris et promets de les appeler plus tard. Le regard qu'ils échangent avant de partir est éloquent.

quarante

Jude entre dans le bureau et, à sa grande stupéfaction, il me trouve plongée dans *Le Livre des Ombres*. Il s'immobilise sur le pas de la porte avant de s'affaler sur une chaise, en face de moi.

– J'ai aperçu ta voiture dans la cour, alors je suis entré pour vérifier que tout allait bien.

Je lève la tête, consulte l'heure à l'horloge et referme le livre.

– Essayer de lire ce bouquin, c'est pire que de tomber dans une faille spatio-temporelle ! J'avance à deux à l'heure, et jusqu'ici je n'ai rien trouvé d'intéressant.

– Tu n'es pas obligée de passer la nuit ici. Tu peux l'emmener chez toi, si tu veux.

Sabine m'a laissé un message pour m'annoncer qu'elle comptait inviter M. Munoz à dîner à la maison ce soir. J'aime autant ne pas être là.

– Non, c'est bon. Je n'en peux plus, de toute façon.

Pour un livre qui paraissait si prometteur, je suis déçue. Je n'y ai trouvé pour le moment que des sorts de localisation, des potions d'amour et un remède douteux contre les verrues. Rien qui indique comment inverser les effets d'un élixir frelaté ou soutirer une info vitale à une tête de mule arrogante.

Jude a l'air de comprendre mon désarroi.

– Je peux t'aider ?

Je réfléchis une seconde. Et s'il le pouvait vraiment ?

– Riley est là ? Tu la vois ?

– Non, désolé. Je ne l'ai pas vue depuis...

Depuis hier, sur la plage, quand Damen nous a surpris dans les bras l'un de l'autre. Je préfère ne plus y penser.

– Comment t'y prends-tu pour apprendre à quelqu'un à... tu sais... à voir des fantômes ?

Il se frotte le menton.

– Cela dépend. Il y a les réfractaires. Nous sommes tous différents. Certains sont clairvoyants – capables de voir –, d'autres sont clairaudients – capables d'entendre –, et d'autres, enfin, « clairsentients »[1].

Jude ne m'apprend rien, j'aimerais qu'il aille droit au but.

– Capables de sentir une présence, je sais. Et toi, tu te définirais comment ?

Son sourire illumine la pièce et me chavire le cœur.

– J'entre dans les trois catégories. Et je perçois aussi les odeurs. Toi aussi, j'en mettrais ma main au feu. Il te suffit d'activer la fréquence de vibration de ton énergie et...

Il lit l'incompréhension dans mon regard.

– Tu sais que l'énergie est le moteur de l'Univers ?

Cette théorie rejoint celle que Damen m'exposait, il y a quelques semaines, sur la plage. J'étais alors terrifiée à l'idée de lui avouer mes erreurs. Je pensais me trouver dans la pire situation possible ! Quelle naïveté !

Pendant que Jude se lance dans un cours théorique sur

---

1. De l'anglais *clairsentient*, capables de claivoyance par contact physique.

l'énergie universelle, la vibration des éléments et l'immortalité de l'âme, moi, je pense à nous trois – Damen, lui et moi. Quels sont vraiment nos rôles respectifs ?

Je l'interromps.

– Que penses-tu des vies antérieures ? De la réincarnation ? Crois-tu que notre karma nous ramène sur Terre pour réparer nos erreurs ?

– Pourquoi pas ? Le karma règne en maître. Eleanor Roosevelt disait qu'elle ne serait pas surprise de débarquer dans une autre vie que la sienne. Je ne vais quand même pas contredire notre chère Eleanor, non ?

Je le regarde pouffer avec insouciance. S'il se rappelait notre passé commun, cela nous permettrait au moins d'en discuter franchement. Je pourrais ensuite rassurer Damen. Et si je prenais l'initiative ?

– As-tu déjà entendu parler d'un certain Bastiaan de Kool ?

Jude fronce les sourcils sans mot dire.

– C'était… un artiste… un peintre hollandais.

Quelle subtile entrée en matière ! Que vais-je bien pouvoir ajouter maintenant ?

Bon, voilà. En fait, Bastiaan, c'était toi il y a plus d'un siècle. Et tu as même peint un portrait de moi. Incroyable, non ?

Jude me lance un regard surpris. Il ne voit pas du tout où je veux en venir. À moins de l'emmener dans l'Été perpétuel, je n'ai aucun moyen d'éclairer sa lanterne. Tant pis, je dois prendre mon mal en patience et endurer trois longs mois de solitude.

– Simple curiosité, laisse tomber. Bon, alors, comment dois-je m'y prendre pour accélérer mes vibrations ?

À la fin de la séance, j'en suis au même point et ne peux toujours pas parler aux défunts, pas à Riley, en tout cas. D'autres esprits, en revanche, tentent d'attirer mon attention, mais je les évacue du mieux que je peux.

Jude ferme la boutique et me raccompagne à ma voiture.

– Ça va prendre du temps, ne t'inquiète pas. J'ai assisté à d'innombrables réunions de groupe avant de retrouver mes pouvoirs.

– Ah bon ? Je croyais que tes dons étaient innés.

– Ils l'étaient. Mais je les avais si bien refoulés qu'il m'a fallu de l'entraînement pour les recouvrer.

L'idée de séances de groupe me fait frémir : bienvenue chez les extralucides anonymes !

– Riley se manifeste dans tes rêves, tu sais.

Je fais la moue. Le seul rêve où j'aie cru la voir était un affreux cauchemar. Non, cela ne pouvait pas être elle.

– C'est très courant, je t'assure. Les fantômes choisissent toujours la solution de facilité.

Au lieu de rester bêtement plantée là, les clés à la main, je devrais m'en aller et rentrer sagement chez moi.

– Quand on dort, le subconscient reprend les rênes, précise-t-il. Les convictions étriquées qui nous empêchent d'appréhender la formidable magie de l'Univers fondent comme neige au soleil. La vérité refait alors surface : seul un mince voile d'énergie nous sépare des esprits. La communication peut parfois sembler confuse, mais je doute que ce soit leur faute. Je ne sais pas s'ils ont recours aux signes pour se protéger, ou si nous avons l'esprit trop obtus pour comprendre leurs propos.

Je frissonne de la tête aux pieds. Je n'ai pas froid. Au contraire. Ses paroles, son regard, sa présence me bouleversent.

J'essaie de digérer ce qu'il vient de m'apprendre. Si Riley m'est apparue en rêve, que cherchait-elle donc à me faire comprendre en me montrant un Damen qui ne me voyait pas ? J'envisage le problème telle une explication de texte, un rébus particulièrement ardu. Voulait-elle dire que Damen n'y voit pas clair, qu'il ne sait pas reconnaître ce qu'il a sous les yeux ? Et dans ce cas-là, quelle est la portée du message ?

La voix grave de Jude me tire de ma rêverie.

– Ce n'est pas parce qu'une chose est invisible qu'elle n'existe pas.

Je le sais pertinemment. Lui qui disserte sur l'existence d'autres dimensions et de l'au-delà, qui m'explique que le temps n'est qu'un concept sans fondement réel – je me demande comment il réagirait si je lui faisais un petit cadeau. Si je le transportais dans l'Été perpétuel pour lui démontrer à quel point il a raison.

Il surprend mon regard et s'interrompt.

Je baisse les yeux, tandis qu'il se rapproche.

– Ever, je...

Je secoue la tête, monte dans ma voiture et démarre. Je jette un coup d'œil dans le rétroviseur : Jude est toujours là, immobile, le regard douloureux.

J'inspire à fond et me concentre sur la route. Quel qu'ait été le passé, l'avenir n'appartient qu'à moi, à moi seule.

quarante et un

Nous avions programmé la soirée pour le samedi suivant. Mais le départ de Miles était prévu pour le début de la semaine d'après, et comme il avait un tas de démarches à effectuer, nous avons décidé de l'avancer à jeudi, le dernier jour de cours de l'année.

J'ai beau savoir que Damen tient toujours parole, je suis un peu déçue de ne pas le voir apparaître en littérature, ce matin-là.

Stacia plisse les paupières avec un sourire sardonique en me voyant entrer. Pour la énième et dernière fois de l'année, elle tente de me faire un croche-pied. Honor joue le jeu et glousse à côté d'elle, sans oser me regarder, maintenant que je connais son secret.

Je m'installe à ma table, au fond de la classe. Les autres sont assis par deux. Je suis l'intruse, la solitaire. J'ai passé l'année à m'attacher à Damen, et il refuse de venir. Il m'impose cette chaise vide à côté de moi.

Un iceberg à la place du soleil.

M. Robins s'obstine à déblatérer sur un sujet qui n'intéresse personne, pas même lui. Pour me distraire, j'abaisse ma garde et pointe ma télécommande quantique vers chacun de mes petits camarades. La salle se change en un son et lumière cacophonique qui me rappelle l'existence avant Damen.

M. Robins lui-même n'écoute pas ce qu'il dit ! Il ne pense qu'au moment où il va enfin refermer la porte derrière nous. Craig a prévu de larguer Honor avant la fin de la journée, histoire d'avoir les coudées franches cet été. Stacia n'a aucun souvenir de son flirt avec Damen, mais cela n'influe en rien sur sa volonté d'entamer l'année de terminale à son bras. Elle a découvert la crique où il aime surfer, et compte passer l'été sur cette plage dans une collection de bikinis tous plus osés les uns que les autres. L'idée ne m'enchante guère, mais je décide de ne pas y penser. Je me concentre sur Honor. Elle n'a pas l'intention de s'ennuyer durant ces vacances. Pas la moindre allusion à Stacia ni à Craig dans ses projets. Seule la magie l'intéresse.

Je me concentre sur ses pensées. Je soupçonnais une simple attirance pour Jude, or il n'en est rien. Elle en a plus qu'assez d'évoluer dans l'ombre de Stacia. Elle attend le moment où elle pourra enfin inverser les rôles.

Soudain, elle tourne la tête et me nargue par-dessus son épaule. Elle a senti mon regard, et me défie de lui mettre des bâtons dans les roues.

Stacia lui donne un coup de coude en murmurant le mot « hystérique ».

Je feins l'indifférence. Stacia rejette ses cheveux en arrière et se penche vers moi.

– Où est Damen ? Ta potion magique ne fait plus effet ? Il a compris que tu n'étais qu'une sorcière ?

Je me cale sur ma chaise, parfaitement détendue, les yeux rivés aux siens. Elle tressaille et se retourne vers le tableau. Elle qui me prend pour une sorcière, si elle savait que son fidèle caniche est en train de fomenter un coup d'État magique !

Honor, elle, soutient mon regard avec une détermination proprement inédite. Je détourne les yeux. Après tout, c'est leur affaire. Il s'agit de leur amitié, je n'ai rien à voir là-dedans.

Je réactive mon bouclier et gribouille machinalement un champ de tulipes sur une page de mon cahier.

À mon arrivée devant la salle d'histoire, je surprends Roman en train de bavarder avec un inconnu. Tous deux s'interrompent et me dévisagent en silence.

Je tends la main vers la poignée de la porte, quand Roman me barre le passage. Il s'amuse de me voir reculer quand ma main lui frôle la hanche.

Il fait un signe de tête à son ami.

– Vous vous connaissez ?

Son petit cinéma ne m'intéresse pas. Tout ce que je veux, c'est tenir ma promesse envers M. Munoz et en finir avec cette année de malheur. Si je dois mettre Roman au tapis pour y arriver, tant pis pour lui.

Il claque la langue.

– Oh, ce n'est pas très gentil, Ever. On ne t'a donc pas appris les bonnes manières ? Enfin, je ne voudrais surtout pas te forcer la main, tu me connais. Un autre jour, peut-être ?

Du regard, il intime à son ami de le suivre.

J'ouvre la porte, quand je me rends compte que son compagnon ne possède pas d'aura, il n'a pas la moindre imperfection physique, et a probablement un Ouroboros tatoué quelque part. Est-ce l'un des orphelins florentins, ou une nouvelle recrue ?

— À quoi joues-tu, Roman ?

Son sourire sardonique s'élargit.

— Tu le sauras bientôt, dès que tu auras résolu l'énigme. Il n'y a pas le feu. En attendant, va donc réviser ton histoire. Cela te fera le plus grand bien.

quarante-deux

J'ai proposé à Sabine d'inviter M. Munoz à notre fête, mais elle a su déceler mon manque d'enthousiasme. Ils ont donc décidé de passer la soirée en amoureux.

J'ai transformé la maison en temple italien version Laguna Beach : des ballons verts, blancs et rouges au plafond, des assiettes d'antipasti en tout genre, et une tour de Pise en pizza. J'ai même accroché aux murs des copies de tableaux célèbres : *Le Printemps* et *La Naissance de Vénus* de Botticelli, *La Vénus d'Urbino* du Titien, le *Tondo Doni* de Michel-Ange, ainsi qu'une réplique grandeur nature de son *David* au bord de la piscine. Cela me rappelle la soirée de Halloween, quand Riley et moi avions décoré la maison – Damen m'avait embrassée pour la première fois, j'avais rencontré Drina et Ava, et mon existence en avait été bouleversée.

Je vérifie que tout est en place et m'assois en position du lotus sur le canapé du salon. Je ferme les yeux et tâche d'accélérer mes vibrations, ainsi que Jude me l'a appris. Riley me manque tellement que j'ai décidé de m'entraîner chaque jour jusqu'à ce qu'elle se montre.

Je vide mon esprit pour mieux m'ouvrir au monde. Je m'attends à ressentir quelque chose, un courant d'air, un murmure, un signe. Quelques vieux fantômes rancis essaient de s'inviter, mais pas trace de ma chipie de petite sœur.

J'ai bien envie d'abandonner. Subitement, une forme indistincte scintille devant moi. Je me concentre de toutes mes forces, quand des voix haut perchées me font sursauter.

– Qu'est-ce que tu fabriques ?

J'ouvre les yeux et saute sur mes pieds. Si elles sont là, c'est que Damen a dû les déposer. J'ai peut-être une chance de le rattraper.

Romy m'arrête dans mon élan.

– Ne te fatigue pas, ma vieille, Damen n'est pas là. Nous avons pris le bus.

Je reprends mon souffle et mes esprits.

– Ah ? Bon. Comment ça va ?

Sont-elles venues pour la soirée ? Haven les aurait-elle invitées ?

Les jumelles échangent un regard.

– Nous devons te parler.

J'espère qu'elles vont me dire que Damen est horriblement malheureux, qu'il regrette sa décision stupide et ne peut pas vivre sans moi.

Rayne s'éclaircit la gorge.

– C'est à propos de Roman. Nous pensons qu'il est en train de fabriquer d'autres immortels, comme toi.

Romy se croit obligée de tempérer le mépris affiché de sa sœur.

– Enfin, pas exactement comme toi. Toi, tu es gentille, alors qu'eux sont méchants et vicieux.

Rayne approuve d'un petit signe de tête.

– Damen est au courant ?

Damen… J'ai envie de dire et redire son nom, de le hurler sur les toits.

– Oui, seulement il refuse d'agir sous prétexte que, tant qu'ils ne font rien de mal, il n'a pas à s'en mêler.

– Et vous croyez qu'ils font quelque chose de mal ?

Elles échangent un nouveau regard complice.

– Nous ne sommes pas sûres. Rayne commence à retrouver son sixième sens et j'ai eu quelques visions fugitives, mais nos progrès sont lents. On s'est dit que nous pourrions jeter un coup d'œil au *Livre des Ombres*. Il pourrait peut-être nous aider.

Je reste méfiante. Les manigances de Roman et de sa cour les inquiètent-elles vraiment, ou est-ce un prétexte pour consulter le livre à l'insu de Damen ? Non, il y a du vrai. J'ai vu trois nouveaux immortels graviter autour de Roman. Ce simple fait suggère qu'ils sont dangereux, même si nous n'avons aucune certitude.

Je ne veux pas avoir l'air de céder trop facilement.

– Damen est d'accord ?

Nos regards s'affrontent. Nous savons toutes les trois qu'il s'y opposerait, s'il le savait.

– Nous avons besoin d'aide, insiste Rayne. Damen est trop lent, trop prudent. À ce rythme, nous fêterons nos trente ans avant d'avoir retrouvé nos pouvoirs. Je ne sais pas pour qui c'est le plus frustrant : pour nous ou pour toi.

Je me garde bien de la contredire.

– Nous avons besoin de quelque chose de magique, qui marche vraiment et vite. Donc, nous avons pensé à toi et au livre.

Je leur jette un bref coup d'œil, puis consulte ma montre. Mes invités n'arriveront pas avant quelques heures. J'ai largement le temps de faire un saut à la librairie.

Rayne m'encourage.

– Va, cours, vole, fais comme tu veux. Nous t'attendons ici.

J'ai bien envie de courir. C'est un des rares moments où je me sens invincible, prête à affronter tous les problèmes. Le hic est qu'il fait encore jour, aussi je prends ma voiture. En arrivant, je trouve Jude occupé à verrouiller la porte d'entrée.

– Ever ? Et ta soirée ?

– J'ai oublié quelque chose. J'en ai pour deux secondes. Ne m'attends pas, je fermerai.

Il flaire le mensonge, mais m'ouvre obligeamment la porte sans protester. Je fonce au bureau, Jude sur mes talons, et tire *Le Livre des Ombres* de sa cachette.

– Tu ne devineras jamais qui est passé cet après-midi.

Je fourre le livre dans mon sac sans vraiment écouter.

– Ava.

Je le regarde, interdite.

– Non ! Que voulait-elle ?

– Retrouver son travail, je suppose. Elle exerce en free-lance, regrette la stabilité de la boutique. Elle a eu l'air surprise d'apprendre que je t'avais embauchée à sa place.

– Tu le lui as dit ?

– Euh… oui. Puisque vous êtes amies, je croyais que…

– Et qu'a-t-elle fait ? Qu'est-ce qu'elle a dit ? Raconte !

– Il n'y a pas grand-chose à dire. Elle a eu l'air étonnée, sans plus.

– De ma présence – ou du fait que tu m'as embauchée ?

– Comment veux-tu que je le sache ?

– Elle t'a parlé de Damen ? De Roman ? Ou de moi ? Fais un effort, s'il te plaît !

Jude tourne les talons.

– Je n'ai rien d'autre à dire, désolé. Elle n'est pas restée longtemps. Allez, viens, si tu ne veux pas être en retard à ta fête.

quarante-trois

Jude propose de m'accompagner pour m'aider aux préparatifs. De crainte qu'il ne découvre que je suis venue prendre *Le Livre des Ombres*, j'invente un prétexte et l'envoie acheter des gobelets verts, blancs et rouges avant de foncer à la maison remettre le précieux grimoire aux jumelles.

Deux paires de mains avides se tendent vers moi comme des poussins affamés, mais je tiens le livre hors de portée.

– Quelques règles de base. Je ne peux pas vous le donner, car il ne m'appartient pas. Et vous ne pouvez pas non plus le rapporter chez Damen, il en ferait une jaunisse. Donc, la seule solution, c'est que vous veniez le consulter ici.

Je lis la déception sur leur visage, mais elles n'ont pas le loisir de faire la fine bouche.

– Tu as réussi à le déchiffrer ? demande Romy.

– J'ai essayé. Le résultat n'est pas très concluant. On dirait un journal intime.

Rayne ricane dans sa barbe.

– Il faut creuser un peu, lire entre les lignes, m'explique Romy. Tu n'as fait qu'effleurer la surface. Non seulement le livre est rédigé en langue magique, mais les mots eux-mêmes forment un code.

– Un code dans le code protégé par un sort, renchérit Rayne. Jude ne t'a rien dit ?

Non, Jude ne m'a pas prévenue. L'ignore-t-il ou bien… ?

Romy me fauche le livre et se rue dans l'escalier, Rayne à ses trousses.

– Viens, nous allons te montrer.

Au salon, nous nous asseyons en cercle en nous tenant les mains, le temps de réciter l'incantation qui va desceller le livre. Le mot de passe, en quelque sorte. Nous répétons trois fois la formule suivante :

Révèle-nous, livre unique,
Ton contenu magique.
Accorde-nous de voir
Tes sorts et tes pouvoirs.

Je pose la main à plat sur la couverture de cuir élimée. Le livre s'ouvre de lui-même, les pages tourbillonnent, puis s'immobilisent. Je n'en crois pas mes yeux. Les runes illisibles sont devenues une recette claire et simple !

Abandonnant les jumelles toujours absorbées dans leur lecture, je me précipite dans ma chambre. Je sais exactement quoi faire.

J'ouvre mon placard et m'empare de la boîte reléguée sur l'étagère du haut. Elle renferme les cristaux, bougies, herbes et essences que j'ai utilisés pour fabriquer mes élixirs avant la Lune bleue. Seuls manquent un cône d'encens au bois de santal et un athamé – un poignard rituel à double tranchant, au manche incrusté de pierreries.

Je les matérialise et place le tout sur mon bureau. Après quoi, j'ôte mon talisman et le range dans la commode, à côté de la pochette argentée que Sabine m'a offerte à l'automne. La robe que je compte porter ce soir est trop décolletée pour dissimuler les pierres. D'autant que je n'en aurai plus besoin après le rituel.

Je n'aurai plus besoin de rien.

Je me déshabille et fais couler un bain. D'après le livre, cette première étape est primordiale pour purifier le corps et détendre l'esprit, le débarrasser de l'énergie négative. C'est surtout un temps de méditation sur l'objectif envisagé, le moment de visualiser le résultat à atteindre.

J'ajoute une pincée de sauge et d'armoise, et entre dans la baignoire. Je tiens dans le creux de la main un cristal qui aide à la concentration. Je ferme les yeux et murmure :

Lave et purifie mon âme et mon corps,
Libère mon esprit, réveille mes pouvoirs,
Aiguise la magie qui fuse en moi ce soir,
Et assure-moi ainsi du succès de mon sort.

En même temps, j'imagine la scène : bourrelé de remords, Roman m'implore de lui pardonner sa conduite et me tend l'antidote qui rachètera ses méfaits.

Je me repasse ce petit film jusqu'à en avoir la peau toute fripée. Je sors du bain et enfile un peignoir de satin blanc que je ne porte jamais et qui sera parfait pour l'occasion.

Sur mon bureau, j'allume l'encens et passe la lame trois fois au-dessus de la fumée.

J'en appelle à l'Air :
Souffle et chasse les ombres
Qui voilent cet athamé,
Révèles-en la lumière.

J'en appelle au Feu :
Brûle les impuretés
Et sublime le métal
De cette lame sacrée.

Je conjure aussi l'Eau et la Terre, puis jette une pincée de sel sur la lame afin de la placer sous la protection des plus hautes puissances magiques.

Avec le reste du sel, je dessine sur le sol un cercle pareil à celui que Rayne avait tracé autour de Damen, dans la chambre bleue d'Ava. Puis j'en fais trois fois le tour, l'encens à la main.

Ce cercle que j'entoure,
Que la magie le parcoure.
J'implore ta bienveillance
Et sollicite ta puissance.

J'entre dans le cercle, allume les bougies et m'enduis les mains d'huile. J'invoque à nouveau la force des éléments, puis crée un fin cordon de soie blanche et matérialise Roman, grandeur nature.

Où que tu ailles, mon sort te suivra,
Où que tu te caches, il te retrouvera.
Par ce lien, tes actions se soumettent aux miennes.
Par mon sang, tes pensées deviennent miennes.

Je brandis l'athamé et effleure ma ligne de vie de la pointe de la lame. Une violente bourrasque s'engouffre dans le cercle. Le tonnerre gronde au-dessus de ma tête. Le cordon de soie blanc absorbe chaque goutte de mon sang. Une fois qu'il en est imbibé, je l'attache au cou de Roman, le somme une nouvelle fois de me révéler ce qu'il sait, et le fais disparaître.

Je me lève en nage, frissonnante, folle de joie. Dans quelques heures, j'aurai mon antidote, et aucun obstacle ne se dressera plus entre Damen et moi.

Le vent retombe. Je me penche pour éteindre les bougies et ramasser les pierres, lorsque les jumelles font irruption dans ma chambre et restent bouche bée devant la scène.

— Qu'est-ce que tu fabriques ?! s'écrie Rayne.

— Du calme, les filles. J'ai tout arrangé. Les choses vont rapidement rentrer dans l'ordre.

Je m'apprête à sortir du cercle, quand Rayne hurle :

— Non !

— Ne bouge pas, ajoute Romy. Crois-nous sur parole, pour une fois, et fais ce qu'on te dit.

À quoi jouent-elles ? Le sort a fonctionné, je le sais. Je sens son énergie dans mes veines. Roman ne va pas tarder à...

Rayne interrompt mes pensées.

— Bien joué, Ever. Alors là, bravo. Tu n'as pas remarqué que c'était une nuit sans lune ? Il ne faut jamais pratiquer la magie par une nuit noire ! Jamais, pauvre idiote ! Tu ne te doutes pas de l'ampleur des conséquences ? De la magie noire ! Tu aurais pu le comprendre seule si tu avais les neurones en état de marche !

La réaction de Rayne, sa colère mêlée de terreur me surprend. Je ne vois pas ce que la lune vient faire là-dedans. Le sort a marché. Le reste, c'est du détail.

À moins que... ?

— Sous quels auspices as-tu lancé ton sort ? intervient Romy.

Je me remémore mon incantation.

J'implore ta bienveillance
Et sollicite ta puissance.

J'étais très fière de ma rime, sur le moment. Je la leur répète.

Rayne ferme les yeux.

– C'est pas vrai !

Romy soupire.

– Pendant les nuits sans lune, la déesse s'éclipse et la reine des Ténèbres prend sa place. Concrètement, au lieu de faire appel aux pouvoirs de lumière, tu as sollicité l'aide des puissances de l'ombre.

Et je leur ai demandé de me lier à Roman !

– Y a-t-il un moyen de réparer cette bourde avant qu'il ne soit trop tard ?

– Il est déjà trop tard. Tu n'as plus qu'à attendre la prochaine lune pour tenter de renverser le sort. Si c'est possible.

– Mais…

Je commence à mesurer l'énormité de ma bêtise. Damen m'avait informée que les novices se mêlant de magie se laissaient facilement dépasser et entraîner sur la voie obscure…

Rayne rumine sa rage dans son coin.

– Il n'y a pas grand-chose à faire, dit Romy. Tâche de purifier ton corps et tes outils, brûle ton athamé et croise les doigts pour que tout aille bien. Avec un peu de chance, nous pourrons alors te laisser sortir du cercle sans que s'échappent les vibrations néfastes que tu as générées.

– Avec un peu de chance ? C'est une plaisanterie ? C'est vraiment si grave ?

Rayne lâche un soupir excédé.

– Tu n'as pas idée de ce que tu as déclenché, ma pauvre !

quarante-quatre

Miles et Holt sont les premiers à arriver, main dans la main. La décoration laisse Miles bouche bée.

– Je n'ai même plus besoin d'aller à Florence, on dirait ! Merci, merci, merci !

Il me serre fort dans ses bras avant de reculer d'un pas.

– Oh pardon ! Tu n'aimes pas qu'on te touche, j'avais oublié !

Je lui rends son étreinte.

– Ne t'inquiète pas !

Je suis heureuse, et je n'ai pas l'intention de laisser le pessimisme des jumelles me gâcher la soirée.

Elles sont restées plantées devant moi avec des mines d'enterrement pendant que j'effectuais une méditation d'ancrage et de protection. Je les soupçonne d'en rajouter un peu dans le mélodrame. Après la première montée d'énergie à l'issue du rituel, tout est redevenu normal. Je ne ressentais même plus le besoin de méditer, mais j'ai obéi pour les calmer un peu.

Je reste persuadée que leur réaction était démesurée. Je suis immortelle, dotée d'une force et de pouvoirs qu'elles ne conçoivent même pas. Il est peut-être dangereux pour elles de jeter un sort par une nuit sans lune, mais je doute que cela m'affecte le moins du monde.

J'ai à peine le temps de servir un verre à Miles et Holt que la sonnette se met à tinter sans interruption. L'équipe de *Hairspray* au grand complet envahit le salon, et je ne sais plus où donner de la tête.

Miles me donne une bourrade dans les côtes en désignant Jude qui se sert un verre de punch sans alcool.

– On dirait qu'il n'est pas venu avec Haven, finalement. C'est bon à savoir.

Là-dessus, il s'éloigne avec un clin d'œil.

Jude s'approche tout sourire.

– Magnifique, cette soirée ! J'ai bien envie de partir en Italie, moi aussi !

J'approuve distraitement. Je me demande s'il me trouve changée – une énergie nouvelle, un pouvoir accru ? Il se borne à lever son verre avec insouciance.

– Paris ! J'ai toujours rêvé de visiter Paris. Londres et Amsterdam aussi. Toutes les grandes capitales européennes, en fait.

J'avale de travers. Les villes de notre passé commun ! En conserve-t-il un vague souvenir quelque part dans son inconscient ?

Je toussote avec embarras.

– Vraiment ? C'est drôle, je te voyais plutôt en baroudeur écolo, écumant les mers du Sud en quête de la vague parfaite !

Il rit.

– Pourquoi pas ? Tiens, regarde qui arrive !

Je me retourne pour voir entrer Haven. On dirait une petite souris, coincée entre Roman, l'extravagante beauté brune que j'ai aperçue l'autre jour à la boutique où elle travaille, et le garçon qui discutait avec Roman devant la salle d'histoire, ce matin. Trois immortels magnifiques, sans aura ni scrupule. Dire que Haven les a invités chez moi !

Je me concentre sur Roman, tout en cherchant instinctivement mon talisman, me rappelant finalement que j'ai choisi de ne pas le porter ce soir. Pas de panique, je n'en ai plus besoin. Je contrôle la situation. Si Roman est ici, c'est parce que je l'ai décidé.

Haven sourit.

– J'ai pensé que deux personnes de plus ne feraient pas grande différence, pas vrai ?

Elle a changé. Adieu la frange bleue. Une mèche blond platine épouse la courbe de sa joue et offre un étonnant contraste avec le brun de ses cheveux. Fini aussi la phase « emo » noir sur noir. Elle porte une robe vintage – un vintage postapocalyptique, en cuir et dentelle. Il me suffit d'un coup d'œil à sa nouvelle amie pour reconnaître l'influence de ce nouveau look.

La mystérieuse beauté brune me tend la main.

– Bonsoir, je m'appelle Misa.

Je détecte une trace d'accent indéfinissable dans sa voix. Je lui serre la main. Un choc glacial me court dans les veines à son contact. C'est bien une immortelle. Quant à savoir s'il s'agit de l'une des rescapés de l'orphelinat ou si son immortalité est plus récente, mystère !

– Et tu connais Roman, bien sûr.

Haven esquisse un petit geste de la main, et je remarque que leurs doigts sont entrelacés. Je ne réagis pas. D'ailleurs, cette découverte me laisse froide.

Dans quelques minutes, Roman va se plier à mes exigences et me remettre l'antidote. C'est l'unique raison de sa présence. Haven indique l'autre immortel d'un léger signe de tête.

– Je te présente Rafe.

Voilà donc le petit groupe dont parlaient Romy et Rayne. Il ne manque que Marco, le propriétaire de la Jaguar. Quelles que soient leurs intentions, le simple fait qu'ils accompagnent Roman justifie l'inquiétude des jumelles.

Haven entraîne Misa et Rafe au salon pour les présenter à Miles et aux autres, tandis que Roman se campe devant moi. Son regard se pose sur ma robe bleue, mon décolleté – là où mon amulette devrait se trouver.

– J'avais presque oublié à quel point tu es ravissante, quand tu t'en donnes la peine. Ce doit être pour ton nouveau chevalier servant. Au fait, où est Damen ? Lui aurais-tu donné un baiser empoisonné, comme dans les mauvais contes de fées ?

Il n'a pas changé – pas le moins du monde. L'accoutrement du parfait surfeur avec ses cheveux artistement décoiffés, ses yeux trop bleus, son regard lubrique. Pourtant nous savons l'un et l'autre que rien n'est plus pareil. Son petit manège n'est qu'une tentative pathétique pour sauver la face avant de me donner ce que je veux.

Il jette un coup d'œil vers le saladier de punch.

– Tu comptes m'offrir un verre, ou faut-il que je me serve tout seul ?

– Tu n'aimeras pas. Ce n'est pas ton cocktail préféré, si je me rappelle bien.

Il sort une bouteille de sa sacoche.

– Quelle mémoire, ma chère ! Tu veux goûter, Jude ? Ça change la vie... littéralement.

Jude semble hypnotisé par le liquide rouge qui miroite devant lui.

Sur ces entrefaites, les jumelles dévalent les escaliers et stoppent net en voyant Roman, qui les gratifie d'un grand sourire.

– Tiens donc ! Les pensionnaires venues d'un autre siècle ! J'adore votre nouveau look, surtout le tien, ma mini-punkette.

Rayne esquisse une grimace de dégoût et tire sur le bas de sa robe.

J'interviens :

– Remontez là-haut, je…

Je m'apprête à leur dire que je les rejoins dans une minute, quand Jude me devance.

– Je peux les raccompagner, si tu veux.

Je n'aime pas l'idée d'envoyer Jude chez Damen, qui risque de ne pas apprécier son intrusion. Mais je n'ai pas le choix. Tant que Roman est là, je ne peux pas partir.

Rayne me tire par la manche, alors que je les raccompagne à la porte.

– Je ne sais pas ce que tu as fait, mais je sens que quelque chose de terrible se trame. Un grand chambardement s'annonce, et cette fois, tu as intérêt à y regarder deux fois avant d'agir.

quarante-cinq

Au retour de Jude, Roman monopolise le Jacuzzi. Il s'amuse à faire des vagues, histoire d'attirer l'attention sur son corps bronzé d'athlète. Il invite tout le monde à le rejoindre, mais je me borne à observer la scène en spectatrice muette. Jude vient s'asseoir à côté de moi.

– Tu n'appartiens pas au fan-club ?

Je réprime une grimace, sans quitter des yeux Haven qui s'accroche aux épaules de Roman, l'aura en feu d'artifice. Elle ne se doute pas qu'il n'est pas là pour elle. C'est à moi qu'il est lié désormais.

– Tu t'inquiètes pour ton amie, ou pour autre chose ?

Je joue avec le bracelet en argent orné de cristaux que Damen m'avait offert à l'hippodrome. Pourquoi ne se passe-t-il rien ? Si le sort a fonctionné – et j'en suis certaine – comment se fait-il que Roman ne m'ait pas encore remis l'antidote ?

Je me tourne vers Jude.

– Les jumelles sont arrivées à bon port ?

– Oui. Damen avait peut-être raison de croire que ce livre est trop puissant pour elles.

Je croise les doigts mentalement pour que Damen ne sache jamais que j'ai saboté son apprentissage.

Jude déchiffre mon silence tendu.

– Ne t'inquiète pas, je me suis bien gardé de le lui dire.

Je soupire de soulagement.

– Damen ? Tu l'as vu ?

Son nom résonne dans ma tête. Qu'a-t-il bien pu ressentir en découvrant sur le pas de sa porte son rival de quatre siècles, flanqué de Romy et de Rayne ?

– Il n'était pas là. Les petites étaient si agitées que j'ai préféré l'attendre avec elles. Quelle maison il a, je n'en reviens pas !

Je me demande si Damen a recréé sa pièce aux souvenirs, et si les jumelles l'ont fait visiter à Jude.

– Évidemment, il était un peu surpris de me trouver devant la télévision dans son salon. Je lui ai expliqué la raison de ma présence, et il ne l'a pas mal pris.

– « Pas mal pris » ?

Jude pose sur moi son regard franc et ouvert, tel celui d'un amant.

Je baisse les yeux.

– Que lui as-tu dit exactement ?

Jude se penche vers moi et me glisse dans le creux de l'oreille :

– J'ai un peu travesti la vérité. Je lui ai raconté avoir aperçu les jumelles à l'arrêt du bus et décidé de les raccompagner. C'était bien trouvé, non ?

Je reporte mon attention vers le Jacuzzi. Roman juche Haven sur ses épaules, Holt prend Miles sur les siennes, et une joyeuse bataille commence. En surface, du moins. Une fraction de seconde, je croise le regard de Roman où s'allume une lueur narquoise, comme s'il savait ce que j'ai manigancé. Puis plus rien. Le jeu reprend, et je me demande si je n'ai pas rêvé.

Je n'ose pas regarder Jude.

– Génial. Merci.

J'ai bien peur que ce ne soit tout le contraire – et par ma faute, en plus.

quarante-six

Après trois tentatives infructueuses, Miles abandonne l'idée de me faire barboter dans le Jacuzzi avec le reste de la troupe et émerge de l'eau.

– Bon, alors ? C'est quoi, le problème ? Tu l'as, ton maillot de bain, je vois les bretelles !

Hilare, il m'extirpe de ma chaise longue et me serre fort contre son torse ruisselant.

– Ever, est-ce que je t'ai déjà dit à quel point je t'aime ? Tu le sais, pas vrai ?

J'essaie de me dégager gentiment. Holt m'adresse une petite grimace et tente de convaincre Miles d'arrêter de me dégouliner dessus.

Miles ne s'en laisse pas conter. Il est bien décidé à dire ce qu'il a sur le cœur. Même s'il vacille et a du mal à tenir debout.

– Je suis très sérieux, Ever. Avant ton arrivée, j'étais seul avec Haven. Et maintenant que tu es là, nous ne sommes plus seuls, tu vois ce que je veux dire ?

J'échange un regard avec Holt en essayant de réprimer un fou rire.

– Oh, comme c'est gentil, Miles !

Holt le soutient sous un bras, et moi sous l'autre. Direction la cuisine, pour un café bien corsé.

Nous installons Miles sur un tabouret au moment où Haven surgit avec son escorte immortelle.

Ils sont tous rhabillés, leur serviette humide à la main.

– Vous partez déjà ?

– Oui. Misa et Rafe travaillent tôt demain, et Roman et moi avons un rendez-vous.

J'observe Roman.

Ce n'est pas normal ! Il s'en va sans m'avoir remis l'antidote ! Il ne m'a même pas présenté ses excuses comme je l'avais visualisé ! Comment peut-il partir contre ma volonté ? Il est censé m'obéir !

Je les raccompagne à la porte, le cœur battant. Quelque chose ne tourne pas rond. J'ai suivi à la lettre les instructions du livre, et pourtant j'ai le sentiment affreux qu'un grain de sable s'est glissé dans l'engrenage. Rien dans la démarche, le regard ou le sourire de Roman n'indique que la déesse ou la reine des Ténèbres aient exaucé mes vœux. Au contraire.

– Où allez-vous ?

Haven lève un sourcil, un petit sourire amusé aux lèvres. Roman passe un bras autour de ses épaules.

– Soirée privée. Tu es invitée, si tu veux. N'hésite pas à nous rejoindre, quand ta petite fête sera finie.

Je soutiens brièvement son regard, avant de me concentrer sur Haven pour voir ce qui se passe dans sa tête. Je me heurte à une barrière, comme si l'on avait érigé un mur de brique entre nous.

Roman ouvre la porte.

– Tout va bien, Ever ? Tu n'as pas l'air dans ton assiette.

L'arrivée de Jude me dispense de répondre.

– Quelqu'un a vomi sur le tapis ! clame-t-il.

Le temps de tourner la tête, ils sont déjà dans l'allée.

– Désolé de te faire faux bond, Ever, me lance Roman. La nuit vient à peine de commencer. On se retrouvera un peu plus tard, qui sait ?

quarante-sept

Je pensais que le coupable était Miles. Eh bien non, je le découvre parfaitement sobre, aidant à réparer les dégâts avec le sourire.

– C'est de la technique d'acteur, pas vrai ? *Viva Firenze* ! s'époumone-t-il, le poing dressé.

Je lui tends une serpillière propre. J'ai un peu honte de le laisser s'échiner ainsi, alors qu'il me suffirait de matérialiser un nouveau tapis une fois les invités partis.

– Tu n'avais rien bu, c'est vrai ?

– Rien du tout ! C'est ça, le génie : tout le monde a cru que j'étais saoul comme un cochon !

– Je n'irais pas jusque-là. Un peu pompette, disons !

Jude arrive avec une bassine pour récupérer la serpillière.

– Tu la mets dans la machine ?

– Non, voyons, directement à la poubelle ! Miles, sais-tu qui a apporté de l'alcool ?

– Ce que tu es naïve, ma pauvre Ever ! Désolé de ruiner tes illusions, mais quand tu invites des amis chez toi, ça s'appelle une fête. Et dans une fête, il y a toujours de l'alcool, que tu le veuilles ou non ! Beurk, ce tapis est irrécupérable ! Tu ne veux pas le jeter ? On déplace quelques meubles, et le tour est joué. Sabine n'y verra que du feu.

Le tapis est le dernier de mes soucis. Roman s'est montré plus arrogant et menaçant que jamais. Il a accompagné Haven à un mystérieux rendez-vous que je ne parviens pas à deviner. Et quand il a parlé de se retrouver plus tard dans la soirée, qu'a-t-il voulu dire ? Faisait-il allusion au sort qui nous lie, ou à quelque chose de pire ?

Miles va se laver les mains, et je le suis dans la cuisine. Il me presse contre son cœur.

– Merci pour la soirée, Ever. Je ne sais pas ce qui se passe avec Damen et je ne voudrais surtout pas me mêler de ce qui ne me regarde pas, mais j'ai quelque chose à te dire et j'aimerais que tu m'écoutes. D'accord ?

Je hoche la tête, l'esprit ailleurs.

– Tu as droit au bonheur, Ever. Tu le mérites. Tant mieux si tu es heureuse avec Jude. Tu ne dois surtout pas te sentir coupable.

Il attend une réponse, une réaction, qui ne vient pas.

– Bon, quand il y en a un qui vomit, c'est que la fête est finie. On va y aller, Holt et moi. Nous nous reverrons avant mon départ, d'accord ?

– D'accord. Au fait, Miles, Haven t'a-t-elle dit où ils allaient ?

– Chez une voyante, je crois.

Mon malaise s'amplifie.

– Tu te rappelles, l'autre jour, quand tu as refusé de l'inscrire avec cette fille, Avalon ? Elle en a parlé à Roman, et il lui a obtenu un rendez-vous avec quelqu'un d'autre.

Je consulte une montre imaginaire.

– À cette heure-ci ?

– Apparemment. Allez, salut !

Il monte dans la voiture de Holt. J'hésite à prendre la

mienne pour essayer de rattraper Roman et Haven, m'assurer qu'elle va bien.

Je m'acharne à capter son énergie. Silence radio. Je renouvelle la tentative, mais suis interrompue par Jude.

— Miles a raison, tu devrais jeter le tapis. Ça empeste.

J'opine vaguement.

— Tu sais comment on peut réparer ça ? reprend-il.

— Avec du marc de café.

Ma mère avait usé de ce procédé le jour où Caramel avait vomi sur la moquette de Riley.

Il me prend le bras et m'entraîne vers la terrasse.

— Peut-être. Personnellement, je connais un moyen plus radical : établir une bonne distance entre le tapis et nous. C'est vrai ! Tu t'es donné un mal fou pour tout organiser, décorer, et tu as passé la soirée seule dans ton coin.

— Ce n'était pas vraiment la mienne. C'était celle de Miles.

Son sourire apaise mes nerfs à fleur de peau.

— Et alors ? Il n'est pas interdit d'en profiter, non ? Et puis, tu as l'air un peu stressée depuis quelque temps. Tu connais le remède imparable contre le stress ? Les bulles.

— Les bulles ?

Il pointe le doigt vers le Jacuzzi avec un clin d'œil complice, puis va chercher deux serviettes propres qu'il pose près du bord.

L'eau bouillonne doucement, comme un appel. Au fond, je n'ai rien à perdre. Au contraire, j'ai besoin de m'éclaircir les idées si je veux trouver une solution de repli. Je tourne le dos à Jude pour ôter ma robe. Pudeur excessive, puisqu'il va me voir en bikini dans quelques secondes, mais je n'ose me déshabiller devant lui.

Cela me rappellerait trop la jeune fille rousse du tableau.

Jude s'approche de l'eau et y trempe l'orteil. Ses yeux s'écarquillent et j'éclate de rire.

— Tu es sûr de vouloir y aller ?

Je croise les bras devant moi comme si j'avais froid — pour me dissimuler à son regard, en réalité. Comment ne pas remarquer que l'aura de Jude lance des étincelles à mon approche ?

— Sûr et certain.

Je m'immerge à mon tour dans l'eau chaude. Je me laisse glisser jusqu'aux épaules. Ce bain de bulles est probablement la meilleure décision que j'aie prise depuis très longtemps. Je ferme les yeux et pose la tête contre le bord.

— Tu me laisses une petite place ? demande Jude.

Paupières mi-closes, je le regarde retirer son tee-shirt, sortir *in extremis* son téléphone de sa poche et le poser sur une serviette. Après quoi, il entre dans le bain et s'assoit à côté de moi en riant. Je ne vois plus que ses fossettes, et ces yeux incroyables, couleur aigue-marine, que je connais depuis si longtemps.

Il s'étire, renverse la tête et pose les coudes sur le rebord, derrière lui.

— C'est la belle vie ! Tu en profites tous les jours, j'espère, à moins qu'on ne doive te forcer à y entrer ?

— Parce que tu m'as forcée, peut-être ?

— J'ai quand même dû employer la persuasion ! Je ne sais pas si on te l'a déjà dit, mais tu es un peu trop sérieuse, quelquefois. Non pas que ce soit un défaut, au contraire…

Impossible de détourner la tête, son regard m'envoûte littéralement. Je suis lasse de résister à cette attirance. Je ferme les yeux. Juste un baiser. Le baiser de Jude… de Bastiaan. Pour en avoir le cœur net. Savoir si les craintes de Damen sont justifiées ou non.

La main de Jude se pose sur mon genou, m'insufflant son énergie sereine, apaisante, tandis qu'il approche son visage tout près du mien.

La sonnerie du téléphone brise le charme.

– Je dois répondre, tu crois ?

– À toi de décider. C'est mon jour de repos.

Il se met debout, attrape une serviette et son portable. J'admire ses épaules carrées, son dos aux muscles bien dessinés. Quelque chose retient mon attention, à moitié caché par son short. On dirait un petit cercle noir...

Jude pivote sur ses talons, le téléphone à la main, sourcils froncés.

– Allô ? Qui est-ce ?

Il me sourit, mais je sais ce que j'ai vu.

Un petit serpent qui se mord la queue.

L'Ouroboros.

Le symbole mystique, emblème de Roman et de sa bande d'immortels hors-la-loi.

Tatoué au bas du dos de Jude.

Je cherche mon talisman à tâtons. Mes doigts ne rencontrent que ma peau nue...

Serait-ce encore une ruse de Roman ? La raison pour laquelle mon sort n'a pas fonctionné ?

Jude me regarde, l'air surpris.

– Ever ? Oui, elle est là... d'accord.

Il me tend son téléphone, mais je sors de l'eau à toute vitesse sous ses yeux éberlués.

J'enfile ma robe, qui me colle à la peau mais je m'en moque. J'essaie vainement de déterminer lequel des sept chakras pourrait être le point faible de Jude.

Il sort du Jacuzzi à son tour et me présente son portable.

– C'est pour toi.

– Qui est-ce ?

Il me jette un regard inquiet.

– Ava. Elle dit que c'est très urgent. Tu es sûre que ça va, Ever ?

Non, ça ne va pas du tout.

Je recule d'un pas et tente de percer son aura pour lire dans son esprit. Je me heurte au barrage qu'il a édifié.

– Comment connaît-elle ton numéro ?

– Elle travaillait pour moi, je te rappelle. Tu peux me dire ce qui se passe, Ever ?

J'essaie de calmer mon cœur en furie, me répétant que je suis capable de me défendre le cas échéant.

– Pose le téléphone ici, dis-je en désignant une chaise longue.

– Quoi ?

– Pose ce fichu téléphone ! Maintenant, écarte-toi. Tu n'as pas intérêt à approcher, compris ?

Il obtempère à contrecœur.

Je ramasse le portable sans quitter Jude des yeux.

– Ava ?

– Ever ? Écoute, il n'y a pas une minute à perdre. Il est arrivé quelque chose de terrible à Haven – elle est au plus mal. Viens vite chez Roman. Nous risquons de la perdre.

– Quoi ? Qu'est-ce que tu racontes ?

– Ne discute pas et viens ! Tout de suite !

– Appelle une ambulance ! Ava !

J'entends des bruits étouffés, puis la voix mielleuse de Roman.

– Non, ma beauté. Ni ambulance ni police. Il faut jouer le jeu et venir en personne. Ta petite camarade voulait qu'on lui prédise l'avenir et malheureusement, pour l'instant, il n'est pas brillant. Sa vie ne tient qu'à un fil, Ever. À un fil, tu as entendu ? Alors décide-toi. Tu as intérêt à te presser. Il est temps de résoudre l'énigme.

Je lâche le téléphone et fonce vers le portail. Dans mon dos, Jude me crie de lui expliquer. Quand il commet l'erreur de poser la main sur mon épaule, je lui colle une gifle qui l'envoie valser au bord du Jacuzzi.

– Prends tes affaires et débarrasse le plancher ! Je ne veux plus jamais te revoir !

Je m'élance dans la rue à un train d'enfer. Pourvu qu'il ne soit pas trop tard !

quarante-huit

Je cours à fond de train. Mes muscles me propulsent d'instinct, comme une machine bien huilée. Je parviens chez Roman quelques secondes plus tard.

Des secondes qui me paraissent des heures.

Et je tombe nez à nez avec lui.

Damen.

Arrivé au même moment.

Le temps s'est arrêté. Il est là, devant moi, plus resplendissant que jamais dans la clarté des lampadaires. Il murmure mon nom avec une ferveur analogue à la mienne, me rassurant sur ses sentiments.

Mon émotion bouillonne, déborde. J'ai tant de choses à lui dire. Je me blottis dans ses bras qui m'enlacent étroitement. Je voudrais me fondre en lui, ne plus le laisser repartir. Sa main dans mon dos réchauffe chaque parcelle de mon corps.

Roman ouvre la porte.

– Ah, vous voilà ! Il était temps !

Damen se rue sur Roman et le plaque contre le mur. Je me précipite dans le salon pour trouver Haven étendue sur le canapé, le teint cireux, respirant à peine. Ava est à genoux à côté d'elle.

– Je sais que tu es de mèche avec Roman. Qu'as-tu fait à Haven ?

Je suis prête à lui décocher un coup bien senti dans son chakra racine, celui qui commande à la vanité et la cupidité. Damen a peut-être déjà éliminé Roman – je n'éprouverais aucune pitié si c'était le cas.

Je me penche sur mon amie et lui saisis le poignet pour sentir son pouls.

Le visage blême auréolé de ses cheveux auburn en bataille, Ava m'implore de ses grands yeux bruns – son regard me rappelle quelque chose, mais quoi ? Je n'ai pas le temps de creuser la question.

– Je n'y suis pour rien, Ever, je t'assure. C'est la vérité, même si tu ne me crois pas.

– Tu as raison, je ne te crois pas.

Sous mes doigts, la peau de Haven est glacée. Son aura s'estompe à mesure que sa vie s'éteint. Elle a l'air paisible, détachée, inconsciente du fait qu'elle va bientôt quitter ce monde, à moins que je ne puisse inverser la situation.

– Ce n'est pas ce que tu crois, Ever ! On m'a demandé de tirer les cartes ce soir, et quand je suis arrivée, elle était déjà dans cet état.

– Arrête de mentir ! Tu savais très bien que ton cher ami Roman avait besoin de tes services !

– Non ! J'ai essayé de la ranimer, mais…

– Mais quoi ? Pourquoi as-tu appelé Jude et pas une ambulance ?

Je cherche mon sac, mon portable : je suis venue les mains vides. Je crée un téléphone, au moment où Roman entre dans la pièce.

Je cherche désespérément Damen des yeux. En vain. Mon cœur se serre.

Roman éclate d'un grand rire.

– Il n'est pas aussi rapide que moi ! Il a pris un sacré coup de vieux, le pauvre !

Il escamote mon téléphone.

– Ne sois pas ridicule, poulette. Tu sais très bien que cela dépasse la médecine. Ta petite protégée a bu une infusion de belladone – un poison violent, autrefois surnommé « l'implacable ». Tu devines pourquoi ? Toi seule peux la sauver maintenant.

Damen surgit derrière Roman ; il a l'air visiblement nerveux et me lance un regard circonspect. Il tente de me signifier quelque chose, mais la télépathie ne fonctionne plus. Je ne perçois qu'un écho indistinct.

Roman écarte les bras en souriant.

– L'heure est venue, Ever ! Le moment tant attendu !

Il reprend son sérieux et me toise méchamment.

– C'est très simple, ma beauté. Même toi, tu devrais pouvoir comprendre l'énigme. Tu te rappelles le jour où tu es venue chez moi marchander le prix à payer ?

Je lis l'effroi, l'incrédulité et le chagrin dans les yeux de Damen, et me hâte de détourner la tête.

Roman porte une main à sa bouche.

– Oups ! Désolé ! J'avais oublié que c'était notre petit secret ! Tu me pardonneras cette légère indiscrétion – question de vie ou de mort, tu comprends ? Bon, petit résumé des épisodes précédents à l'intention d'Ava et Damen : Ever est venue chez moi dans l'espoir de passer un marché. C'est qu'elle est très impatiente de concrétiser sa relation avec son chéri, comprenez-vous ?

Damen lutte pour garder son sang-froid, tandis que Roman verse de l'élixir dans un verre en cristal.

Je ne bronche pas. Mort ou vif, il gagnera à tous les coups. C'est lui qui fixe les règles du jeu. Impossible de savoir depuis combien de temps il orchestrait cette sinistre mascarade et me manipulait comme un pantin, à mon insu.

Damen abandonne la télépathie.

– Ever ? Il dit la vérité ?

J'évite son regard.

– Arrête de tourner autour du pot, Roman. Viens-en au fait ! je hurle.

– Ever ! Tu es toujours aussi pressée ! C'est ridicule pour quelqu'un qui a l'éternité devant soi. Allez, je suis bon prince. Alors, tu n'as pas ta petite idée, un indice ?

Je considère Haven qui agonise. Je ne vois pas du tout où il veut en venir.

– Tu te souviens quand tu es venue à la boutique ?

Du coin de l'œil, je vois l'énergie de Damen qui s'agite.

– Je suis venue pour Haven, pas pour toi. Je t'ai croisé par hasard.

– Je parle de l'énigme. « Donne aux gens ce qu'ils désirent. » La mémoire te revient ?

Je reste muette.

– Bon, je répète ma question : à quoi tout le monde aspire-t-il, à ton avis ? Allez, un petit effort. Arrête de te regarder le nombril, pour changer, et ouvre-toi un peu aux autres. C'est aux antipodes de l'élitisme étriqué qui vous est si cher, à Damen et à toi. Exactement le contraire. Je n'hésite pas à partager mes dons, moi. Avec ceux que j'en estime dignes, en tout cas.

Je commence à comprendre le monstrueux défi qu'il me lance, le prix exorbitant qu'il exige de moi.

– Non !

Ava et Damen ne disent mot. L'enjeu leur échappe.

– Non, non et non ! Tu ne m'obligeras pas à faire une chose pareille !

Un lent sourire retrousse ses lèvres, tel le chat dans *Alice au pays des merveilles*.

– Loin de moi l'idée de te forcer, Ever. Ce ne serait pas drôle. De même que tu ne peux pas m'obliger à faire tes quatre volontés avec un pauvre sort minable – même en appelant les forces de l'Ombre à la rescousse. Quelle bêtise, Ever ! C'est très mal de jouer avec la magie quand on n'y connaît rien. Si j'avais su en vendant ce livre, il y a des années, qu'il tomberait entre tes mains ! Une minute… Peut-être que je le savais, finalement !

Je reçois ces paroles comme une claque. *Jude*. Roman a-t-il vraiment vendu *Le Livre des Ombres* à Jude ? Sont-ils complices depuis le début ?

– Pourquoi fais-tu cela ?

J'en oublie Ava et Damen. À croire qu'ils n'existent plus. Que Roman et moi sommes seuls au monde.

– C'est très simple. Toi qui vois l'existence en noir et blanc, en bien ou en mal, qui te crois au-dessus des contingences, voici l'occasion de démontrer que tu ne me ressembles pas. Si tu y parviens, j'exaucerai tes désirs. L'antidote sera à toi, et Damen avec. C'est tout ce qui t'intéresse, n'est-ce pas ? Tant d'efforts pour une lune de miel ! Tu n'as qu'à regarder mourir ton amie, et le tour est joué. « Ils furent heureux et eurent beaucoup d'enfants… » À condition que Damen soit à la hauteur, bien entendu.

– Non ! Jamais !

– « Non » quoi ? Sois un peu plus claire, ma douce, le temps presse…

Je m'agenouille près de Haven. Ava secoue tristement la tête. Damen – mon amour éternel, mon âme sœur, que j'ai si souvent déçu – m'implore du regard de renoncer à la folie que je m'apprête à commettre.

– Si tu hésites trop longtemps, elle mourra. Et si tu la ressuscites, tu t'exposes à quelques complications, je ne te le cache pas. Réfléchis bien. Une petite gorgée d'élixir et hop ! elle se réveille en pleine forme, pour toujours. C'est bien ce que veulent les gens, non ? Jeunesse et beauté éternelles. Santé et vitalité. Pas de vieux os, pas de vieilles peaux – et plus jamais peur de la mort. Un avenir lumineux à perte de vue. Qu'en dis-tu, Ever ? Soit tu restes sur ton piédestal avec tes dons et tes pouvoirs : tu prouves que tu n'es pas comme moi, tu laisses mourir ton amie, et l'antidote te revient. Soit tu la sauves, tu lui offres le ticket gagnant, la beauté et la force dont elle n'aurait jamais osé rêver. Et tu ne seras plus obligée de lui dire adieu. Tu as le choix, mais pas toute la nuit pour te décider.

J'entends Damen derrière moi :

– Ever, mon amour, écoute-moi. Tu ne peux pas le faire. Tu dois la laisser partir. Il ne s'agit pas de nous – nous trouverons bien une solution, je te le promets. Tu ne la sauverais pas, de toute façon. Tu connais les risques. Tu as entrevu le pays des Ombres, tu ne peux pas la condamner à subir un tel sort.

Roman éclate de rire.

– Hou là ! Le pays des Ombres ! Maman, j'ai peur ! Dis-moi, Damen, serais-tu toujours accro à la méditation transcendantale ? Tu veux toujours franchir l'Himalaya en quête du Graal ?

Les arguments, le pour et le contre, se bousculent dans ma tête.

Ava intervient :

— Ever, Damen a raison.

Je la fusille du regard. Comment ose-t-elle me faire la morale ? Je lui avais confié Damen et elle nous a trahis. Elle l'a abandonné alors qu'il était vulnérable. Le vrai petit soldat de Roman.

— Écoute, Ever, insiste-t-elle. Je sais que tu ne me fais pas confiance, et je ne t'en veux pas. Je t'expliquerai un jour, je te le promets. En attendant, écoute Damen. Il sait de quoi il parle. Tu ne peux pas sauver ton amie. Tu dois la laisser partir.

— Rafraîchis-moi la mémoire, Ava : n'est-ce pas toi qui t'es enfuie avec une bouteille d'élixir ? Tu veux me faire gober que tu n'y as pas touché ?

— Tu n'y es pas du tout, Ever !

Je ne l'écoute plus, les yeux braqués sur Roman, qui agite le liquide rouge dans le verre.

— Alors, Avalon ? Haven voulait connaître son avenir… Je crois que tu es la mieux placée pour nous le révéler, non ? Dommage que Jude ne soit pas là. Nous aurions pu célébrer dignement l'événement – ou organiser une veillée funèbre. À propos, que lui est-il arrivé ? Quand je vous ai quittés, vous aviez l'air… euh… très proches.

Je déglutis à grand-peine. La vie de Haven ne tient qu'à un fil. Qu'il est en mon pouvoir de couper ou de…

— Je ne voudrais pas te presser, mais l'heure de vérité est arrivée. Ne déçois pas cette pauvre Haven. Elle était tellement contente à l'idée de connaître son avenir. Alors, mort immédiate ou vie éternelle ? À toi de jouer.

Damen pose une main sur mon bras. Entre nos épidermes vibre le voile d'énergie, conséquence d'une autre de mes monumentales erreurs.

– Ever, je t'en prie, ne fais pas ça. Tu sais que ce ne serait pas juste envers elle. C'est difficile à accepter, mais tu dois lui dire adieu. Tu n'as pas le choix.

Roman brandit le verre sous mon nez.

– Bien sûr que tu as le choix ! La question est de savoir jusqu'à quel point tu tiens à tes nobles idéaux – et à ton cher Damen.

– Ever, réfléchis, tu vas enfreindre les lois de la nature, renchérit Ava.

Je ferme les yeux, incapable de bouger, d'agir, de choisir.

Roman me siffle à l'oreille :

– Bravo, Ever. Tu as prouvé que tu n'es pas comme moi. Au contraire. Tu es une élitiste pure et dure – et cela te donne le droit de perdre ton pucelage avec ce bon vieux Damen. Bien joué ! Et à quel prix ? Trois fois rien, une vie humaine, celle de ta meilleure amie – pauvre petite âme triste et solitaire qui ne désirait qu'une chose : ce que tu possèdes et refuses de partager. Les félicitations s'imposent, non ?

Agenouillée devant Haven, je sens les larmes ruisseler sur mes joues. Ma pauvre Haven, qui n'a rien fait pour mériter cela et paye très cher le fait de m'avoir eue comme amie. Les voix de Damen et Ava se confondent en une mélopée qui m'assure que j'ai effectué le bon choix, que tout ira bien.

Soudain, je distingue le fil d'argent qui relie le corps et l'âme. J'en avais connaissance, sans l'avoir jamais vu. Il s'étire, s'effiloche, prêt à se rompre – à expédier Haven dans l'Été perpétuel.

Je bondis sur mes pieds, arrache le verre des mains de Roman et donne une gorgée d'élixir à Haven.

C'est à peine si j'entends les cris d'Ava, la voix suppliante de Damen, les applaudissements de Roman, son rire gras.

Rien ne compte plus.

Je n'ai d'yeux que pour Haven. Je ne peux pas la laisser partir – la regarder expirer.

Je m'accroupis, sa tête posée sur mes genoux. Au bout de quelques secondes, ses joues reprennent des couleurs. Elle ouvre les yeux et me découvre penchée sur elle. Elle se redresse et nous dévisage l'un après l'autre.

– Qu'est-ce que je… ? Où suis-je ?

Je reste sans voix, incapable de trouver les mots. Voilà ce que Damen a dû ressentir en me ressuscitant. Seulement cette fois, c'est pire. Contrairement à moi, il ne savait rien du pays des Ombres.

Moi, si.

Roman s'approche pour aider Haven à se remettre debout. Il me décoche un clin d'œil appuyé au passage.

– Eh bien, tu vois, Ever et Damen ont décidé de se joindre à nous. L'avenir s'annonce des plus radieux ! Tu as eu un petit malaise, et Ever t'a donné à boire. Elle pensait qu'un peu de sucre te ferait du bien – et elle n'avait pas tort. S'il te plaît, Ava, tu veux bien nous préparer du thé ? J'ai mis la bouilloire sur le feu.

Ava obéit. Ses yeux cherchent les miens, mais je détourne la tête. Je n'ose pas la regarder. Ni elle, ni personne. J'ai trop honte.

Roman enfonce le clou.

– Content de te voir ralliée à ma cause, Ever. Je te l'avais dit – nous sommes pareils, toi et moi. Liés pour l'éternité. Pas à cause de ton petit sortilège miteux. Non, parce que c'est notre avenir, notre destin. Considère-moi comme ta nouvelle âme sœur. Ne prends pas cet air offensé, susurre-t-il. Jusqu'à présent, tu as suivi le script à la lettre. Tu n'en as pas dévié une seule fois.

quarante-neuf

Damen se penche vers moi et m'enveloppe d'un regard caressant.

– Ever, regarde-moi.

Je fixe obstinément les yeux sur l'océan, dont les eaux sombres se fondent dans l'obscurité.

Océan d'encre, nuit sans lune – et ma meilleure amie condamnée au pays des Ombres par ma faute.

Je descends de voiture et m'avance au bord de la falaise. Je sens l'énergie de Damen derrière moi, quand il pose une main sur mon épaule.

– On va s'en sortir, tu verras.

Je fais volte-face.

– Comment ? Tu comptes lui fabriquer un talisman et la convaincre de le porter tous les jours ?

Il effleure mon cou du bout des doigts, là où aurait dû se trouver mon amulette.

– J'en doute, puisque j'ai échoué avec toi. Au fait, où est-il ? Pourquoi l'as-tu enlevé ?

Je me tourne face à l'océan. Je ne tiens pas à baisser davantage dans son estime en lui avouant que j'avais tellement confiance dans mon misérable sortilège que j'ai dédaigné la protection qu'il m'avait procurée.

– Que vais-je dire à Haven ? Comment lui expliquer

que je lui ai donné la vie éternelle, et que si par malheur elle venait à mourir, son âme serait vouée aux ténèbres ?

– On va trouver un moyen, Ever. On va...

Je m'écarte.

– Comment peux-tu dire ça ? Comment...

– Comment quoi ?

Il s'approche et me serre contre lui. Je ne résiste pas. Je voudrais pouvoir me glisser sous sa peau, me pelotonner près de son cœur et y rester pour toujours, bien à l'abri au creux de ses bras.

– Tu te demandes comment je peux te pardonner de ne pas avoir laissé ton amie mourir les bras croisés ? D'avoir sacrifié ce que tu cherches depuis des mois ? Des siècles ? D'avoir gâché l'occasion d'être enfin réunis, tous les deux, pour que ton amie puisse vivre ? C'est bien ça ? C'est très simple, Ever. J'ai agi de même quand je t'ai offert l'immortalité. L'aurais-tu déjà oublié ? À la différence que ton geste était désintéressé, alors que le mien était purement égoïste. Je cherchais surtout à soulager mon chagrin. J'étais persuadé de ne penser qu'à toi, alors que je privilégiais mon propre intérêt. Je ne t'ai jamais laissée libre de tes choix. C'est pour moi-même que je t'ai ramenée à la vie. J'ai fini par le comprendre...

J'aimerais croire que mes intentions étaient nobles et altruistes, mais il se trompe. Contrairement à lui, je savais que je condamnais Haven à errer dans le pays des Ombres.

– C'est bien joli, tout ça. Tu oublies que s'il lui arrive quelque chose, j'aurai le sort de son âme sur la conscience.

Damen garde le silence. Il n'y a rien à ajouter. Son regard se perd dans l'océan dont les vagues invisibles s'écrasent à nos pieds.

Le moment est plutôt mal choisi, mais je ne peux m'empêcher d'ajouter :

— Damen, il faut que tu saches... Quand tu nous as vus sur la plage l'autre jour, Jude et moi, ce n'était pas ce que tu crois. D'ailleurs, je pense que c'est un immortel, comme Roman. Il a un tatouage au bas du dos.

Damen fronce les sourcils. Il doit se demander comment j'ai pu le distinguer en un pareil endroit. Aussi je me hâte de poursuivre :

— Il était en bermuda dans le Jacuzzi. J'avais organisé une soirée pour fêter le départ de Miles. Bref, quand Ava a téléphoné, il s'est tourné pour répondre, et c'est là que j'ai vu l'Ouroboros. Le serpent se mordant la queue, semblable à celui de Roman.

— Tu es sûre que c'était exactement le même ?

— Je ne comprends pas. Que veux-tu dire ?

— Il bougeait ? S'est-il effacé avant de reparaître ?

— Euh... non. Je ne l'ai aperçu qu'une fraction de seconde. C'est important ?

Damen va se percher sur le capot de sa voiture.

— Ever, l'Ouroboros n'est pas mauvais en soi. Loin de là. Roman et sa clique en ont altéré le sens. En réalité, c'est un ancien symbole alchimique signifiant la Création, l'envers de la destruction, la vie éternelle, le renouveau. C'est un classique des tatoueurs. Conclusion, Jude aime le mysticisme, les tatouages et... toi.

Comment lui enfoncer dans le crâne que ce n'est pas réciproque ? Que Jude ne soutient pas la comparaison ?

Il me tend la main en souriant. Il a lu dans mes pensées.

— *Tu es sûre ? Ce n'est pas la belle voiture et les tours de magie qui t'ont séduite ?*

Je m'approche et pose le front contre sa poitrine. Quel

bonheur de retrouver nos échanges télépathiques ! Je craignais que Roman n'ait brisé le lien entre nous.

– *Rien n'est brisé, Ever. Seule la peur sépare les gens, les isole. L'amour, lui, rapproche et unit.*

– Toi seul comptes pour moi, tu le sais bien.

Je voulais le dire à haute voix afin d'éviter toute confusion. J'espère que la quarantaine est finie, que nos trois mois de mise à l'épreuve ne sont plus à l'ordre du jour.

Damen prend mon visage entre ses mains et pose ses lèvres sur les miennes. C'est la réponse que j'attendais.

Nous avons encore beaucoup à discuter – Roman, Haven, les jumelles, Jude, *Le Livre des Ombres*, le retour d'Ava… Mais cela peut attendre. Je veux savourer l'instant, la douceur de sa présence.

Je m'installe à ses côtés et presse la tête contre son épaule. Amoureusement enlacés, nous contemplons l'immense étendue liquide et sombre qui s'étire à l'infini, invisible à nos regards.

Composition PCA
44400 – Rezé

Impression réalisée par
Corlet Imprimeur
14110 Condé-sur-Noireau
pour le compte des Éditions Michel Lafon

IMPRIM'VERT®

Imprimé en France

Dépôt légal : octobre 2010
N° d'imprimeur : 131602
ISBN : 978-2-7499-1303-2
LAF 1252 C